U0504884

中国司法制度

ZHONGGUO
SIFA ZHIDU YANJIU

研究

王圣诵　王成儒

著

人民出版社

序

张 晋 藩

　　王圣诵、王成儒两教授主持写就的《中国司法制度研究》一书,是他们长期在高等院校从事法学科研与教学的累积成果,也是集他们各自研究所长的综合大作。付梓之前,令我先读为快,并乐为之作序。

　　中国司法制度的历史源远流长,在漫长的历史发展进程中,形成了自己的民族文化特点。这无论是逐步形成完善的制度建设,还是充满着理性的证据规则,以及显示出的独特文化特质,都使得中国的司法在世界司法制度当中占据着重要的地位,有着自己民族的显著特点,发生着深远的作用与影响。

　　对中国司法制度进行研究,无疑是一件非常艰辛的工作。我们的前人与同仁在此做过了长期深入的研究与探讨,其研究成果是可喜可贺的。但由于司法制度的历史与现状,它既是古老的,又是现实的;既有静态的历史过程,又有动态的现实建构。如此,中国司法制度的研究,总有挖之不及、掘之不深之处,中国司法制度的研究便是一个长期而持久的学术任务。青岛大学的几位同仁集体写成的这部《中国司法制度研究》,取得了可喜的成绩,有如下特色:

　　其一，历史跨度大。《中国司法制度研究》一书，从纵的角度，最大限度地概括了中国从古至今的司法制度完整的历史进程。把中国的司法制度分为古代部分，以专门研究中国古代司法的产生、特点，发掘其所涉及的古代司法原则、司法思想，研讨其司法制度的历史建构、沿袭变革，论说其古代司法向近代司法的转型；而近代部分，则突出孙中山的司法理论、民国时期的司法实践，又以民国司法制度的不断建构为特色；在现代部分，除概述当今社会的司法制度以外，还力图探讨当今我国司法理论与实践存在的问题，发表了自己的研究心得。可谓较全面地驾驭了大跨度的中国司法制度的历史进程。

　　其二，空间所及广。《中国司法制度研究》一书，以横的视角、最宽的眼界，审视了中国大陆的司法制度，又延及中国港、澳、台三地的司法状况，完成了中国司法制度较为完整的司法体系。中国大陆的司法制度，体现了中华民族的司法传承以及现代世界的司法理念，是有中国特色的崭新司法制度；而港、澳特别行政区的司法状况，既有外国统治时期司法的延续，又有回归祖国后的特别司法制度，在特别行政区的司法理论与司法实践当中，充分体现着一个当今世界的伟大思想：一国两制；台湾的司法，让我们想到了革命先行者孙中山先生的司法理论与建立民国初期的司法实践，同时我们也感受到了中华文明在传承方面的血与水关系的痕迹，台湾的司法必然有它非常鲜明的特点。《中国司法制度研究》一书，以如此宽广的视野，让我们深刻地体会到：中国司法作为一个完整的整体而存在。

　　其三，集所长于一书。写作《中国司法制度研究》一书的几位同仁，有长于法学理论研究的，有以钻研思想史而颇具特长的，有专攻制度文化而深有所得者,还有长期从事司法实践富有经验的学者,集如此之同仁写作《中国司法制度研究》一书,能充分展现各自的研究特长,让我们感受到此书的研究,无论是在理论与实践方面,还是在广度与深度挖掘方面,均显示出比较均衡的力量。

《中国司法制度研究》一书付梓之时,就是研究新起点的确立之际。我希冀他们能够在司法制度研究领域,不断有新的研究成果问世。

是为序。

2005 年 8 月于北京

目录

第二编　中国古代司法制度

第三编　中国近代司法制度

第四编　中国现代司法制度

第一编
中国司法理论

第一章　司法本质

"司法"是一个政治学、宪法学的概念。在中国,司法是人民民主专政。

我国的"司法"在"人民民主专政"中,具体是指国家的侦查、检察、审判、狱政、律师管理等国家司法权力的构成、运作和实现,以及人民调解、民间仲裁等具有公信力的活动。

司法是统治阶级以法定的司法主体的身份行使国家司法权,对法律适用的判断和执行。从实证、司法方法或程序层面来概括"司法是指法律适用",不能揭示司法本质。

中国古代近代,是行政主导的司法体制。西方国家以梭伦、亚里士多德、西塞罗、胡克、哈林顿、洛克、孟德斯鸠、杰斐逊、汉密尔顿、哈贝马斯、哈耶克、罗尔斯、卡多佐、博登海默为代表的思想家对司法与公民社会和公民权利的关系有明确论述。当代中国司法实践和司法理论证明,人民意志是司法权的政治基础,中国共产党代表了最广大人民群众的根本利益,人民民主专政是司法权与公民权利关系的本质体现。

司法权是指"对法律适用的判断和执行的国家权力"。具体到国家司法机关是指公安机关、人民检察院、人民法院和司法行政管理机关等;具体到司法官员是指警官、检察官和法官;具体到国家司法权力是指侦查权、检察权、审判权和强制执行权。

司法权由国家强制性、公民授权性、有限性、程序上的中立、独立和终局性等四个基本法律特征。

第一节 司法的本质

一、司法的概念

当今"司法改革"、"司法理念"、"司法腐败"、"司法公正与效率"等名词不绝于耳,但是,何谓"司法"?"司法"或许使人联想到古希腊神话中"一手提剑一手天平",象征"正义与公平"的蒙面司法女神,或许特指作为珍藏在中国政法大学的"独角兽",或许是普通老百姓不假思索的"司法不就是公安、检察院、法院办案呗",或俗或雅,总得有人去归纳和总结。值得指出的是,西方国家法学经典,包括《牛津法学辞典》在内,并不把"司法"作为一个专有概念予以叙述。

笔者认为,"司法"首先是一个政治学概念,是一个宪法学概念。在中国,司法就是人民民主专政,是我国社会主义国家的"国体"的一部分。

在"人民民主专政"国体概念中,"司法"的若干本质特征均能得到明确的科学的解释和阐述。例如,中国共产党领导司法工作;中国的司法代表了最广大人民群众的根本利益;公安机关、检察机关和人民法院的侦查权、监督权和审判权的相互分工、相互制约关系等等。

我国的"司法"在"人民民主专政"中,具体是指国家的侦查、检察、审判等国家司法权力的构成、运作和实现,以及人民调解、民间仲裁等具有公信力的活动。

我国的法学学者是不会同意我以上的关于"司法"本质说明

的。他们都从法学的实证角度或法律实践的层面上归纳"司法"本质,他们认为"司法"等于"法律适用"。

"司法,同狭义的'法的适用',指拥有司法权的国家机关按照诉讼程序应用法律规范处理案件的活动。"①

"司法是对法律的适用,是特定机构运用法律处理诉讼案件的一种专门活动。"②

"司法是指司法机关依照法定职权和程序,运用法律处理案件的专门活动。"③

我不能说这些定义有什么错误,但是以上归纳只能说明"司法"在"技术层面"和"程序意义"的内容,不能揭示"司法"的本质。

如果从纯"法学"或"法律适用"的实证角度、或"诉讼法"的程序意义来概括"司法"的概念,我宁愿这样概括:司法是统治阶级以司法官员的身份行使国家司法权,对法律适用的判断和执行。

把我对"司法"本质的概括与其他法学学者相比,有如下的不同:第一,从奴隶主国家,经过封建地主国家、资产阶级专政,到人民民主专政,"司法"历经了不断进化、进步的过程;从另一个角度说,不同阶段或不同国家的"司法"具有其本质区别的阶级属性。第二,突出了"司法官员"在"司法"中的主体地位。第三,司法是运用国家权力解决法律纠纷和适用法律的过程。第四,审判和执行分离,并得到同等的强调。一般认为,司法的主要内容是审判,

---

① 曾庆敏主编:《法学大辞典》,上海辞书出版社 1998 年版,第 372 页。

② 钟玉瑜主编:《中国特色司法制度》,中国政法大学出版社 2000 年版,第 2 页。

③ 卓泽渊主编:《法理学》,法律出版社 2002 年版,第 339—340 页。

国内主流学者也持这种观点,我也是这样认为的,从匡扶正义和法律补救的意义上讲,执行是判决所体现的正义的实现。但在中国现在的条件下,刑事审判和执行分属于两个司法机关,民事审判执行归属哪个司法机关尚有人提出异议,而且"执行白条"现象已经使国家司法权受到了很大的损害。司法执行在司法与司法权中的地位与作用应得到充分的阐释与强调。

我们以上简要地把政治学、宪法学意义上的"司法"概念转换成实证的法学意义上的"司法"概念,下面则从公民社会与国家的关系中推演出公民权利到国家司法权的发展过程以及在公民权利和国家司法权的关系上建立了国家司法制度的法理依据。

二、司法权与公民社会和公民权利的关系

中国漫长的司法演进,行政主导因素是它的主要特点。司法与行政合一,中央司法机关不具有独立性。不论是秦汉的廷尉还是唐宋明清的刑部,要么是中央政府的九卿之一,要么是六部之一。而且,历代的宰相都可参与甚至左右司法审判。地方司法更甚,历代都由地方行政长官兼理司法,司法只是地方政务的组成部分。权贵享有司法特权,实行公开的不平等。从诉讼审判制度上,皇帝拥有最高司法审判权,且不必经法定程序而立即进行审理,司法的公正清廉取决于皇帝的英明与昏聩。

无讼与争讼的主张反映了司法权和公民权利关系的不同定位。"无讼"是中国古代司法追求的最高价值目标,是国泰民安、民风淳朴的象征。孔子就曾说:"听讼,吾犹人也,必也使无讼乎?"①这种"息讼无争"的传统思想不仅不鼓励民众对司

---

① 《论语·颜渊》。

法的推动,而且与当今正在如火如荼地进行的司法改革、政治改革背道而驰。英、美等判例法系国家的法制建设之完备、司法之活跃,究其原因很大程度上依赖于法官通过对公民个案的审判,确定相应的规则从而适应于整个国家法律的层面,相对于古代"息讼"之传统,这些才是我们当前所急需的、所应借鉴的。

西方思想的特点是争讼。自古希腊以来,西方人便认为,"发现真理的基本工具是逻辑;而逻辑程序的本质,乃是一套明晰定义了的范畴替现实进行分类"①,即法官的职责所在——确定某项事实是否包含于某项确定的法律之中,是否会引起明确的法律后果。

西方国家早在古希腊和罗马时期,就已能够睿智地选择在民众社会而非官僚集权的基础上发展高度文明,崇尚法律,将法律与民众合而为一,建立了一种不仅影响古希腊也影响未来西方的模式。

古希腊、罗马思想家们不仅仅抽象表述了统治者服从法律的思想,还第一次从法律视角设计了各国家权力机构的分权制衡关系和权力运行准则,其中蕴涵着司法理论的萌芽,为后世司法理论的完善奠定了重要的基础。

西方国家自古希腊时期的法治运动中,不断追求正义、权利、自由、理性等抽象价值理念,西方近代学者在继承前人的基础上,将上述理念不断赋予新的时代内涵,不断运用于司法实践,并始终指导司法实践。

在现当代,以哈贝马斯为"掌门人"的法兰克福新左派之关于"国家权力和市民社会之间的关系是一元还是两元","公共领域和个人的关系"等法哲学理论大行其道。"不读哈耶克至少说明

---

① 《论语·颜渊》。

你不够时髦"的百科全书式学者哈耶克之"逐渐逼近正义"的"普通法司法的宪法程序构建",以及被誉为"二次大战后伦理学、政治哲学领域中最重要的理论著作"的罗尔斯的"绝对平等主义之正义论"等新经典学说又给世人带来了法治观念上的深刻反思,对有着几千年来自成体系的中华法系传统的当代中国来说,与国际社会接轨,真正实现依法治国,借鉴西方法治先起国家的司法理论显得更加紧迫。

美国著名法官卡多佐曾指出:"法律作为社会控制的一种工具,最重要的是司法作用。"①博登海默也曾指出:"法律体系建立的全部意义不仅仅在于制定和颁布良好的科学的法律,还在于被切实执行。"②美国学者范德比特指出:"在法院而不是立法部门,我们的公民最初接触到冷峻的法律边缘,假如他们尊重法院的工作,他们对法律的尊重可以克服其他政府部门的缺陷,但是如他们失去了对法院工作的尊重,则他们对法律和秩序的尊重将会消失,从而对社会构成极大的危害。"③从上述法学大家的精辟言语中,不难看出司法在整个法治框架下对于全社会的重要性,但也就是这种关乎普通民众的重要作用,使得"相当多的社会公众,甚至把司法理解为法治的全部内容"④。

另外,本书所指"政治权威"是构建国家所需权力的权威,而

---

① Cairns. H, The history of legal science, in the American Jurisprudence Reader, Cowan, T. A. p. 148.

② 博登海默:《法理学——法哲学和方法》,上海人民出版社 1992 年版,第 361 页。

③ Arthur T. Vanderbilt, The Challenge of Law Reform, Princeton, NJ, Princeton University Press,1995,p.4—5.

④ 参见公丕祥主编:《法制现代化研究》第 2 卷,南京师范大学出版社 1996 年版,第 30 页。

非仅局限于对"行政"的理解,这种权威的建立带来的是权力运作的规范和人民权利的保障即公共福祉。而"政治权威的结构化,是法治必须依赖的载体要求,也是法治这一制度文明现象所发展出的必然后果。"①如前所述,司法是国家意义下的争议解决手段,表明司法的国家权力性质,它从国家诞生以来就依附国家而存在,只不过,独立成型的司法还是在近代法国启蒙思想家孟德斯鸠著名的分权理论中才提出的,但并不能抹杀司法属于国家权力及其结构范畴的这一事实。

在古希腊雅典城邦,法律的权威和正义、平等的理念,以及公民对法律遵从的信念最初因梭伦(Solo,约前630—前560)的改革和立法而奠定。梭伦出身贵族但倾向平民。"他坚信国内冲突的原因是世袭的上层阶级握有不受限制的与不受监督的权力。"②所以就必须按照"不让任何一方不公正地占有优势","无贵无贱、一视同仁制定法律"的基本原则,利用政治权威相互之间的牵制和树立"法律至上"的理念,进行改革和立法。设立每个公民都有权以陪审员身份参加的法庭,任何人都有权向该法庭申诉,该法庭成为一切公私事情的公断人;贵族会议则保留维护法律的职责,"仍旧把保卫法律的职责交由阿勒巴菊斯议会,这个议会仍旧是宪法的检察人,它监督最大多数和最重要的国家大事",并把法律写在牌子上,立在首席执政官的宫廷,所有的雅典人发重誓,而9位执政官通常对着那块石头(或宙斯神坛的那块石头)宣誓说,他们如果违反任何一条法律,就得奉献一个小金人像③。我们赞同法国的

①　程燎原、江山:《法治与政治权威》,清华大学出版社2001年版,第165页。
②　特伦斯·欧文:《古典思想》,谭方明译,辽宁教育出版社1998年版,第44页。
③　亚里士多德:《雅典政制》,日知、力野译,商务印书馆2000年版,第9—12页。

古希腊研究专家韦尔南对此的精彩而恰当的评价:"梭伦所完成的一切,都是以共同体的名义并借助法律的力量完成的,他把强制性和争议性结合在了一起。权力之神克拉托斯(Kratos)和暴力之神庇亚(Bia)是宙斯的两个帮凶,以前他们一刻也不离开宙斯的王位,因为他们体现了圣王权力所包含的绝对性、非理性和不抵抗性;现在他们却为法律服务,变成法律的奴仆,因为法律已经代替国王在城邦的中心执政了。"①

奉行"法治优先于人治"、"法律统治论"的亚里士多德不仅仅从人的本性推导出法治优于人治,而是进一步从政体稳定需要推导出法治优于人治。他在《政治学》中根据"国家最高统治权的执行者"人数的多少,将政体划分为君主制、贵族制和共和制,同时又根据这种最高统治权行使的目的,即以公共利益和整体幸福为目的则是正宗政体,若是以利己为目的则蜕变为僭主制、寡头制、平民制三种变态政体,从而为稳定的政体留下隐患。因为"当一个人或若干人组成的一个团体,势力增长得过大,以至凌驾整个公民团体,这种人或这个团体因此占取了某些形式的特权"②,"这种特殊地位常会造成君主专制或寡头政治",为根除这种隐患,关键是要建立的政体不可能产生特权,就必须依靠有权威的理性规则即法治,"不让任何人在政治方面获得脱离寻常比例的超越地位"③。

我们可以从亚里士多德的政体理论中找到关于司法的理论,即国家权力分立、建立良好政体的观念。根据亚里士多德关于健

---

① 让·皮埃尔·韦尔南:《希腊思想的起源》,秦海鹰译,北京三联书店1996年版,第73—74页。

② 亚里士多德:《政治学》,吴寿彭译,商务印书馆1997年版,第238页。

③ 同上书,第268页。

全政体的三要素说,实际上将国家权力划分为立法权、行政权和司法权,只不过是没作为术语明确提出。立法权由议事机构行使,行政权由行政官行使,司法权由司法机构(法庭)行使,这是人类历史上第一次对国家权力的职能部门之间分工的系统论述。亚里士多德所定义的司法,就是由司法机关行使的对纠纷和冲突进行裁决的国家权力。其管辖范围相当广泛,"不仅包括审理刑事案件和私人纠纷,而且还包括审查行政机关人员行政行为的合法性以及违反宪法的诉讼案件"①。

在古罗马,西塞罗被誉为古希腊理性主义传统的传承人,和古希腊先哲一样认为法律是理性的,因而也是正义的,人们接受了自然法的统治也就接受了理性的统治,但是西塞罗在很大程度上继承了斯多葛学派的自然法思想②,认为法律源于神意(自然),并将自然法思想发扬光大,使之上升为法律统治的正当性依据,从而讨论并确定相应的法治载体即均衡政体,以安排权力的关系、官吏的职能和权限以及保障人们的自由等权利。

西塞罗在《国家篇》中那段对自然法的著名释说,进一步阐述了斯多葛学派关于自然法是"普遍存在的、至高无上"的思想,视法律的理性为最高的命令:"……真正的法律是与本性(nature)相结合的正确的理性;它是普遍适用的、不变的和永恒的;它以其指令提出义务,并以其禁令避免做坏事……只有一种永恒的对一切民族和时代有效的法律;对我们一切人来说,将只有一位主人或统治者,这就是上帝,因为他是这种法律的创造者、宣告者和执行法

---

① 张卫平:《司法改革:分析与展开》,法律出版社2003年版,第97页。

② E.博登海默:《法理学法律哲学方法与法律方法》,邓正来译,中国政法大学出版社1999年版,第14页。

官……"①他所说的"上帝"不是宗教之神,而与"自然"同义,实际上是借助神秘的自然力量,张扬法律的权威,把法律看成是和上帝的意志同时发生的,即现实社会法律的权威并不来自于法律规则本身,而是来自于理性(自然)的力量:"正义只有一个,它对所有的人类社会都有约束力,并且它是基于一个大写的法,这个法是运用于指令和禁令的正确性。无论谁不了解这个大写的法——无论这个法律是否以文字形式记录在什么地方——就是没有正义。"②因而,他不止一次地援引自然法来反对某个制定法。

西塞罗认为,法治最好的载体即最好的政体应该是君主制、贵族制和民主制的均衡结合。对君主制来说,"一个人的绝对统治很容易并很快蜕化成僭主政治"③,即暴君。他也不主张贵族制,"当名望、财富和权力在缺少关于如何生活和如何统治他人的智慧与知识时,就充满了不光彩和傲慢的自负,没有比这种把最富者作为优秀者更腐败的国家形式了"④。与亚里士多德一样,西塞罗也反对纯粹的民主制,认为人民一旦拥有绝对权力就会脱离民众政府,就成了"暴民"而为所欲为。西塞罗的用意很明显就是将上述三种政体的有利因素提取出来,建立可兼顾各个阶层利益的均衡政体,也就是说,把君主制的"权威"、贵族制的"智慧"和民主制的"自由"这三者结合起来,让最优秀的发挥其才德,大众享有自由,

---

① 西塞罗:《国家篇 法律篇》,沈叔平、苏力译,商务印书馆1999年版,第101页。

② 同上书,第163页。如有一次,他质问道:"我来问你,如果人民已经命令我应当是你的奴隶或你应当是我的奴隶,那么,颁布、制定并确立这样学说是有效的吗?"在元老院的一次演讲中,他也直接诉诸"正义的学说"来反对成文法规。

③ 同上书,第36页。

④ 同上书,第40页。

法律得到各方的遵从。

在确定了理想政体后,西塞罗进一步指出,只有建立在法律基础上的国家才是正义的,因而国家和官吏的权力也就可以推断出来自于人民,其中,尤为强调并首次阐述了官吏对法律的服从、法律对权力的约束关系,他认为对官吏的极度信任是愚蠢的,因为他们一旦有了权力也就有了腐化的可能,而且他们的腐化比一般公民的腐化更为甚之,防止权力腐败的惟一途径就是依靠法律,即"统治者是法律的奴仆"。

因此,西塞罗在自然法的名义下,不仅仅抽象地表述了统治者服从法律的思想,而且还从法律视角设计了各国家权力机构之间的分权制衡关系,国家权力根据法律规定合理分配于元老院、平民大会和执政官三个机构并使其权力相互交叉,构成一种严密的监督制约关系,如作为国家立法机关的元老院的法令可能遭到来自国家重大事件决策机构的平民大会以集体决议形式的否决,以忠实执行正义的法律为职责的执政官如被认为有违法行为,任何人可向元老院或平民大会控告或申诉,由此,西塞罗的一整套具体的权力运行准则又大大发展和超过了前人。

西方社会经历了基督教神学统治的漫长中世纪,人性被淹没,人的价值被神的尊严遮蔽,人民迫切希望摆脱由神学所创造的"神权高于世俗王权"、"神法高于人法"的法治精神,罗马法复兴、文艺复兴运动、宗教改革等运动相继登上历史舞台,引发了一场由神性法治主义到理性法治主义的变革。

在经历了胡克以神学家的视角解读理性,并以理性为依据证明法治的正当性和必然性,斯宾诺莎的以纯粹世俗政治哲学家眼光看待理性,并从人的理性出发推导出法治模式的优越性,哈林顿提出了著名的"法治政府的均势权力原则"。首先,哈林顿认为法治王国的力量源泉是人人平等的人民,通过法律来固定这种平等权利、树立政治权威,只是手段不是目的,自由是自由人民的权利。其次,在充分肯定亚里士多德、李维和西塞罗等建立的法治而非人治公理的前提下,哈林顿认为,关键问题是权力的安排,因而诉诸于均势权力原则。哈林顿认为财富是权力的基础,权力的占有和大小往往取决于对财产占有的多少,因而从财产的均势推导出权力的均势;财产和权力均势后,杜绝暴力隐患最有利的途径是将之法律化,"均势已经由法律确定了,国家也就是稳定的"①。具体而言就是立法权的"均分和选择",并且把利益均分的权力和利益选择的权力分离开来,国家才能体现真正的理智②。"元老院和民众大会——只是立法机构,必须有第三个机构来推行制定的法律,这就是行政机构"③。这个行政机构只有一般的法律执行权,最高执行权由人民行使。由此,哈林顿的分权特点是把权力分为立法权和法律的执行权,并把司法权包括在执行权之中。尽管他没有独立提出司法权,但还是强调司法和立法之间相互支持的关系④。

如果说文艺复兴仅为近代法治思想的形成提供了充分的舆论准备和精神条件,那么,启蒙运动则是其直接力量源泉,近代精神的要求,诸如凭良心所知、信教自由、机会平等、代议制以及法律面

① 詹姆士·哈林顿:《大洋国》,何新译,商务印书馆1996年版(下同),第11页。
② 同上书,第22—23页。
③ 同上书,第25页。
④ 哈林顿指出:"在平等共和国内,如果发生官职过多,或者让那些以先行法律牟利的人掌握立法权力,并让他们决定法律应遵循古制还是应加以改革,这都是经纶之道的破坏。诚然,立法权力也许需要司法机构或懂法律的人提出意见或提供法律帮助。"詹姆士·哈林顿:《大洋国》,何新译,第211页。

前人人平等,就在"自由、平等、民主、博爱和人权"的旗帜下,部分的达到了目的,并由洛克到孟德斯鸠再到汉密尔顿,逐渐走向近代西方法治的巅峰。

洛克被誉为近代自由主义和法治理论的奠基人,尤其是他主张的民主制、分权制,直接启迪着孟德斯鸠关于民主和分权制衡的主张的提出,尽管他只提出了立法权、执行权和实为执行权的对外权,加上孟德斯鸠主张的司法权,又不可避免地影响了美利坚合众国的开国元勋及宪法草案的构造者,形成了美国政府的形式,这是第一次将法治理论不再纯粹停留在学术探讨、启蒙思想的范畴,而是勇敢而坚决地运用到新国家的构建中。

如前所述,孟德斯鸠师承洛克,始终贯穿着理性、自由这一主线,并将自由确立为法治的实质,法治和自由是相辅相成的,一方面自由离不开法律的约束,另一方面自由离不开法治的呵护。因而,他得出结论:"法律声音响亮"的地方,就是自由诞生的地方,一个法治的共和国必定是一个自由的共和国。但这被视为崇高价值的自由如何保障?对此,孟德斯鸠除继承前人以政体为依托外,更是别具特色地运用确立政治结构的宪法①和作为司法事务的其他法律对自由进行双重保障。首先,在他看来,民主政治和贵族政治都是可行的"温和"政体,其中民主政治最具吸引力之处,不仅仅表现在它的公民品德高尚,从而建立起法律的至上权威,而且还在于它保证了公民在法律许可的范围内享有最大限度的自由和安

---

① 孟德斯鸠认为,宪法或根本大法主要是从政制上来保障公民自由。东方专制主义国家没有根本大法,专制暴君无视法律,庶民被迫生活在"政治奴隶状态"之下。见萨尔沃·马斯泰罗内:《欧洲政治思想史》,黄光华译,社会科学出版社1998年版,第161页。

全①。其次，孟德斯鸠尤其强调作为一般司法事务的法律中的刑法对自由的捍卫，"政治的自由是要有安全"，但是，"这种安全从来没有比在公的或私的控告时受到的威胁更大的了。因此，公民的自由主要依靠良好的刑法"②。孟德斯鸠倡导自由只存在于"宽和"政府里，但不是经常存在于"宽和"的政府里，只在那样的国家权力不被滥用的时候。于是，孟德斯鸠提出"宽和"政府或国家的分权与制衡原则，立法权、行政权和司法权的分立和制衡，并明确阐释了"司法独立"这一原则："如果司法权不同立法权和行政权分立，自由也就不存在了。如果司法权和立法权合二为一，则将对公民的生命和自由施行专断的权力，因为法官就是立法者。如果司法权同行政权合二为一，法官便握有压迫者的力量。"③除了三权分立外，他更强调权力的制衡，如司法机关对立法机关的活动是否符合宪法，对行政首脑的职务行为有监督权，并赋予独立的司法机关以保护个人权利的权力，去抵制来自立法权和行政权专断的行为。孟德斯鸠认为，司法权的属性是惩罚犯罪和裁决国家讼争的权力，不仅应该完全独立，而且应由专门的法官和陪审官行使，并不受立法机关和行政机关的干涉。因而，"司法权不应给予永久性的元老院，而应由选自人民阶层中的人员，在每年一定时间里，依照法律规定的方式来行使；由他们组成一个法院，它的存续时间看需要而定。"④"这样，人人畏惧的司法权，既不为某一特定阶级或某一特定职业所有，就仿佛看不见、不存在了。法官不经常出现

---

① 汪太贤：《西方法治主义的源与流》，法律出版社 2001 年版，第 372 页。
② 孟德斯鸠：《论法的精神》上册，张雁深译，商务印书馆 1997 年版，第 188 页。
③ 同上书，第 155 页。
④ 同上书，第 157 页。

在人们的眼前;人们所畏惧的是官职,而不是官吏了。"①另外,对于法官的职能,他认为,只能解释法律而不能创制法律。因为法官只是法律的代言人,既不能缓和法律的威力,也不能缓和法律的严峻。相应地,裁判只能是法律的准确解释,如果是法官私人意见的话,则将造成法律的不确定性,也就是说,人民将不知道他在社会中所承担的义务。

在历经千年法治思想、治国理论的熏陶、沐浴后,美国开国时代具有法律精神的政治元老们,终于首次将这种一直以来只是停留在思想、理论层面的先哲的智慧,运用到了法治共和国的构建实践中,而这种构建又是无与伦比、非常独特的。

如果说"在比利时,个人权利是从宪法的原则中演绎出来的,在英国,所谓的宪法原则是从法庭关于特定个体之权利所作的个别裁决中归纳或概括出来的"②,那么在美国,"美国的政治家显示出了无与伦比的技能,他们设计了种种制度以对美国宪法所宣布之权利提供法律保障"③。"一方面,在美国,建国者们最初并不认为有必要搞一部成文的权利法案——他们甚至没有将其纳入宪法条文中,而另一方面,普通法院的司法裁决对有关个人权利和美国政治制度的问题,曾经发挥了、并且依然具有重要作用"④。显然,美国开国者们更关注并贡献卓越的是对政体和宪法的设计,以及在此框架之下的对司法的重视。具体而言:

----

① 孟德斯鸠:《论法的精神》上册,张雁深译,商务印书馆 1997 年版,第 157 页。

② Albert Venn Dicey, Introduction to the Study of the Law of the Constitution (8th ed;London:Macmillan,1915),p. 185.

③ 同上书,p. 195.

④ 同上书,p. 191.

首先,建国者们也认为共和国的权力来源于人民,这一点直接体现在《独立宣言》中杰斐逊关于自然权利和政府的经典论述:"我们认为这些真理是不证自明的:人人生而平等,他们被造物主赋予某些不可转让的权利,其中包含生命权、自由权和追求幸福的权利;为了保障这些权利,才在人们中间建立政府,而政府的正当权力,则得自被统治者的同意;如果遇有任何形式的政府成为损害这些目的时,人民就有权利改变或废除它,以成立新的政府,而新成立的政府要奠基在这样的原则之上,以这样的形式组织其权力,以期惟有这样才最能保障人民的安全和幸福"①。

其次,人民的"被造物主赋予不可转让的权利",又是怎样被具体行使的呢?这里,我们将不可避免地提到公民权利和国家权力之间的转换纽带或称桥梁——"代议制"——近代民主国家(国家)的典型特征②。"代议制"实际由18世纪末英国所体现的古典"民主制度"的理念所体现,就是允许人民通过选举产生的国会代表来决定他们的事务,并通过宪法及法律将之固定。因而,国会是选民在法律意义上的"受托人",显然,"选民是更为重要的,甚至可以说,选民是至高无上的权力,因为现行宪法确保他们的意志必须得到彻底的遵循"③。随着选举权扩大到全体公民,代议制原则也随之扩展,如果要维持这一制度的真正运转,就必须解决如下问

---

① 梅利尔·D.彼得森注释编辑:《杰斐逊集》(上),刘祚昌、邓红风译,三联书店1993年版,第22页。

② 有人往往把"共和"(republic)和"民主"(democracy)相混,现在有很多共和国不是民治的,也有很多民治国不是共和的,如不列颠、挪威等。见詹姆斯布赖斯《现在民治政体》(上),张慰慈译,吉林人民出版社2001年版,第22页。

③ Dicey, Introduction to the Study of the Law of the Constitution (8th ed; London; Macmillan, 1915), p. 76.

题:(1)要使具有选择代表之资格的公民的人数与国民之实际结构相一致;(2)要保证竞选成为代表的人士,确实是那些能表达其所代表之民众的意愿的人;(3)要采用一套选择代表的制度,从而使他们能充分反映其所代表之民众的意愿①。实际上,关于代议制的问题自其产生之日起也相应而生,如选民资格问题、代表与选民之间共同意愿问题等,没有任何国家能够维护代议制的灵魂②,但这并不妨碍人们在找到更为理想、严谨的"代替品"前,仍然将其称之为自古希腊、罗马时代以来最伟大的政治创举③。

既然美国开国时代的建国特色在于没有通过制定单独的权利法案予以保障公民自然权利,而是通过法律对国家权力严密构建和合理安排来达到上述目的,即"在腐化和暴政袭击我们之前,去防止腐化和暴政的到来。与其在狼进羊圈后拔它的牙,不如防止它进来"④。那么,关于政体的问题就是我们不能回避的问题。法国著名启蒙思想家伏尔泰对暴政有其解释:"暴政可分为一个人的暴政和许多人的暴政两种。这许多人的暴政可能是一个集团侵犯其他集团的权利,施行有利于他们御用法律的专横统治。"对此,"您高兴生活在哪一种暴政之下呢?哪一种也不喜欢。不过,倘若必须选一种,我对于一个人的暴政比较多人的暴政讨厌得差一点儿。一个专制的暴君总有时候善良一点;一个专横的集团任何时

---

① 对于代议制与多数规则的联系的最新探讨,参见 Burnham, The Congress and the American Tradition(Chicago:Regnery,1959),尤其是题为《何为多数》的那篇。

② 布鲁诺·莱奥尼:《自由与法律》,秋风译,吉林大学出版社 2001 年版(下同),第 123 页。

③ 同上书,第 121 页。

④ 梅利尔·D. 彼得森注释编辑:《杰斐逊集》(上),刘祚昌、邓红风译,三联书店 1993 年版(下同),第 24 页。

候也不会善良。"①杰斐逊用几乎与此相同的口吻说道:"历史告诉我们,人的机关和一个人一样,都容易染上暴政的精神。"②基于这种认识,杰斐逊提出了自由政体和法治的根本原则——复合型分权制衡体制。首先是纵向权力的划分,即联邦政府和州政府的权力划分。其次在于权力的横向划分,即立法权、行政权和司法权的划分。其中,司法的独立权力和地位,在作为这一体制一部分的同时,也扮演着这一体制保护者的角色。"政府的这一支将负担处理冲突的重任,因为它们是理性最后的上诉地点。"③18 世纪美国著名联邦党人汉密尔顿从实证分析角度对司法理论进行了如下补充:第一,不是从抽象意义上强调司法权应当独立于立法权和行政权,而是从保障司法独立的措施入手进行分析。他指出,司法独立最基本的要求就是法官独立,一是法官的任期应当固定,非经弹劾不得被罢黜;二是法官的薪俸固定。这都是我国司法改革中学者们所津津乐道的。第二,司法权应该包括违宪审查权和司法解释权。他担心代表的地位高于被代表的主体,仆役反高于主人,因而应使法院成为人民与立法机关的中间机构,以监督后者在其权力范围内行事。他认为,法院还应当享有解释宪法和法律的权力,这是法院所必须和正当的权力。第三,最终司法裁决权由联邦最高法院行使。他指出,这种做法并非违反三权分立原则,并不会导致司法机关从制度上侵犯立法机关权限的危险,"歪曲或违反立法机关意志的个别情况可能不时有所发生;但是,此种个别事例永远不

---

① 伏尔泰:《哲学辞典》下册,"暴政"条,王燕生译,商务印书馆 1991 年版,第717—718 页。

② 梅利尔·D·彼得森注释编辑:《杰斐逊集》(上),刘祚昌、邓红风译,第263 页。

③ 同上书,第260—263 页。

可能达到影响或阻碍整个制度实施的程度。这可以从司法权的一般性质,从它所涉及的对象,从它行使司法权的方式,从它本身的相对软弱性,从它根本没有力量作为其超越本身权力的后盾等诸方面可以得到保证。"①第四,由符合一定条件的随机抽取的一般民众组成的陪审制,在一定程度上可以防止法官受贿行为发生,以捍卫司法公正。"因既设陪审制,则需对法院与陪审团进行双重侵蚀,如陪审团的判决有明显差错,法官将宣布重新审判,是则如公施贿赂于陪审团,不在法院方面暗通关节,则不能收到效果。如此则为双重保证"②,反之亦然。

考察现代各国对"司法"概念的具体实践,大体上,美、日等国的一元主义司法模式与德、法等国的二元或多元主义司法模式。美国的司法概念,依其《联邦宪法》第3条规定,以"事件及争讼"(cases and controversies)为要素,包含民事、刑事及行政事件的裁判。而且,法院审理案件时,附带对有关法令进行违宪审查,这是司法的本质性义务。日本战后对美国司法制度全盘照收,因此,在对司法的理解上,也大致采取与美国相同的态度。法国自大革命以来,将司法范围限定于民、刑事裁判,不包括行政案件的裁判,司法的任务亦受严格的限制,大革命时期的法律规定,法官干预立法权及执行权行使的,即构成渎职罪。同时,法院"解释"法律也被绝对禁止,法官仅能机械地适用法律。1958年10月4日《法国第五共和宪法》虽然引进违宪审查制度,但该制度与一般司法不同,即法国设置了专门的宪法委员会负责对法律的合宪性进行审查,

---

① 汉密尔顿等:《联邦党人文集》,程逢如译,商务印书馆1980年版(下同),第407页。

② 同上书,第419—420页。

法国的法院不具有违宪审查权。同属大陆法系的德国,传统类似于法国,将行政法院排除在司法体系之外,现行基本法则另设"裁判"(Rechtsprechung)一语,作为"司法"的上位概念,用以统括普通法院、行政法院、财政法院、劳动法院、社会法院及具有抽象违宪审查权的宪法法院。这种司法职能由不同国家机关行使的司法模式,被称为司法二元或多元主义。

我国的司法模式基本上以苏联为样板建立,但是随着苏联的解体,苏联司法制度又重新走上了西方三权分立的"老路",这是值得警惕的。

反思西方国家的司法模式演变与发展,卡多佐沿着以往西方学者开辟的思想道路和理论框架继续前进,更多地从司法的本质入手,从司法来源、司法实践、司法建构的哲学基础,概括出司法的问题就是审判问题的命题。他们的理论成果为我们理清了如下思路:

第一,力行司法改革。

19世纪末20世纪初,美国社会经济萧条由此引发大量的社会问题,立法机关和行政机关(根据立法机关的授权)制定大量调整经济的法律法规,从而对社会生活控制和管理的范围及深度不断扩展,美国司法界许多人士从国家权力制衡和保护自由竞争出发,要求利用司法权对立法机关和行政机关制定的法律法规进行合宪性审查。他们认为,在民主国家,指导社会变革的主要角色应属于立法机关和行政机关,而不属于司法机关。

部分当代后发展国家如墨西哥等,都是以相对简单、低成本的司法改革为切入点,成功推进国内政治改革,营造安定和谐社会。这种成功的范例应用在中国实际中也是必然奏效的吗? 不然,法兰克福新左派的哈贝马斯曾说过:"中国在近二十年把法律改革作为政治改革的一种手段,我认为这是有局限性的,因为现代法律制度的基础应当是彻底民主化的社会。……没有基本的自由、平等以及政治参与的权利,没有基本的社会公正,现代法律制度就无从谈起"①。这不能说我们不重视司法的作用,而是更应该在整个政治、法治大背景下审视、探讨司法改革的发展前景和意义。

第二,尊重司法官员的地位与作用。

在英、美判例法系国家,遵守制定法和司法先例是法官的首要义务。但"……判例法的规则和原则从来也没有被当做终极真理,而只能作为可资用的假说,它们在那些重大的实验室——司法法院——中被不断地重复检测……如果从一个原则中推演出的那些规则不大起作用,那么,这个原则本身就最终一定会受到重新考察。"②法官必须根据自己的内心良知来审理案件,作出公正的司法判决,正如斯塔姆勒所说:一个判决"应当是一个客观上正确的判决,并且没有主观和随意的看法;是一个裁断而不只是一个个人性的命令"③。也就是说,法官在司法裁决过程中实际上充当着立法者的角色,即当成文法默默不语或内容不明确时,法官应当服从立法者自己来处理这个问题时将会有的目标,并以此来作出他的司法判决。这时,法官承担了立法者的职能④。

第三,诠释正义、权利、平等等司法价值。

---

① 曹卫东整理:《哈贝马斯"〈读书〉座谈会"纪要》,故乡网(www. guxiang. com)2001 年 5 月 26 日发布。

② Munroe Smith, Jurisprudence, Columbia University Press, 1909, p. 21;转引自[美]本杰明·卡多佐:《司法过程的性质》,苏力译,商务印书馆 1998 年版(下同),第 10—11 页。

③ Starmmuler, "Richtinges Recht";转引自[美]本杰明·卡多佐:《司法过程的性质》,苏力译,第 66 页。

④ 张卫平:《司法改革:分析与展开》,法律出版社 2003 年版,第 110 页。

　　古希腊亚里士多德的法治理论中良法的标准就是体现理性、正义和善,是现代人探寻司法之崇高任务的法治源头,但从某种意义上说,西方法治思想中诸如自由、平等、权利等司法活动追求的最高价值理念不仅仅是希腊人也是罗马人奠定的,而且近代西方的诸多法治理论和制度的渊源都可以追溯到罗马法学家关于自然平等、自由的自然法思想。如博登海默所说正义有张变幻的脸,先哲们关于正义是美德是善的阐释,到了今天的理论著作中则成了"捍卫权利对善的优先性"。

　　在亚里士多德的法治理论中,认为正义是良法的一种美德,善是良法的终极追求。根据他的解释:正义,一是指合法的;二是指合理的、公正的。"所谓公正,是一种所有人由之而作出公正的事情来的品质,使他们成为做公正事情的人。"①"合法和平等当然是公正,违法和不平是不公正的。"②他把正义划分为"普遍"和"特殊"的正义,即合法和公正,普遍正义意味着人们一般地"遵守习惯和规则",特殊的正义意味着一种对待事物的平等原则,包括"分配的正义"和"救济人与人之间关系方面的正义",主要在于为社会确立一种"比例"关系。

　　现代权利概念的直接来源,特别是个人权利的源头,一般被认为是古罗马的法治思想,尽管在罗马法学家那里,"ius 或 jus"一词也包含着法律、正义和义务等多重含义。罗马的法律主要不在于为政治国家提供模式,而在于为公民私人行为设置准则、为私人权利提供保障。把"法"、"正义"和"权利"作为等值概念,认为"正

---

① 亚里士多德:《尼各马科伦理学》,苗力田译,中国社会科学出版社 1999
　　年版(下同),第 96 页。
② 同上。

义是给予每个人他应得的部分的这种坚定而恒久的愿望"①。每个人"应得的部分"就是罗马法里表述的"权利",法的正义和善良在实际生活中表现为给予人们应有的权利②,从而超越了希腊人建筑在普遍道德意义上的正义,将正义和公民的世俗权利以法律为载体相联系,并从自然法强调的"普适性"将这一较为朴素的、私人领域的权利概念发展成为普遍、永恒的"权利"概念。可以说,罗马法(自然法)创设了一条影响后世颇深的、重要的法治公理——人类生而平等,近代法律面前人人平等这一重要法治原则就源于此。

　　然而,他们的正义观仍未超出义务的范畴,未免为现代政治哲学所不认同。罗尔斯在其早期名著《正义论》中引发了三种争论,这正是它的伟大魅力之所在:第一种争论发生在功利主义和坚持权利取向的自由主义者之间。罗尔斯《正义论》问世前,功利主义是英美道德哲学和政治哲学中占支配地位的观点。而自《正义论》刊行以来,坚持权利取向的自由主义逐渐占据上风。第二种争论发生在坚持权利取向的自由主义阵营内部诸派别之间。激进自由主义者如弗里德里希·哈耶克认为,政府应该尊重基本的公民自由和政治自由,尊重我们拥有市场经济赋予我们的劳动成果的权利;税富济贫的再分配政策侵犯了公民的平等权利③。平等主义的自由主义者如罗尔斯则认为,若没有对基本社会需求和经济需求的具体规定,几乎无法有意义地实践我们的公民自由和政治

---

① 　桑德罗·斯奇巴尼:《民法大全选译·正义与法》,黄风译,中国政法大学
　　出版社 1992 年版,第 34 页。

② 　汪太贤著:《西方法治主义的源与流》,法律出版社 2001 年版,第 93 页。

③ 　迈克·桑德尔:《对罗尔斯政治自由主义的回应》,贺照田主编:《后发展
　　国家的现代性问题》,吉林大学出版社 2004 年版,第 375 页。

自由。第三种争论主要集中在激进派和平等派所分享的一种假设上——政府应对各种相互竞争的善生活观念保持(价值)理念的中立,即具体规定权利的正义原则,不应依赖于任何特殊善的生活观念①。

为什么必须将道德确信、宗教确信和善生活观念搁置起来?为什么这些支配社会基本结构的正义原则不应建立在对上述的最高人类目的上? 在于:政治自由主义者罗尔斯将我们作为公民的认同与我们作为个人的认同之间分离或"二元论",而这种分离恰"源于现代民主社会的特殊本性"②。不同于以往传统社会以其完备性道德理想和宗教理想塑造政治生活,现代社会人们对善的看法分歧尤甚——以道德观点和宗教观点的多元性为标志——在公共认同和人格认同作出区分,强调是出于政治目的,而非全部道德目的,把我们自己作为自由而平等的公民来思考。具体而言,我们作为公民的自由意味着我们的公共认同,在任何时候不受我们所信奉的目的约束或限制③。我们的公共认同永不受我们善的观念变化的影响。这就是罗尔斯在其又一力作《政治自由主义》中对其观点所作的关键修正,将政治自由主义与作为完备性道德学说之一部分的自由主义相区分,不想为正义原则寻求一种哲学基础,而是一种"重叠共识"(对公民资格的认同)的支持。

---

① 迈克·桑德尔:《对罗尔斯政治自由主义的回应》,贺照田主编:《后发展国家的现代性问题》,吉林大学出版社 2004 年版,第 375 页。

② 罗尔斯:《政治自由主义》中"导论",吉林大学出版社 2004 年版,第 21 页。

③ 迈克·桑德尔:《对罗尔斯政治自由主义的回应》,贺照田主编:《后发展国家的现代性问题》,第 383 页。

"法律面前人人平等"这一法谚几乎家喻户晓,但上升到学术层面却引发了戴雪和哈耶克关于以法德为代表的大陆法系国家司法二元主义下"权利平等性"之争。尽管他们两人都坚信,为确保公民权利在法律之下的平等,独立的法庭是至关重要的,但戴雪不承认存在两种不同的司法秩序,分别用于解决普通公民间和普通公民与国家官员间的纠纷,而哈耶克则认为,存在两种司法秩序并无不妥之处,只要两种秩序都独立于行政部门即可①。在戴雪看来,所有人一律服从一套法律,不管是英国还是法国,只有普通法庭运用本国之普通法才能切实保护公民。而在法国存在的司法特权则显示了对"法律面前人人平等"这一原则的不尊重。官员,当其以官员身份与普通公民诉讼时,"在某种程度上不受该国普通法庭的管辖"②。哈耶克指责戴雪认为单独设立行政法院无一例外是对本国普通法的否定的思想是错误的,事实恰是,法国及绝大多数西欧国家的行政法院为普通公民提供了一种公正无私且充分的保障。有行政法常识的人都很清楚,政府机关至高无上的原则恐怕是当今世界各国行政法通行的特征,行政法庭在裁决公民个人和国家官员之间的纠纷时所考虑的就是上述这一特征,以克服普通法院在审理案件时对当事各方等量齐观,但有一个前提——行政法院是非从属于行政机关,司法体系中一个独立自主的法院。鉴于戴雪已明白阐述的"所有人一律服从一套法律",已经把"平等"原则变通为"在一国之内所施行的两套法律制度中之每一套法律下的平等"③。

---

① 布鲁诺·莱奥尼著:《自由与法律》,秋风译,第69页。
② Albert Venn Dicey, Introduction to the Study of the Law of the Constitution (8th ed;London:Macmillan,1915), p.45.
③ 布鲁诺·莱奥尼著:《自由与法律》,秋风译,第72页。

在我国,社会主义司法实践与司法理论研究证明,人民群众意志是我国司法权的政治基础,中国共产党代表了最广大人民群众的根本利益,人民民主专政体现了我国公民权利与司法权关系的本质联系。

第二节 司法权概念及其特征

一、司法权概念

要给出确切的司法权的概念,并不容易。英国著名学者詹宁斯曾经说过:"要准确地界定'司法权'是什么,从来都不十分容易。"①在我国尤其如此。我国现有一种说法认为把司法权解构了。即把公安、检察、法院、司法局比喻为"一个工厂的四个车间",把侦查、起诉、审判和狱政称为一件产品的"四道工序",检察院也是输送产品——犯罪嫌疑人到罪犯——的"管道",认为司法权包括这一工厂中的公安机关的侦查权,检察机关的公诉权和检察权,法院的审判权和紧跟其后的司法局的执行权。我们认为,这种比喻是不够恰当的,因为:其一,忽略了中国共产党在其中的指导地位;其二,忽略了检察院的当事人地位(这也是司法改革中极为重要的部分);其三,忽略了法院的独立审判地位;其四,也忽略了学说理论的演变,即从受害人的损失由罪犯的"罪"抵到以罪犯公民社会回归为目的的演变。

我们以下即通过对外国司法权理论学说及我国已有司法权学说的分析,给出司法权的概念。

---

① 詹宁斯著:《法与宪法》,龚祥瑞译,生活·读书·新知三联书店1997年版,第10—12页。

(一)外国司法权理论学说的演变

西方司法权理论最早可以追溯到古希腊和古罗马。古希腊政治法律思想集大成者亚里士多德(Aristotle,前384—前322)在阐述其政体理论时,第一次系统地提出了国家权力分立的思想,认为只有实行国家三种机能的分工,才能建立一个良好的政体。这其中就包含着其关于司法权的观念,认为司法权是由司法机关行使的对各种社会纠纷和冲突进行处理和裁决的一种国家权力。虽然在亚里士多德的理论中,只是将国家权力静态地区分为议事、行政和司法三种机能,没有从动态上认真考察这三种机能在国家权力结构中的地位及其相互关系,但是其作为人类对司法权问题的最早的认识,为后来司法权理论的发展和完善奠定了重要基石,具有里程碑意义。随后,古罗马著名学者波利比阿(Polibius,前201—前120)提出了自己关于司法权的一些理论。对于权力分立和权力制衡这两种理念,这位伟大的学者在他那个年代早有构建,并基于此提出了一种受制于元老院和民众大会,独立于执政官的国家权力,即司法权。可以说,波利比阿的理论具备了司法权理论的雏形。

西方近代司法权理论可以从法国的孟德斯鸠(Charles Louisde Montesquieu,1689—1755)和美国的汉密尔顿(Alexander Hamilton,1757—1804)这两位政治思想家有关司法权的思想中反映出来。孟德斯鸠司法权理论所要解决的核心问题是如何保障和维护公民的政治自由,其逻辑思路是:公民的政治自由只有在一个优良的政体下才能最大限度地实现;要建立一个优良的政体,就要求国家的各种权力实行有效的配置而不被滥用;而防止国家权力滥用的方法就是用权力制约权力。因此,国家权力应当划分为不同部分并由不同机关行使,司法权就是其中的重要组成部分。汉密尔顿根据当时美国的社会政治经济形势发展,不仅继承了孟德斯鸠三权分立和司法权独立的理论,而且对如何实现司法权独立进行了详述,且认为司法权包括违宪审查权和司法解释权,最终司法权应由联邦最高法院行使,司法权由联邦司法权和地方(州)司法权共同组成,还对陪审制进行了分析。孟德斯鸠和汉密尔顿的司法权理论是近代以来资产阶级关于司法权理论学说发展史上的两座高峰,而汉密尔顿的司法权理论更标志着人类对司法权理论的认识迈上了新的发展阶段。

现代以来,以美国法学家卡多佐(Benjamin N. Cardozo,1870—1938)和第一位社会主义实践者列宁(Lenin,1870—1924)为代表的外国司法权理论思想出现了明显变化,代表了司法权现代理论的整体形态。以卡多佐为代表的西方资产阶级学者继续沿前人理论框架研究司法权理论,不过卡多佐以实用主义(pragmatism)哲学为理论基础,将自己的理论重心放在司法的实际过程,尤其从法官审理案件过程的角度来阐述关于司法权的思想,认为司法权应尊重立法权和行政权,司法在性质上是法官造法的过程,司法过程的方法是多元的。这给西方司法权理论研究带来了新的气象。而列宁的司法权思想是社会主义国家司法权理论的杰出代表,以政权建设理论为前提和基本出发点,认为司法权产生于国家权力机关,由广大人民直接行使,并受到严格监督,因此阶级性和人民性是列宁司法权思想的显著特征。列宁司法权思想的诞生对社会主义国家司法理论与司法制度的建立和发展产生了深远影响①。

---

① 胡夏冰著:《司法权:性质与构成的分析》,人民法院出版社 2003 年版(下同),第 23 页。

(二)我国的司法权理论

在我国,自清末开始的法律变革运动,仿袭西方资产阶级国家的政治制度,将司法权从其他国家权力中独立出来。1906 年 9 月 1 日,清廷发布了《仿行立宪上谕》,废除中国传统的官僚体制,按照"三权分立"的原则,"分权以定限",构建出现代政府的雏形。在这个政府机构改革方案中,立法权由议院行使,在议院成立之前,先设立资政院代行;行政权由内阁与各部大臣行使,各部大臣"分之为各部,合之为政府","入则同参阁议,出则各治部务";司法权由大理院行使,大理院负责解释法律,主管审判,大理院内并设总检察厅,负责检察事务;立法、行政、司法机构互不隶属。1908 年清政府颁布的《法院编制法》就规定各审判衙门独立行使司法权,行政官及检察官不准违法干涉。

清末司法权出现了半殖民地半封建化。凡是在中国享有领事裁判权的国家,其在中国的侨民不受中国法律的管辖。不论其发生任何违背中国法律的违法犯罪行为,或成为民事诉讼或刑事诉讼的当事人时,中国司法机关都无权裁判,只能由该国的领事等人员或设在中国的司法机构依据其本国法律裁判,所以叫做"领事裁判权"。外国侵略者不仅凭借不平等条约确立了外国人在华领事裁判权的原则,而且在中国领土上设立了行使领事裁判权的外国司法机构,为其殖民地法院及本国法院的下级司法机关。领事裁判权是外国列强干涉中国内政,操纵中国司法的重要手段,它严重破坏了中国的司法权。领事裁判权制度的确立及其在清末法中的确认,乃是清末司法权半殖民地化的一个重要标志。

中华人民共和国成立后,在 1954 年宪法起草过程中,对于人民法院行使的是"司法权"还是"审判权"曾有过激烈的争论。宪法草案初稿中规定法院行使"司法权",但在后来的宪法正式文本中改为"审判权"。这主要是考虑到法院的主要活动是"审判",而"司法"包括的范围较为宽泛,容易同司法行政机关的职权相混淆。后来,无论是1982年《宪法》及其以后的修正案,还是1983年《人民法院组织法》及其修正案都没有规定司法机关的总体概念,只是分别规定人民法院是国家的审判机关、依法独立行使审判权;人民检察院是国家的法律监督机关、依法独立行使检察权。从我国宪法及法院组织法、检察院组织法和三大诉讼法规定的内容来看,这些法律文本并没有使用"司法权"这一术语。在我国司法改革的实际进程中,司法权的系统理论研究也是一块长期被忽视的领域。

我国司法权历史发展和现实存在的复杂性,以及宪法和其他法律文本中对司法权定义的缺失,给理论界对司法权的含义留下了较大的解释空间,造成了司法权学理解释的众说纷纭。目前我国法学界关于司法权的理解,主要有以下几种观点:

1. 大司法权说。该说是流行于我国建国后至20世纪90年代前期的一种学术观点,认为司法权是指审判机关、检察机关、侦查机关、司法行政机关在办理诉讼案件和非讼案件过程中所享有的权利。在律师还被称为"法律工作者"的年代,律师、公证、仲裁等组织在从事与司法行为有关的活动时所行使的权力也属于司法权的范畴。目前,大司法权说在我国已经基本上丧失其主导地位。

2. 三权说。该说几乎与大司法权说同时产生,主要活跃于20世纪80年代,其全称是"审判权、检察权和侦查权三种权力学说",认为司法权是指公安机关、检察机关和审判机关等国家司法机关在司法活动过程中代表国家行使的权力。

3. 两权说。该说主张司法权仅包括法院的审判权和检察院的检察权,行使司法权的主体只是法院和检察院,其他任何国家机关、社会组织和个人都被排除在司法主体之外。

4. 判断权说。该说是我国法理学界部分学者近年来对司法本质的一些认识,认为司法权实质上是司法人员对争议的行为进行判断的一种权力。这种权力被赋予法院和法官,以区别于立法权和行政权。

5. 裁判权说。该说也是近年来随着司法体制改革在我国法学界出现的观点,将司法权的含义直接界定为法院在审理案件过程中所行使的裁判权。

上述各种观点从不同的角度对司法权进行了界定,它们或对一定宪政状态下的司法权运行作经验描述,或是局限于一定的政治体制或法律传统进行概念抽象,或仅仅为了学理逻辑安排系统性的需要而对司法权予以定义,都有其欠缺之处。

我们认为,虽然司法权在不同的政治制度、不同的法律体系甚至不同的国家中有着不同的制度安排,但我们在定义司法权时,除了要考虑司法权的具体语境外,更要考虑揭示司法权不同于立法权、行政权的本质特征。基于以上种种考虑,我们认为司法权的概念应该为:司法权是对法律适用的判断和执行的国家权力。

二、司法权的特征

目前我们对于司法权的特征还存在不少误区,比如,认为司法权是无限的。在有些人看来,社会上的所有矛盾、纠纷,司法部门都可以通过法定程序予以解决,并具有终局处理的权力。这种看法,来源于亘古以来就存在的司法依赖心理:对公平社会的期待,对实现权利的渴求,对正义力量的希望。但事实上,司法权力是有限的,它只是国家权力结构中一个重要组成部分。并且,司法权受其他权力的制约,在监督下运行,故而也不是至高无上的。有人说法律或司法在社会管理和定纷止争方面无所不能,这只是对其功能广泛性的夸张描述。现实中,如果不能以更加理性的眼光审视司法权,那么,当人们对司法的切身感受不同于预想状态的时候,便会产生对司法的抱怨①。

要归纳出司法权的特征,还要明确以下几个方面:

(一) 司法权是国家权力

国家权力有三种,立法、行政和司法,这好像是天经地义,已经明确的。但是也有人提出异议,如黑格尔在《法哲学》中,将司法权归于市民社会,并且指出作为政治实体的国家权力有三种:一是立法权;二是行政权;三是王权。其中行政权是使个别事物和特殊领域居于普通物之下的权力。而司法权也是通过个案进行判决而达到保护整体社会秩序的权力,两个性质一样,把司法权纳入行政权中去。黑格尔把司法纳入行政权的做法,马克思心领神会,认为黑格尔的独到之处只在于他使行政、警察、审判三权协调一致,而通常总是把行政权和审判权对立起来。

市民社会的使命是保护和保证所有权和个人自由的。黑格尔在《法哲学原理》中说,通过司法对所有权的保护是市民社会的第二个环节。黑格尔宣称"人格权本质上就是物权",近代学者普遍这样认为。在德文中,司法就是法律保护的意思。那么黑格尔说的司法保护所有权,也就是保护了所有权和人身权利。

一位黑格尔的研究专家 Hardimon 提醒人们注意黑格尔将司

---

① 刘学智著:《浅析公众对司法权的认识误区》,《山东法制日报》2005 年 3 月 28 日。

法权置于市民社会领域,并使之与公民的特殊利益和权利相联系。司法权和警察权与市民社会的特殊物有直接而密切的联系,它们通过特殊目的来实现普遍利益,也就是警察和法官总是通过处理特殊案件,保护个人权利来维护公共秩序。与市民社会亲密,而且都是"通过特殊目的来实现普遍利益"可能就是司法权和警察权被黑格尔放在市民社会的原因。

从近代私法中,也可以论证出司法权属于市民社会,财产权包括起诉权,有了纠纷行使财产权中的起诉权,无需到市民社会之外寻找依据。这种论证还必须说明,司法裁决的权威来自双方当事人的授予,或者说是"社会契约",而不是国家主权。如果裁决的权威来自市民社会以外,那么说司法只属于市民社会,而不属于国家说不过去。

根据法律史上的考察,司法的前身可能是民间仲裁,司法不过是被国家垄断的仲裁。仲裁是第三人仲裁者和双方当事人地位平等,由于双方当事人的共同同意,而获得裁决的权威。这里的权威,来自同意,并没有高于双方当事人的意志。当仲裁变成司法,第三人就由国家垄断了,而且以高于双方当事人的地位和权威作出裁决。"司法的前身可能是仲裁"还可以在目前找到一些"遗迹"来证明,例如民事诉讼中就有双方当事人的"协议管辖",还有在对抗主义的诉讼制度中,法官本身并不能凌驾于当事人之上,增加当事人没有提出的请求和理由,这样没有赋予法官任何超越性地位。当仲裁变成司法,司法权的根据不再是当事人双方的意志自由,而必须是一个高于当事人双方的、带有强制和神圣色彩的权威,也就是说,司法权不能仅仅是市民社会的,而且必须是国家主权来支撑的(在近代以前,是由宗教来支撑;在宗教世俗化以后,就只能是国家主权来支撑)。

因此,司法不可能完全脱离当事人双方的意志,不能没有"社会契约",但是如果仅仅在市民社会中还不够,还需要上升到政治国家层面,获得国家主权的地位①。

(二)司法权与立法权、行政权的区别

虽然立法权、行政权和司法权一样,都是国家权力的表现,但立法权可以部分地转让,可以部分地授权,因而可以有地方立法,可以有授权立法等等;行政权也可以部分地转让,可以有条件地授权其他主体行使等等。惟独司法权是不能转让的,是不能授予其他主体行使的,因而不能有"地方司法",不能有"授权司法"。这就是司法权的国家专属性的专有性②。

从分工上来看,司法权是具体的保护个人或群体利益的权力。

首先,立法权的行使针对的是较大范围内出现的普遍情况而非具体的个人或个别群体。虽然从宗旨上来说,立法机关是受人民委托制定一系列社会所需的规则,但是这些规则的制定毕竟考虑的是比较抽象和一般的状况。个人和个别群体的利益的保护必须通过规则的实施才能得以真正实现。由于立法机关被设定为民意机关,立法权的产生和行使均采用"多数决定原则",立法机关一经产生,其权力来源合法性已不容置疑;立法机关制定法律,一旦达到法定多数即获通过,即对其效力范围内的每一个人产生约束力。在这样的原则下,违反少数民意或侵犯少数权利或弱势群体权利的现象就不可避免。如德国魏玛宪法时代,希特勒根据1919年8月11日生效的《魏玛宪法》第48条获得国会充分授权后,反而实施集权专制,过度扩张军国主义势力,酿成世界大战。

---

① 陈永苗:《司法权应该在什么地方》,陈永苗的宪政博客 2005 年 3 月 5 日。
② 刘作翔:《司法权属性探析》,《法制日报》2002 年 9 月 22 日。

又如美国国会曾立法宣布焚烧国旗为非法,一女性公民认为该法侵犯了公民的表达自由的权利,遂向联邦法院控告,该法被后者宣告违宪而失效。这些历史经验使许多国家体认到立法机关也不一定可靠。

其次,行政权力的行使虽然直接地以个人或具体的群体为对象,但是由于行政权力的施行者行政机关本身代表国家追求公共利益,往往容易忽略个人利益。特别是在政府和社会的二元分析框架下,行政机关不适当介入民间社会的正常发展是一种内在的趋势和常态。掌握着巨大社会公共资源的行政机关极易造成对公民个人和群体利益的倾轧。

因此,经过长久的宪政演变,慢慢发觉司法是比行政和立法更值得信赖的,乃将保障个人和群体权益的目标转移到司法权上,通过强化司法权,达到直接保障个体权利的目的。这种思想,无论在英美法系国家,还是在大陆法系国家,尤其是在第二次世界大战以后的一些民族国家,均已转化为制度事实:它们相继建立了违宪审查制度、宪法控告制度,更在宪法和一些部门法律中规定了"无罪推定"、"不得强迫自证其罪"、"平等保护"等保护个人权利或弱势群体权利的法律原则,使司法权的权限大大扩展。

从三者互相制约平衡的关系上来看,司法权是制约立法权和行政权的权力。

现代国家,理论上应为主权国家,主权在实际运作中等同于国家权力,由国家的立法权、行政权和司法权构成。司法权原本是国家权力中最弱的一支。司法权的行使范围和方式都较其他两权来说更为弱小。洛克在提到权力分立的时候,是将国家权力分为立法权和执行权。在执行权中很大一部分指的是行政的权力,司法权的意义在此时还没有被很好述及。而孟德斯鸠当初在谈到司法权要从执行权中独立出来的时候，其所指的司法权范围是有限的，仅为用来惩罚犯罪或裁决私人讼争的权力。所以，他虽然认为司法要独立，却又认为司法权在某种意义上可以说是不存在的。孟德斯鸠提倡三权分立，又倡导权力相互制约的观念，他认为司法难以制约行政与立法，所以他所说的相互制约，是指立法和行政之间的相互制约。在他看来，立法与行政是积极从事国家政务的主动机构，而司法只是争端发生之后的被动活动。他所理解的司法独立就是法官在作裁决时，不受立法与行政的干预，他并未想到司法权还可以用来制约立法与行政。孟德斯鸠未曾想到的制度设置，今天在世界上很多国家已经变成现实。

第二次世界大战以前，除美国的法院可以审查法律有无违宪，可以宣告违宪的法律无效外，其他很少国家的司法机关可以牵制立法机关。然而，在第二次世界大战以后，各国逐渐放弃孟德斯鸠的见解，欧洲许多国家相继建立起违宪审查及宪法控告制度，宪法法院纷纷成立，其目的在于保障权力分立与制衡的宪政体制。他们确信，宪政体制仅靠立法机关和行政机关来维护是相当困难的，确信司法机关通过司法程序，审查并裁决立法和行政是否违宪可以有效地维护宪政制度。尽管从民主理论的观点看，司法机关从事违宪审查可能有问题，因为法律是由民意代表表决通过，国家元首公布，为数不多的法官仅仅过半数或2/3多数的通过，即可宣告其违宪而无效。但这种制度的存在，确实是世界各国建立宪政体制所必不可少的发展趋势，若干年以前，国家权力体系中弱小的一支权力，今天已能和行政权、立法权并驾而立，朝着制衡其他国家权力、保障基本人权的目标挺进。

特别是司法权与行政权的区别,容易混淆,已经吸引了人们的不少关注。司法权与行政权还有以下区别:行政权在运行时具有主动性,而司法权则具有被动性;行政权在面临各种社会矛盾的时候,其态度具有鲜明的倾向性,而司法权则具有中立性;行政权更注重权力结果的实质性,但司法权更注重权力过程的形式性;行政权在发展和变化的社会情势中具有应变性,司法权则具有稳定性;行政权具有可转授性,司法权具有专属性;行政权主体职业的行政性,司法权主体职业的法律性;行政权效力的先定性,司法权效力的终极性;行政权运行方式的主导性,司法权运行方式的交涉性;行政权的机构系统内存在官僚层级性,司法权的机构系统内则是审级分工性;行政权的价值取向具有效率优先性,司法权的价值取向具有公平优先性;等等①。

(三)公民的授权

司法权作为公权力,是社会公益的代表,其本质是处于社会统治地位的公共意志而由国家机关拥有和行使的强制力量。公权力的制度化也就是使维护公益的目的真正地转化为公民的实际行为。当然,在阶级社会中,公权力不可避免地带有阶级统治的色彩,但无论是纯粹的公益维护还是统治阶级利益的维护,这两者反映的都是社会公民利益和意愿的妥协,是一种社会合意的体现;这种合意在其产生的社会中,在相对稳定的一段时空内,就是社会整体意志的代表。因此,这种社会整体意志的形成和维护就要求社会个体的共同参与,与其选择由几个人来判断什么是社会的公益所带来的难以把握性,还不如以一种制度将社会整体意志的产生,

---

① 孙笑侠:《司法权的本质是判断权——司法权与行政权的十大区别》,《法学》1998 年第 8 期。

实现固定化、制度化和法律化。显然这更符合社会整体意志产生的正当性要求和权力本身所代表利益的要求,同时相比于人治在形式上更有说服力,在实质上也更能有效的内化于社会成员的自身。制度的确带有工具性,但对其工具性的认识却不能仅仅只局限于人之工具的角度,还应从制度约束人的角度来看这个问题。制度是以法来确立的,它的核心思想就是以法治代替人治,即以法的确定性和理性来克服人性的负面因素,崇尚制度就是要崇尚法治。在这里,权力和权利所代表的利益,以及上文所提出的社会整体意志,它们都是以法律为表现形式的,在阶级社会中,法律实现了它们在社会生活中的真正存在,公民以宪法规定的政治权利全体授权司法官员行使国家的司法权。

(四)中立、独立、终局的程序特征

我们分析司法权特征的意义不仅是对司法权进行进一步的抽象性描述,更是为随后进行的我国司法体制的重新构建奠定理论前提和基础。一般来说,司法权主要具有以下几个特征:

1. 中立性

中立性是司法权的第一特性,是指司法权在政府和公民之间、两个当事人之间,既不能站在政府的立场,也不能站在当事人一方的立场,而是要中立于其间,作出公正的判决。司法关系通常是一种稳定的三角关系,司法机关超越于双方当事人的利害关系,这是司法公正的必然所在,也是近、现代国家根据人民主权原则规制国家权力结构的基本出发点,更是人类对解决涉及自身纠纷的历史经验的总结。

如果将法官比作裁判,司法权的中立性要求法官不能像有些球类裁判那样满场跑,满场奔跑的裁判难以处于中立地位,不处于中立地位的裁判就容易作出错误的判断,这也是有些球类裁判判

罚结果的公正性和准确性为什么时常容易引起怀疑的主要原因之一。排球裁判却不一样,他站在场地之外,立于场地的正中间并高于球网,运动员触网或过网击球时自己都不一定能察觉,居中裁判者却能明察秋毫,判罚结果也很少引起质疑。因此,法官就要像排球裁判那样居中裁判,不偏不倚地对待原被告和控辩双方,力求不受立场限制地作出准确判断①。

司法权的中立性也体现了其被动性的特征。司法权的被动性是指司法权只有在存在纠纷并且该纠纷提交到司法机关之后才能启动和运行,同时司法权职能对当事人提出的诉讼请求进行裁决,不能在当事人的主张和请求之外主动行使。这是因为,司法是解决社会矛盾最后的,但不是惟一的手段,通过谈判和解、调解和仲裁解决民事纠纷应是当事人的首选方式。美国法院甚至将调解和和解的理念应用于刑事诉讼之中,建立了辩诉交易制度,90%左右的刑事案件都可以由检察官与辩方律师或刑事被告在法庭之外达成交易,和解结案②。司法权的被动性还具体表现在:司法程序非因当事人的请求不得启动,实行不告不理原则;司法程序必须围绕当事人的诉讼请求进行,法官不得在当事人的诉讼请求之外行使司法权;司法程序一经启动必须按照法定程序进行;中止司法程序也由当事人决定。司法权的被动性贯穿于司法过程始终,是司法活动的内在要求。司法权的被动性已越来越得到国际社会的认同,成为法制国家的基本要求,反映出一个国家法制进步和法治文明的程度。

---

① 万鄂湘著:《从中美司法制比较看司法权特点》,《中国青年报》2004 年 3 月 10 日。
② 同上。

　　司法权的被动性与中立性互相联系,相辅相成,司法权的中立性体现了被动性,同时,司法权只有被被动的行使,才能在争议各方之间保持中立和不偏不倚,即只有保证司法权的被动性才能保持其中立性。

　　此外,还不能忽略的是,法官全心全意为人民服务的党的宗旨不能动摇,但这应是司法权宏观上的主动性,与司法权的被动性应是辩证统一的。

　　2. 独立性

　　独立性的基本含义是指司法机关和司法机关工作人员在从事司法裁判活动过程中,独立自主地认定案件事实和适用法律,不受来自司法机关内部与外部的影响和干预。司法权的独立性是由司法职能的特殊性决定的,司法机关的职能和地位,决定了司法权必须独立。因为如果司法权不独立,作为法律实施过程中的最后一道防线的法院,其裁决就可能因为种种因素影响而出现错误,背离法律的原则和精神。

　　司法权独立一般包括三个方面的内容:司法职能独立,即国家的司法职能应与其他职能互不隶属;司法组织独立,即司法机关作为一个整体独立于外界的干涉和影响;司法个体的独立,即法官的独立。其中法官独立更是司法独立的最高境界。对于法官来说,惟一的上司就是法律,除此以外,不能有任何权力对他进行命令和指挥。马克思早就指出:"法官除了法律就没有别的上司。"①奥地利法学家凯尔逊也说:"当司法官执行属于其权限的法律之时,个别规范的命令之约束是不存在的,此所谓个别规范的命令系由其他机关发出,特别是由非审判机关发出的。换句话说,司法官执行

————————

① 《马克思恩格斯全集》第1卷,人民出版社1956年版,第76页。

职务时,无须服从上级机关。"①

可以说,独立性是司法权的生命,是司法权之所以为司法权的内在属性。司法权独立能够保证司法机关作出的裁判结论最大限度地接近法律的意志和精神,是法治实现的最高水平。司法的独立性是法治国家普遍承认和确立的基本司法准则,调整着法制国家中司法权和其他国家权力之间的关系,是现代法治社会的基石。司法权独立不仅是权力分立的构架,而且是法治精神的重要指标。

3. 终局性

司法权的终局性也是司法权区别于其他国家权力的一项基本特征。司法的终局性是指法院对于当事人之间的争议作出生效判决之后,除非依照法律的特别规定,不得对该项争议进行重新审理和判决;当事人也不得就同一争议要求法院再次处理。法院一旦对有关的社会纠纷以生效判决的方式加以解决后,法院作出的判决就具有终局的效力,不得将同一纠纷再次纳入司法程序的范围之内。具体而言,司法权的终局性包括以下几个方面内容:一是司法机关对案件作出生效的判决后,当事人不能以同一事实和理由要求司法机关或其他国家机关对同一争议进行重新处理;二是司法机关对当事人的争议作出生效判决后,非依法定程序,不能再次审理该项争议;三是对于司法机关作出的生效判决,其他任何国家机关都不能重新对该项争议进行处理。因此,司法权的终局性不仅对当事人具有约束力,而且对司法机关和其他国家机关具有约束力。

---

① 转引自龚祥瑞主编:《西方国家司法制度》,北京大学出版社1993年版,第17页。

在法治国家里,因为任何权力都要受不同质的权力或权利的制约,没有绝对超越其他权力之上的权力。但是在序列上有着作为底线的最后的权力,这就是权力分立后的司法权。司法乃是对所有存在利害两造的案件,审判和裁决何者为合法、正当,其对法的适用和对法的违宪审查均在立法权行使之后。而在司法权作用下的两造当事人,有可能是个人或团体,也有可能是行使公权力的政府。尽管争讼双方在进入司法程序寻求保障权益时,有可能先利用其他救济程序(如民事纠纷的调解、行政纠纷的复议等),但不可否认的是,进行复议或调解的行政机构或授权机构,虽可依职权作出决定,但最后仍可被司法机关加以撤销。然而司法机关一旦作出决定,除司法机关本身的审级监督以外,原则上不被其他机关所变更。换言之,对于具体的法律问题乃至进入司法程序的一切问题,司法机关是最后一道防线,它所作出的裁决是最终的。

司法权的终局性也是现代法治国家普遍奉行的一项司法原则,得到了国际社会的普遍认同。司法权的终局性还体现出对人的价值和尊严的尊重,表现出对人文精神的终极关怀。当事人在诉讼过程中的地位是衡量一个国家法治文明的基本标准。为了保证当事人在诉讼中的主体地位,而不是为了实现某种社会目标的工具和手段,就应在诉讼经历了一定过程后终结,即承认司法权的终局性。这也体现了对人权的保障和尊重[1]。

同时,司法权的终局性也体现了其权威性的特征。这表现为两个方面:其一,司法裁决一旦作出,就应立即产生既判力、拘束力,具有权威性,任何个人和组织都不得随意挑战司法的权威;其

---

① 参见胡夏冰著:《司法权:性质与构成的分析》,第235页。

二,司法权应该对所有的公共权力,甚至立法机关的行为是否符合宪法等有权进行判断,只要有异议,最后的判断都应尊重司法权的权威性,以司法权的判断为准。在这一点上,美国的司法权权威显得尤为突出。2000年布什和戈尔竞选美国总统,票数相当出现僵局时,最后就是靠联邦最高法院的判决定乾坤。

由此可以看出,司法权的终局性与权威性特征也是相互联系、相辅相成的关系。司法权的终局性体现了权威性,司法权的权威性是终局性的保障。

第二章　司法制度

司法制度是统治阶级以司法官员的身份行使国家司法权,对法律适用的判断和执行的法律化、组织化及程序化。

司法法律渊源来自于司法机关的组织形式、机构设置、司法程序和司法机关行使司法权的活动准则等法律规范。

司法法律制度建设的原则有:司法主权原则、统一原则、适用法律统一原则。

当代中国司法制度的形成和发展。

中国司法基本制度有:侦查制度、检察制度、审判制度、司法行政制度(执行制度、律师制度、仲裁制度、公证制度、调解制度)。

第一节　司法制度概述

一、司法制度概念

司法制度是统治阶级以司法官员的身份行使国家司法权,对法律适用的判断和执行的法律化、组织化和程序化。

司法是统治阶级以法律人的身份行使国家司法权,对法律适用的判断和执行,国家在司法权的基础上,或以司法权为核心,构成了司法法律制度,组建了司法组织,行使国家的司法权。"实际上,如果不了解司法权的性质,不对司法活动的基本规律形成明晰的认识,那么任何司法改革都将成为丧失目标和方向的试验活动。可以说,在司法改革问题上,当前最需要的是对一系列基本理论问题的冷静分析和对一些司法改革举措的理性反思。"①司法改革主要内容是司法制度建设,我们在了解了第一章的司法、司法权的本质概念后,便很容易理解司法制度的内涵了。

所谓司法制度是司法权的法律化,即指司法制度是由宪法、法律及国际条约公约等一系列司法法律组成的。所谓司法制度化,是指司法权的组织化和程序化,即司法制度是由国家司法机关、组织及其法定的办事办案程序组成的。从这个意义上说,司法制度又是关于司法机关的组织形式、机构设置、司法程序和司法机关行使司法权的活动准则等法律规范的总和。

二、司法法律渊源

(一)司法法律渊源

关于司法机关的组织形式、机构设置、司法程序和司法机关行使司法权的活动准则等法律规范是司法法律渊源。一般认为,有下列几大部分:

第一部分是国家的宪法和宪法性文件或宪法习惯法。

第二部分是司法机关及其工作人员组织法,在中国,包括全国人民代表大会和地方各级人民代表大会组织法、人民法院组织法及其法官法、人民检察院组织法及其检察官法、治安法、强制执行法、监狱法、警察法、国家公务员法和廉政法等。

第三部分是诉讼法和办事办案的程序法,主要包括刑事诉讼法、民事诉讼法、行政诉讼法、证据法等。

---

① 陈瑞华:《司法权的性质》,《法学研究》2000 年第 5 期。

第四部分是国家司法机关的司法解释。

第五部分是国际条约和国际公约,包括司法协助协议等。

第六部分是中国共产党党代会工作报告、决议和具体的司法政策,执政党对司法领导和政策往往表现为纲要、意见等文件形式。全国人民代表大会审议最高人民法院和最高人民检察院的工作报告后通过的决议和对有关法律问题所作出的决议等。这些都是司法机关司法活动与司法体制改革及工作方式改革的法律和政策依据。

(二)司法法律制度建设的原则

1. 司法主权原则

基本司法主权即司法管辖权,是国家主权的重要组成部分。我国是一个独立自主的国家,司法权也是完全独立的。在我国主权范围内,外国人、无国籍人都必须遵守我国的法律法规及有关规定。他们的一切刑事、民事、行政诉讼案件均由我国司法机关依法处理;外国当事人申请办理仲裁、调解、公证等非诉讼事项,也由我国法律授权的专门组织依法处理。《中华人民共和国宪法》(以下简称《宪法》)第32条规定:"中华人民共和国保护在中国境内的外国人的合法权利和利益,在中国境内的外国人必须遵守中华人民共和国的法律。"《中华人民共和国民事诉讼法》(以下简称《民事诉讼法》)第4条规定:"凡在中华人民共和国领域内进行民事诉讼,必须遵守本法。"该法还对涉外民事诉讼程序作了特别规定。《中华人民共和国刑事诉讼法》(以下简称《刑事诉讼法》)第16条规定:"对于外国人犯罪应当追究刑事责任的,适用本法的规定。对于享有外交特权和豁免权的外国人犯罪应当追究刑事责任的,通过外交途径解决。"《中华人民共和国行政诉讼法》(以下简称《行政诉讼法》)第70条规定:"外国人、无国籍人、外国组织在中华人民共和国进行行政诉讼,适用本法。法律另有规定的除外。"
我国司法机关办理涉外诉讼案件,使用我国通用的语言文字,外国
当事人起诉、应诉,委托律师代理诉讼的,必须委托我国的律师。
外国人申请办理非诉讼事项也如此。我国公证机关办理外国人申
请公证事务,不能在用外文写成的文件上盖章,必须将外文译成中
文后才予以公证。仲裁机构办理涉外仲裁案件也是坚持独立自主
和尊重国际惯例等原则。以上这些规定,都是为了维护我国作为
一个主权国家的司法主权。

司法主权原则是人民司法制度的首要原则。贯彻执行这个原
则,既要注意坚持国家的司法管辖权和司法主权,也要注意对等原
则、司法协助等国际惯例与条约协定。

2. 统一原则

根据《宪法》和法律规定,我国的司法权只能由专门的国家机
关统一行使,即:国家审判权统一由人民法院行使,最高人民法院
监督地方各级人民法院和专门人民法院的审判工作,上级人民法
院监督下级人民法院的审判工作;国家的检察权统一由人民检察
院行使,最高人民检察院领导地方各级人民检察院和专门人民检
察院的工作,上级人民检察院领导下级人民检察院的工作;对刑事
案件的侦查权除对贪污、受贿、渎职等案件由人民检察院自行行
使,国家安全机关行使对间谍特务等危害国家安全的案件的侦查
权,军队保卫机关负责侦查军队内部发生的案件,监狱对监狱内部
发生的案件享有侦查权外,大多数案件则由公安机关行使侦查权;
司法行政机关管理律师、公证等司法事宜。《宪法》第 37 条规定:
"任何公民非经人民检察院批准或者人民法院决定,并由公安机关
执行,不受逮捕。"其他任何机关、团体、个人都没有审判、检察、侦
查的权力。

3. 适用法律统一原则

目前,我国除台湾省外,其他省、自治区、直辖市处理民事、刑事、行政案件和非诉讼案件都适用统一的法律,包括实体法和程序法。民族区域自治地区可以根据本地的实际情况制定某些变通或补充条款,但不得违背该法的基本精神,并需报全国人大常委会备案。人民检察院是专设的法律监督机关,其职权就是维护法律的统一实施。

贯彻执行司法统一原则具有重要意义:第一,它保证国家司法权的正确实施,维护社会主义法制在全国范围内的统一;第二,它保证国家司法机关坚持原则,敢于同一切违法犯罪行为作坚决斗争;第三,它保证统一适用法律,正确、合法、及时地处理各种诉讼案件和非讼事件。

司法制度设立和建设还有权力行使独立与制约、平等、便民等原则。

(三)当代中国司法制度的形成和发展

中华人民共和国成立后,根据《中国人民政治协商会议共同纲领》第 17 条规定:"废除国民党反动政府的一切压迫人民的法律、法令和司法制度,制定保护人民的法律、法令,建立人民的司法制度。"在中央设最高人民法院,在各大行政区设最高人民法院分院,行使国家审判权,实行三级两审终审制,县人民法院普遍建立巡回法庭;在中央设最高人民检察署,在各大行政区设最高检察院分署,行使国家检察权,在未设人民检察署的县,由县公安局代行检察权。在中央设公安部,按行政区划设置地方公安机关行使侦查权。在中央设司法部,对司法行政政策进行拟订,并会同最高人民法院、最高人民检察署及在各大行政区人民政府办理对地方审检机关的设置、废止或合并及管辖区域的划分与变更、对司法干部任免、律师登记、公证管理、犯人监管等事宜行使管理权。在省、市、县则实行审判与司法行政的合一制,即不专设司法行政机关,而只设人民法院、人民检察署和公安机关,在乡村和某些城市的街道建立人民调解委员会。我国的司法制度初步建立。

1954年9月20日,第一届全国人民代表大会第一次会议审议通过了我国第一部社会主义宪法,同时还制定了《中华人民共和国人民法院组织法》(以下简称《人民法院组织法》)和《中华人民共和国人民检察院组织法》(以下简称《人民检察院组织法》),人民法院由三级改为四级,即设基层人民法院、中级人民法院、高级人民法院与最高人民法院,实行四级两审终审制,同时还设立了军事法院、铁路运输、水上运输等专门人民法院。检察机关改人民检察署为人民检察院,设置最高人民检察院、省级(省、自治区、直辖市)人民检察院及分院、县级人民检察院,并按专门人民法院的审级设置相应的专门人民检察院。设公安机关,负责刑事案件的侦查工作。1954年,《中华人民共和国逮捕拘留条例》颁布实施。在各省、自治区、直辖市设立司法厅(局),负责地方司法行政事宜与司法行政管理体制。以上进一步奠定了我国人民司法制度发展的基础。

从1957年下半年开始,由于左倾思想和法律虚无主义的影响,错误地批判了《宪法》、《人民法院组织法》和《人民检察院组织法》中规定的某些司法原则和制度。1959年撤销了司法部和各省、自治区、直辖市司法厅(局),回到审判与司法行政合一的状态,使法制建设受到大挫折。1966年5月开始的"文化大革命"使我国进入了长达10年的浩劫时期,公、检、法被"砸烂",实行军管。1969年正式撤销了各级检察机关。

1978年12月,党的十一届三中全会明确指出:为了保障人民民主,必须加强社会主义法制,使民主制度化、法律化,使这种制度和法律具有稳定性、连续性和极大的权威性,做到有法可依,有法必依,执法必严,违法必究。近三十年来,我国的人民司法制度得到迅速恢复和全面发展。

第一,建立和健全司法机关,规范司法权。

1978年3月,第五届全国人民代表大会决定重建检察机关,并将其正式确定为国家法律监督机关;1979年9月,第五届全国人民代表大会常委会第十一次会议通过设立司法部的决定;1983年4月,中共中央决定把公安部管理的劳改、劳教工作划归司法部管理;同年6月,第六届全国人民代表大会一次会议决定成立国家安全部,承担原公安机关主管的间谍特务案件的侦查工作;1984年11月,第六届全国人民代表大会常委会第八次会议决定在沿海港口城市设立海事法院;1998年初党中央国务院决定设立缉私警察队伍,在各地海关设立走私犯罪侦查局。

我国司法制度经过了几十年的发展,已形成了审判制度、检察制度、侦查制度、执行制度等相互配合、相互制约的司法制度。建立了人民法院、人民检察院、公安机关、国家安全机关和司法行政机关等部门齐全的司法机构。人民法院依法行使审判权,审理民事、刑事、经济和行政案件,并执行生效的民事裁判以及法律规定由人民法院执行的其他法律文书,如已经生效的仲裁裁决,具有强制执行力的公证的债权文书。公安、国家安全机关负责刑事案件的侦查;人民检察院负责提起公诉,对贪污、受贿、渎职案件还行使侦查权;人民检察院是国家法律监督机关,依法实施法律监督,保证法律的统一实施;司法行政机关主管刑事执行,对人民法院判处徒刑的罪犯予以监禁,它还是律师管理的主管机关。

第二,制定法律,规范司法官员行为。

制定和修改了《宪法》，修改公布了《人民法院组织法》和《人民检察院组织法》，制定颁布了《中华人民共和国法官法》（以下简称《法官法》）、《中华人民共和国检察官法》（以下简称《检察官法》）、《中华人民共和国警察法》（以下简称《警察法》）等。

第三，建立完整的司法程序法律体系。

规范我国刑事案件侦查、公诉、审判、执行以及自诉的《中华人民共和国刑事诉讼法》（以下简称《刑事诉讼法》），早于 1979 年 7 月就通过公布；1996 年 3 月，又做了重大修改。规范人民法院和人民检察院的《人民法院组织法》和《人民检察院组织法》，早在 1979 年 7 月就通过公布，又于 1983 年 9 月修订颁行。规范民事案件和经济纠纷案件的《民事诉讼法》已制定过两次，作为试行的《民事诉讼法》，早于 1982 年 3 月就通过公布，经过修订的正式的《民事诉讼法》于 1991 年 4 月颁行。规范刑事执行和罪犯改造的《中华人民共和国监狱法》（以下简称《监狱法》）于 1994 年 12 月通过公布。规范行政案件审判的《行政诉讼法》早于 1989 年 4 月就通过公布。

第四，不断深化改革，促使我国司法制度日益完善。

如人民法院进行了审判方式改革，提高了审判效率和审判质量；很多法院设置了知识产权庭、立案庭、审监庭等，使审判工作不断走向专业化；特别是颁布了《行政诉讼法》，建立和实施了行政审判制度。人民检察院建立了经济犯罪案举报中心和反贪污贿赂工作局。公安机关的侦查工作实行了侦审一体化改革，由刑警队全面负责侦查预审工作，解决了侦查预审脱节、效率不高的问题。

第五，一个国家、两种制度、三个法系、四个法区的现实。

1997 年 7 月 1 日香港回归祖国，1999 年 12 月 20 日澳门回归祖国，分别设立特别行政区，其现行的资本主义制度不变，其司法制度也不变。2005 年台湾国民党、亲民党、新党领袖访问大陆,中国共产党领导人承诺,台湾作为地方有更大的自主权。这样,在法律上就出现了中国大陆实行社会主义制度,中国的香港、澳门、台湾实行资本主义制度。大陆是社会主义法系;香港属于英美法系;澳门、台湾属于大陆法系。这样,在中国存在着以大陆法系为主体、多种法律体系并存的局面,即形成大陆、香港、澳门、台湾是四个法区。这样一来,就有四种司法制度,即人民民主专政的司法制度和港、澳、台司法制度。这四种司法制度在相当长的时期里,相互并存发展,各自扬长避短,取长补短,日趋融合,终将形成大中华司法制度。

2004 年 12 月底,中共中央转发《中央司法体制改革领导小组关于司法体制和工作机制改革的初步意见》,提出了今后司法体制改革的指导思想、目标任务、工作原则和改革内容,我国的司法体制将得到进一步完善和发展。

第二节　中国司法基本制度

一、侦查制度

侦查制度主要体现在五个方面:(1)受案、立案制度;(2)侦查程序制度;(3)拘留、逮捕制度;(4)移送起诉制度;(5)证据制度。

侦查作为国家同犯罪作斗争的重要手段,其核心是侦查权,即侦查主体依法收集证据,揭露和证实犯罪,查获犯罪嫌疑人,并实施有关强制措施的权力。侦查权和检察权、审判权同为国家权力的重要组成部分。侦查权是国家赋予执法机关的一种带有国家强制力的权力,不得随意分配,只能由特定的机关行使。因此,在刑事诉讼中,享有这一权力的主体便具有侦查机关的性质。

　　侦查机关是指在刑事诉讼活动中,享有国家赋予的侦查权,并对犯罪案件进行侦查的专门机关。我国的侦查机关主要是指公安机关、国家安全机关、人民检察院、军队保卫部门和监狱以及走私犯罪侦查机关等。

　　侦查机关作为侦查活动的主体,在打击犯罪活动中发挥至关重要的作用。绝大多数刑事案件发生后,往往都是侦查机关首先介入其中,并展开侦查工作。因此,国家设立侦查机关并通过其活动可以及时预防、制止、揭露、证实犯罪,维护国家、集体利益和公民的合法权益,维护国家的稳定、社会的安定和经济的发展。

　　在我国,侦查机关的地位能够得到较为充分的体现。依据法律,公安机关是国家的治安保卫机关,检察机关是国家的法律监督机关,同时,它们又是刑事诉讼中的侦查机关,在国家机构中占有重要地位。公安机关是国家机构的重要组成部分,它由同级人民政府产生,受同级人民政府领导,在执行国家法律的同时,还执行各级人民政府发布的命令或决定。公安机关上下级是领导与被领导的关系,上级机关可以直接指挥和参与下级机关的立案和侦查等工作。因此,各级公安机关对同级人民政府和上级公安机关负责,同时还通过同级人民政府对同级国家权力机关负责,并受其监督。上级检察机关领导下级检察机关的工作,因此各级人民检察院对产生它的权力机构和上级人民检察院负责。

二、检察制度

　　我国的人民检察制度是指由国家法律规定的关于人民检察机关的性质、任务、产生、职权以及运行规则等法律规范的总称。它主要体现在六个方面:(1)自行侦查制度;(2)立案监督制度;(3)侦查监督制度;(4)公诉制度;(5)审判监督制度;(6)刑罚执行和监所监督制度。

我国的检察制度是以人民民主专政理论为政治理论基础,以列宁的法律监督理论为指导思想,以共产党的基本路线为指导方针,结合我国社会主义民主与法制建设的实际需要而建立起来的,并经人民代表大会决定而产生的一项法律制度。

我国《宪法》第 129 条和《人民法院组织法》第 1 条均规定:"中华人民共和国人民检察院是国家的法律监督机关。"法律监督机关是人民检察院的性质。检察制度是一种专门的法律监督制度。

人民检察院和检察制度的性质之所以是专门的法律监督,这是我国《宪法》法定的。人民检察院是由国家权力机关产生并赋予它行使检察权的专门的法律监督机关,检察制度便是专门的法律监督制度。不能把检察制度理解为法律监督制度,因为它扩大了检察制度的外延,忽视了检察监督与广义的法律监督的区别。法律监督的含义,应是对法律的制定、执行和遵守实行监督。检察监督只是对法律适用和国家公务人员犯罪实行监督。在我国,根据《宪法》规定,对立法监督是国家权力机关的职权,对执法和守法的监督包括国家权力机关的监督、党的监督、人民群众的监督、社会舆论的监督和专门机关的监督。检察机关的法律监督,则属于专门机关对专门机关、专门人员的专门监督,它是法律监督体系中的一种专门法律监督。

《人民检察院组织法》第 4 条明确规定了我国检察机关的任务,即"人民检察院通过行使检察权,镇压一切叛国的、分裂国家的和其他反革命活动,打击反革命分子和其他犯罪分子,维护国家的统一,维护无产阶级专政制度,维护社会主义法律,维护社会秩序、生产秩序、工作秩序、教学科研秩序和人民群众生活秩序,保护社会主义的全民所有的合法财产,保护公民的人身权利、民主权利和其他权利,保卫社会现代化建设的顺利进行。""人民检察院通过检察活动,教育公民忠于社会主义祖国,自觉遵守宪法和法律,积极同违法犯罪行为作斗争。"这一规定清楚地指出了应该打击什么、保护什么,体现了社会主义法律的惩罚作用和保护作用的统一。

三、审判制度

我国的审判制度是指由国家法律规定的关于人民法院的性质、任务、产生、职权以及审判规则等法律规范的总称。

我国《宪法》第 123 条规定:"中华人民共和国人民法院是国家的审判机关。"按照我国 1979 年 7 月 1 日公布实施的《人民法院组织法》,人民法院的任务是审判刑事案件和民事案件,并且通过审判活动,惩办一切犯罪分子,解决民事纠纷,保卫无产阶级专政制度,维护社会主义法制和社会秩序,保卫社会主义的全民所有的财产、劳动群众集体所有的财产,保护公民私人所有的财产,保护公民的人身权利、民主权利和其他权利。保障国家的社会主义革命和社会主义建设事业的顺利进行。人民法院用它的全部活动教育公民热爱社会主义祖国,自觉地遵守《宪法》和法律。

我国的审判概念不像西方国家那样,仅指初审法院的审判,而是指审理和判决两个阶段、一审和二审两个审级合一,指人民法院的诉讼全过程。审判制度从程序上讲有管辖、立案、一审、二审、执行、再审、司法协助、特殊案件和破产案件审理等基本程序规定。

我国的审判制度和检察制度、侦查制度一样,都是以人民民主专政理论为政治理论基础,结合我国社会主义民主与法制建设的实际需要而建立起来的,是我国人民代表大会制度的产物。

我国审判制度和现代宪政国家一样,在人民法院及法官的组织、活动和效能等方面具有被动性、独立性、中立性、普遍性、终局性、公正性、程序性和公开性。

法院、法庭,英文都是 Court,原是指一个被圈围的场所,后被演变为司法机关,法官及有关官员坐在里边,辩护律师、诉讼代理人和旁听群众则站立在法庭的围栏外面。

中世纪初期的欧洲,在司法职能从立法和行政职能中分离出来以前,国王及其主要参事是坐在王宫里行使这些职能的,所以一般认为司法权来自国王,因此国王的宫殿也被称为 Court,在所有专业法庭里都假定有国王在场。于是这些专业法庭本身也就视为所谓"皇家法庭"。后来原属王室的一些机构逐渐被领主和教会所把持,继而就有了所谓宗教法庭、领主法庭、庄园法庭等等。资产阶级民主革命,实行"分权制衡"原则,法院独立起来,形成现代审判制度,即成为现代的法院。

四、司法行政制度

(一)执行制度

执行是指人民法院及其执行机关依照法定的程序,行使国家执行权,实现已经发生法律效力的判决书、裁定书以及司法文书所确定的内容的活动。

执行有如下特点:

第一,执行机关的特定性。我国的执行机关包括人民法院、公安机关和监狱,其他任何组织和个人都无任何国家执行权。

第二,执行根据的有效性。我国执行机关在开展执行工作时,必须有执行根据,而且作为执行根据的司法文书必须已经发生法律效力。

　　第三,执行程序的法定性。不论对何种发生法律效力的司法文书进行执行,执行机关都必须严格遵守法定的执行程序。

　　第四,执行措施的强制性。执行机关行使国家执行权,采取执行措施实现发生法律效力的司法文书的内容时,凭借的是国家强制力。

　　执行的本质是国家以强制力实现发生法律效力的司法文书所确定的权利和义务。对人民法院发生法律效力的判决、裁定的执行是一种司法行政活动,具有司法行为和行政行为两方面的特点:一方面,执行行为同审判行为、司法行为具有不可分割的联系,执行行为的正当性来源于执行依据;另一方面,执行是国家管理社会的行为,具有行政性。

　　执行制度是关于国家行政机关的性质、工作原则、执行程序,以及为实现发生法律效力的法律文书内容所采取的强制执行措施等方面的总称。

　　执行制度是我国司法制度的重要组成部分。执行制度包括刑事执行、民事执行和行政执行。本书中的行政执行是指行政执行文书为人民法院强制执行的行政诉讼程序,它与行政法中的行政行为和行政强制措施有性质的区别。

　　依据现行法律,我国在司法行政机关执行的人民法院生效的裁判文书,仅指刑事裁判文书,即刑罚在司法行政机关领导的监狱执行。

(二)律师制度

　　《中华人民共和国律师法》(以下简称《律师法》)第2条规定:"本法所称的律师,是指依法取得律师执业证书,为社会提供法律服务的执行人员。"

　　律师制度是指国家法律规定的有关律师的性质、任务、组织和活动原则,以及律师如何向社会提供法律服务的法律规范的总称。律师制度的性质是由国家政治制度决定的,律师制度是国家政治制度的一个重要组成部分。

律师制度具有四方面特征:(1)律师制度是以国家法律的确认为存在前提;(2)以维护当事人合法权利为根本的活动宗旨;(3)以提供法律服务为核心内容;(4)具有促进民主与法制建设的政治属性。

我国《律师法》第 15 条规定:"律师事务所是律师的执业机构。"由执业律师组成律师事务所,由律师事务所构成整个律师体系。

律师的权利和义务是指律师在执行律师职务过程中依法享有的权利和承担的义务。

律师的权利有:(1)律师依法执业受法律保护权;(2)律师执业不受地域限制的自由权;(3)取得合法报酬权;(4)拒绝辩护或代理权;(5)诉讼权利;(6)调查取证权;(7)在执业活动中的人身权利不受侵犯。

律师的义务有:(1)维护当事人合法权益的义务;(2)忠于事实和法律的义务;(3)接受国家和社会监督的义务;(4)律师应当在一个律师事务所执业,不得同时在两个律师事务所执业;(5)公平竞争的义务;(6)保密义务;(7)不得在同一案件中担任双方代理人的义务;(8)法律援助义务。

(三)仲裁制度

根据《中华人民共和国仲裁法》(以下简称《仲裁法》)的规定,我国仲裁是指平等主体的双方当事人依法自愿达成协议,将合同纠纷和其他财产权益纠纷提交给仲裁机构进行裁决并予以执行,从而解决纠纷的一种法律制度。仲裁制度主要体现在:

（1）协议仲裁制度是指仲裁机构必须根据双方当事人之间达成的仲裁协议受理仲裁案件，仲裁协议是仲裁活动的唯一前提条件。

协议仲裁制度是仲裁管辖得以产生的基础，它是一项基本的仲裁管辖制度。仲裁机构依法受理双方当事人在有效仲裁协议中约定的仲裁事项。根据仲裁协议制度，有效仲裁协议可以确定仲裁机构为唯一管辖机构，进而会完全排斥法院管辖权。《仲裁法》第5条规定："当事人达成仲裁协议，一方向人民法院起诉，人民法院不予受理，但仲裁协议无效的除外。"仲裁制度作为我国法律体系的一个组成部分，赋予经济纠纷当事人更多的选择权。

仲裁实行一裁终局制度，是指仲裁机构一旦对仲裁事项作出仲裁裁决，立即发生终局的法律效力，结束争议，解决纠纷。当事人不得就同一争议再向其他仲裁机构申请仲裁，也不得向人民法院提起诉讼。与诉讼相比，仲裁无论在时间上还是在程序上都更加及时和简便，具有优越性。这一制度的实施给经济纠纷当事人带来了更大的方便，有利于经济秩序的稳定和发展。

（四）公证制度

公证制度是关于公证机关的性质、公证业务范围、公证效力、公证程序以及公证管理体制等方面制度的总称。公证制度是我国司法制度的重要组成部分。

在我国，公证是指国家公证机关根据当事人的申请，按照法定程序证明法律行为、有法律意义的文书和事实的真实性、合法性的一种非诉讼活动。公证具有以下法律特征：

（1）公证的主体是国家公证机关和申请公证的当事人。他们的行为对公证的发生、发展和终止具有决定性影响，他们在公证活动中既享有法定的权利，又承担法定的义务。

（2）公证证明的对象是指公证机关依法证明的法律行为、有法律意义的文书和事实。

（3）公证的内容是证明公证对象的真实性、合法性。

（4）公证是国家机关依照法定程序进行证明的一种非诉讼活动。公证机关在行使国家证明权,进行公证活动时,必须严格遵守公证法律规定的程序。公证机关违反法定程序的证明活动不具有公证证明的法律效力。

（五）调解制度

调解制度是指调解组织或具有调节职能的组织作为第三人,根据法律规定和社会公德,以说服教育的方式,协助当事人自愿达成协议,从而解决民商事纠纷和轻微刑事案件的一种非诉讼法律制度。

需从以下几个方面理解调解制度:（1）调解制度必须由第三人主持;（2）必须双方当事人自愿;（3）必须以说服教育的方式解决纠纷;（4）经过调解所达成的协议内容必须符合法律规定和社会公德,不得损害国家、集体或第三人的合法利益;（5）调解的目的是解决民商事纠纷和轻微的刑事案件。

我国依法建立了一套完整的调解体系,按照调解组织的不同,调解制度可以分为:人民调解、仲裁调解、行政调解、律师调解、消费者协会调解和法院调解几个种类。调解主要存在于非诉讼的法律活动中,同时也存在于诉讼制度中。仲裁机构和法院所作出的调解协议书,与仲裁裁决书和判决书有同等的法律效力,是法定执行根据。其他种类的调解协议,不具有法律效力。

我国调解体系是有机相联系的统一整体,是我国司法制度不可缺少的组成部分。随着我国法律的健全和发展,调解制度一定会更加完善,在我国法律建设和人民生活中发挥更大的作用。

第三章　司法官员

司法官员是指具有法定资格,在司法机关履行法定职权,承担法定责任的人员。

司法官员与司法机关同为司法主体;司法官员与司法权、司法道德、司法方法、司法价值等有本质联系。

我国司法除了审判之外,还有侦查、法律监督和强制执行。我国的司法官员是指"对其职责为司法和其他提交司法机关决定的事情的人的总称"。我国司法官员包括法官、检察官和警官。

我国的法官、检察官、警官(警察)历经古代、近代和当代的发展过程;人民民主专政建立后,其性质有了根本变化,被称为人民法官、人民检察官和人民警察。1995年,法律规定,法官、检察官有了独立的司法权。

参考西方国家的司法官员制度,立足中国国情,我国法官在选任、道德建设、权利义务的落实、培训和惩戒罢免机制和执业保障制度等方面要进一步改革;我国检察官除了与法官要有同样方面的努力之外,还要明确检察官法律地位,正确自由裁量权和完善检察官考评制度等;我国人民警察要在职业化、专业化、现代化、社区警务战略等几个方面加强建设,国家要加大对公安的财政支出,法律要规范公安权力,限制警察权力的滥用。

第一节　司法官员分类

司法官员与司法机关同属司法主体。关于司法机关,我们在司法制度一章中着重予以叙述。本文对司法官员的强调,着实是为了突出其司法主体的理论意义和对当前司法体制改革实践的启示。

约翰·杰伊有句名言:"过去的历史表明,将正义运送到每个人的家门口的益处是显而易见的。然而,如何以一种有益的方式做到这一点,就远不是那么清楚了。"①司法是社会正义的最后一道防线,而人是实践活动的主体,同时又是行为的设计者,因而作为掌握司法权力的司法官员就成为这道防线的最后的守卫者。当前司法改革已经成为我们时代的主旋律,司法官员便成为司法改革的核心和中坚力量。

综观各国法律以及中外法学界的观点对于司法官员的界定存在着四种不同的观点。

第一种观点认为司法官员只能是法官,即国外一般采取的"小司法"的概念。例如,德国《基本法》第 92 条规定:"司法权赋予法官,由联邦宪法法院、州基本法规定的联邦法院和各州法院行使。"美国《宪法》第 3 条规定:"合众国的司法权,属于最高法院和国会规定和设立的下级法院。"日本《宪法》第 76 条也规定:"一切司法权属于最高法院以及由法律规定设置的下级法院。"这种观点为西方国家以及受西方法律文化传统影响的其他国家所信奉,是与这些国家奉行立法、行政、司法三权分立以及司法独立的原则密切相关的。采用"小司法"的概念,就是把司法官员严格限定在具有司

---

① 转引自贺卫方:《运送正义的方式》,上海三联书店 2002 年版,"自序"。

法审判职能的人员(法官),这在一定程度上有利于从法律上为此类人员提出特殊要求并且给予特别的保障和优待。

第二种观点认为司法官员应该包括法官和检察官。其依据是从法理上看,审判权从来就不排斥检察权,有权力就会产生权力的滥用,绝对的权力必然导致绝对的腐败,所以在行使审判权的同时必须有一种和审判权是同一个权源的权力去对其产生制约和监督,这就产生了检察权,因而我国大陆的一些学者以及台湾、澳门的法律中都将司法官员界定为法官和检察官。同时,他们认为公安机关执行的权力是属于行政权力的范围,具有浓厚的行政的色彩,因此不宜作为国家的司法机关。

第三种观点认为警官、检察官、法官都属于司法官员。这种观点之所以将警官纳入司法官员的范畴当中,是基于我国现实国情的考虑。我国检警是一种相互配合、相互制约的关系,公安机关与检察机关在地位上是平等的,都是侦查的主体,两者在侦查刑事犯罪的行为的权限上,是分工负责、相互配合的关系,同时两者也是互相制约的,公安机关对检察机关的制约突出表现在公安机关享有对检察机关提请复议、复核权上。因而,此种观点从公安机关的职能和法律地位分析,认为应该将警官归入司法官员的行列。

第四种观点认为司法官员涵盖了警官、检察官、法官以及律师。这种观点将司法官员作了广义上的理解。他们认为,无论警官、检察官、法官还是律师,"都是受过专门系统法学专业训练的,具有一定法学素养及其相应的专业操作技能,以法学(法律)为职业,并作为主要生存手段的人,即职业法律人"[1]。他们共同具备

---

[1] 参见刘青峰:《从职业法律人的构成要素看司法能力的培养》,《法律适用》2005 年第 1 期。

公正的品质、精通法学和法律、熟悉社会、逻辑思维能力以及敏锐的观察能力等素质。更重要的是这四种人所追求的终极目标都是社会正义的实现。基于上述原因,这部分学者将警官、检察官、法官以及律师统统归入司法官员的行列。

综合以上四种观点,我们认为具体的司法官员的划分在不同的国家是不同的,因此在确立各国具体的司法官员的时候就不能不具体地考虑各国的宪法和国情。

首先,作为司法裁判权的享有者和诉讼的权威解决者,法官处于整个诉讼程序的中心地位,一切案件纠纷只能由法官作出权威性裁决;当事人必须尊重法官的判决,即使对判决结果不服,也不能自行撤销或变更,而只能通过司法救济程序提出请求,由法官的法官(上诉法官或再审法官)进行审查后作出判决。对社会来说,法官行为是实现秩序、保持稳定的最后一道底线;对当事人来说,法官的责任在于实现司法的正义和公平,而这一点正是所谓"铁肩担道义",是人类生活的精神寄托之一。法官的任务是审判刑事、民事、行政案件,并通过审判活动惩罚一切犯罪活动,解决民事纠纷,以维护法制和社会的正常秩序,保护国有财产和劳动群众集体所有的财产和公民私人所有的合法财产。法谚云:"法官是法律的嘴",其意思是说,法律是通过法官的行为和语言贯彻实施的,法官是执行法律的工具。因而,掌握处于司法核心地位的法官理应属于司法官员。

其次,由于社会制度的差异,对检察制度的理解也是截然不同的,资本主义国家比较一致地认同检察机关的国家追诉者地位,英美法系和大陆法系仅仅在检察的范围上有所区别,如以英国为代表的国家始终把检察看成是公诉行为,以法国为代表的大陆法系国家一般都认为检察除了公诉以外,还包括为起诉而进行的侦查。

而社会主义国家普遍认为,检察的作用和功能是法律监督,对刑事犯罪的追诉仅是其中的一部分职能,而且有学者还认为公诉也是对违反法律的犯罪行为进行法律监督的表现,"公诉权的设置,本身就是为了监督法律的实施,保障法律被普遍遵守"①,正是由于制度和认识上的不同,在对检察官是否属于司法官员的问题上就存在差异。西方国家比较普遍地认为司法权不包括检察权,司法权是以裁判为中心的活动,而代表控方的检察官与行使刑事侦查职能的警察在这种模式中是站在一边的,利益及诉讼目的相同,使他们都被排除在司法官员之外。

我国《宪法》和《人民检察院组织法》规定人民检察院是国家的法律监督机关,依法监督执行和遵守法律的情况,维护法律的正确统一实施,其具体内容是:(1)对公安机关、国家安全机关、人民法院、监狱、看守所及劳动改造和劳动教养机关的执法活动的法律监督。(2)对国家机关、国有企事业单位、社会团体和公民犯罪行为的法律监督。正如第二种观点所阐述的审判权从来就不排斥检察权,我们知道有权力就会产生权力的滥用,绝对的权力必然导致绝对的腐败,所以在行使审判权的同时必须有一种和审判权是同一个权源的权力去对其产生制约和监督,这就产生了检察权。从性质上讲,检察机关直接隶属于国家权力机关,它是对国家权力机关,即人大负责,并接受人大监督,它依照法律规定独立行使检察权,不受行政机关、团体和个人的干涉,即拥有司法独立权。因此,我们认为在我国,把依法享有检察监督权的检察官纳入到司法官员的范畴当中是比较符合我国国情的。

再次,考量警官是否属于司法官员主要的切入点是检警关系,

①　张智辉:《再论检察权的性质》,《检察日报》2000 年 10 月 11 日。

从世界主要国家的立法和实践来看,在处理刑事程序的检警关系方面,主要有以下模式:

1. 检警分立模式。如在英国,警察机关负责刑事案件的侦查,检察机关负责起诉。检察机关接到警察机关移送的案件后要进行审查,如果认为证明案件事实的证据不充分,检察机关可以要求警察补充侦查。如果警察不同意补充侦查,检察机关对警察制裁的唯一手段就是对案件中止诉讼。在美国,有两个侦查机关,即警察机关和检察机关。在司法实践中,除某些轻微罪(如对酗酒、流浪者、卖淫、违反交通法规等案件,警察有权决定起诉并在法庭上出示证据)和检察官自行侦查、处理的案件(如不履行抚养义务、企业欺诈等直接向检察官检举的案件)外,一般由警察履行侦查职责,检察官履行起诉职能。

2. 检警结合模式。该模式多为大陆法系的国家所采用。根据法国《刑事诉讼法典》的规定,对犯罪的追诉权由司法警官、检察官和预审法官行使。司法警察负责对案件的初步侦查,以收集证据,确定嫌疑人,"在案件破获后,司法警察应执行预审法官的命令并听从其要求"(第14条)。司法警官"在符合他所进行的取证笔录的正本并附副本以及有关的文件交送共和国检察官"(第19条)。德国的警察在刑事程序中仅对检察院起辅助作用。依照法律规定,检察官有权领导侦查,有权指挥和利用警察的力量。法律规定刑事警察是检察官的助手。日本的《刑事诉讼法》深受德国的影响,我国台湾地区的《刑事诉讼法》又较多地移植了日本的模式,在侦查过程中,检察官对警察拥有一般的指示权、一般指挥权和具体指挥权,检察官的地位较警察优越。

我国刑事程序中的检警关系模式,是建立在分工负责、相互配合、相互制约基础之上的具有鲜明特色的一种模式。在检警机关对行使追诉权均有较大独立性方面,它与英美模式相似,但在检警机关相互配合与制约方面,又不同于英美模式。检察机关对警察机关有监督、制约作用方面与大陆法系模式的精神又有相通之处,但在检察机关对警察机关发挥作用以及警察机关拥有广泛且独立的侦查权方面,它又与大陆法系模式有着明显的区别。我国现在的公安机关实际上具有治安管理和刑事案件侦查的双重职能,治安管理基本上是一种行政职能,刑事案件侦查是一种司法职能,公安机关集行政职能和司法职能于一身。有些学者提出公安机关的这种性质容易造成行政职能和司法职能的混用,所以应当在公安机关中分离出一部分刑事警察,专门从事司法活动。我国的检警关系有哪些需要调整和改革的地方是本书后面所要论述的内容,但仅从我国现阶段的国情来看,《宪法》赋予了公安机关刑事侦查权以及其他一些司法权力,实际上就认可了警官作为司法官员的合理性。

再次,我国1996年5月15日颁布的《律师法》第2条规定:"本法所称的律师,是指依法取得执业证书,为社会提供法律服务的执业人员。"而根据《律师法》第1条的规定,维护当事人的合法权益,维护法律的正确实施就是律师的任务。由此我们可以看出,律师利益的出发点是当事人的利益,他代表的是一种私权利。这一点与警官、检察官、法官有着本质的区别,因为不管是法官的居中裁判还是检察官和警官履行法律赋予的职责,他们享有的都是一种公权力,代表也都是国家利益和公共利益。此外,警官、检察官和法官领取的是国家的薪金,而律师却如同商人,通过提供服务而向客户收取酬金。因而,我们认为将律师划归司法官员的行列不符合法律的基本要求,也不利于司法目标的实现。

综上所述,我们认为从我国的国情和当前的趋势出发,司法官员应包括警官、检察官和法官,同时,在分头论述了这三官各自的职能和任务的基础上我们可以为司法官员下这样一个定义:服务于国家,为了维护社会正义,有法定的法律岗位,依法维护社会秩序的人。

第二节 司法官员的起源和发展

司法官员的出现是人类社会发展到一定历史阶段的产物,是伴随着审判制度、检察制度产生和发展的。在原始社会后期,随着社会生产力的发展和阶级的产生,出现了国家和法律。由于法律的出现和不断发展,以法律为职业的人越来越多,分工也越来越细,逐步产生了法律实际工作者和法律研究者。

一、我国法官的起源和发展

中国古代社会前期的夏、商、周时代。由于其行政、军事、司法混为一谈,没有严格的区分,所以国王既是国家元首、军事首领,又是最高法官,掌握着最高审判权。各奴隶主具有相对的独立审判权。这个时期法官的任用实行"世官"制度,按照"礼"的原则"任人唯亲",即根据宗法制的亲疏确定审判官员的任用,通过分封而由血亲、宗亲担任审判官。这种"唯图任旧人共政"①的"世官"、"宗职"制度符合奴隶主贵族的愿望,适应当时社会发展的需要,正如恩格斯所说:"他们最初是耐心等待,后来是要求,最后便僭取这种世袭制了;世袭王权和世袭贵族的基础奠定

---

① 《尚书·盘庚》。

下来了。"①此时已经有法官的考核制度了,西周实行"大计群吏"作为对包括审判官在内的百官的考核的主要形式:"岁终,责令百官府各正气治,受其会,听其政事,而诏王废置。三岁,则大计群吏之治而诛赏之。"②考核的标准为"六计",即廉善、廉能、廉敬、廉正、廉法、廉办,并根据考核的情况对审判官进行具体的奖惩。在西周时期有了对审判官的责任的规定:"惟敬五刑"、"典狱,非讫于威,惟讫于福"、"上下比罪,勿僭乱辞"③,要求审判官必须慎于治狱。周穆王时,对审判官依仗权势,挟嫌怨报复,有意庇护亲属,收财货贿赂,受人请托而导致审判有误,都以错判之罪追究其责任。

公元前 5 世纪,中国进入封建社会。这一时期中国实行司法与行政合一的制度,行政长官兼任审判官员,从中央到地方审判权不独立。历代封建王朝的皇帝是最高司法官,严格控制审判大权。在中央虽然设置审判机关但要绝对服从皇帝的旨意。国家司法审判权有的朝代有皇帝、丞相、御史大夫和廷尉共同掌握,如两汉时期,有的朝代则设立专门的司法机关和司法人员,但是其他行政官员也参与审判活动,如清朝的"九卿会审",司法与行政混同,行政官员与审判官员混同。这一时期对于审判官员的选拔任用制度、待遇制度、考核制度、回避制度、审判官的职责责任等都有较为完善的规定,但是这些制度在实践中往往较难运作。

鸦片战争之后,中国进入半殖民地半封建社会。帝国主义入侵的同时也将资本主义的司法原则和司法制度带入了中国。在清末的司法改革中出现了中国近代意义上的法官职业。清朝统治者

---

① 恩格斯:《家庭、私有制和国家的起源》,《马克思恩格斯选集》第 4 卷,人民出版社 1995 年版,第 165 页。

② 《周礼·天官·大宰》。

③ 朱熹:《五朝明臣言行录》。

于 1909 年颁布了《法院编制法》，确立了专门的审判机构和审判人员。1927 年国民政府成立后，公布了《法院组织法》，确立了最高法院、高等法院和地方法院构成的法院体系，实行三级三审制，各级法院设立刑事、民事两庭。法院的司法行政工作由政府司法行政部门管理，法官由行政长官任命。

在新民主主义革命时期初步产生了现代意义上的法官制度，人民审判制度在第一次国内革命战争时期开始萌芽。1931 年，在中国共产党领导下的革命根据地建立了最高法院和省、市、区各级裁判所。抗日战争时期和第三次国内革命战争时期又设立了裁判部、人民法庭、人民法院等审判机构，1948 年统称为人民法院。新中国成立后于 1951 年颁布了《中华人民共和国人民法院暂行组织条例》，该条例规定法院院长、副院长由同级人民政府委员会任免，其他审判人员由党委、本院或同级人民政府委员会任免。司法与行政不分离，直到 1954 年《中华人民共和国宪法》的通过把法院与同级人民政府相分离，使法院不再成为人民政府的组成部分。1978 年改革开放以后，随着经济和社会的发展，最高法院和地方各级法院对法官制度进行一系列的改革和探索，1995 年《法官法》的颁布实施，标志着法官制度走上法制化发展道路。

二、我国检察官的起源和发展

我国检察制度的起源晚于审判制度。检察官源于战国时期的御史之职，其职能是"执法在旁，御史在后"[1]，即御史在执法过程中行使检察职能。自秦始皇统一六国后，从中央到地方形成了一

---

[1] 《史记·滑稽列传》。

整套为协助君主治吏的监察组织。在中央设立御史大夫,执行最高检察官和辅佐丞相处理政务的副丞相的双重职能,由中央派遣到地方的监御史在管辖区域内行使监察权。汉朝时设立了专门担任监察一职的御史台,这是我国封建法律制度史上第一个专门监察机构。到了唐代,御史制度进一步加强,其御史台下设台院、殿院、察院。宋、元、明代沿袭了唐代的御史台制度,到了明代洪武十五年,将御史改为都察院,作为专门检举犯罪的机关。清代继承明代的都察院,将其作为国家最高的监察机关。

　　清朝末年,效仿西方建立了近代意义上的检察制度。光绪三十二年颁布了《大理院审判编制法》,规定在大理院下设置的各级审判厅内附设各级检察局,各级检察局设立一名检察长,负责对刑事案件提起公诉、监督审判和判决的执行。将审判权与检察权相分离。1909年的《法院编制法》具体规定了检察官的职权范围,即在刑事方面检察官有权按照《刑事诉讼法》及其他法令实行搜查处分、提起公诉、实行公诉、监督判决执行;在民事方面检察官有权遵照《民事诉讼法》及其他法令为民事诉讼当事人或公益代表人进行诉讼。检察官对审判衙门独立行使职权。该法还规定由大理院下设置的各审判衙门分别设置初级检察厅、地方检察厅、高等检察厅和总检察厅,各级检察厅分别设置检察官。

　　1915年北洋军阀政府修正了《法院编制法》,废除了各县的初级审判厅,各大都会设置的地方审判厅,规定各级法院辖区内设立一个检察厅,并改总检察厅丞为检察长①。1916年国民政府又颁布了下列法令条例,规定高等法院配置首席检察官一名,检察官若

---

①　程荣斌:《检察制度的理论与实践》,中国人民大学出版社1990年版,第39页。

干名,依法独立行使职权。1927 年至 1945 年间,国民政府先后颁布了《刑事诉讼法》、《法院组织法》、《修正刑事诉讼法》等对检察官和检察机关的规定不断完善具体,提高了检察机关的地位,扩充了检察官的职权,也明确了检察官行使职权的程序。

在新民主主义革命时期,共产党领导人民建立并不断发展人民检察制度,先后颁布了一系列法律、法规,分别对检察机构和检察人员作了具体的规定,使得这一时期在革命根据地的中央、地方以及军事审判机关中,都设有相应的监察机构和人员。抗日战争时期各抗日根据地进一步完备了检察制度,到了解放时期,检察制度就发展得比较具体、全面了。

新中国成立后,中国共产党领导中国人民建立并发展起人民检察制度。1949 年制定的《中央人民政府最高人民检察署实行组织条例》,确定了检察机关垂直领导和检察长负责制。1950 年开始全国地方各级检察机关相继建立起来。1954 年颁布的新中国第一部《宪法》以及《人民检察院组织法》规定了检察机关的设置、职权领导关系,检察人员的任免程序,行使职权的方式及程序等。这一时期无论从立法还是实践上看都有显著的发展。但是,由于当时受左倾思想影响严重,从 1957 年下半年开始检察制度的建设受到很大的影响,1975 年的《宪法》还规定取消了我国刚刚建立起来的检察机关及检察组织系统,改由公安机关行使检察机关的职能。1978 年改革开放以后,检察制度得到恢复。1995 年《检察官法》的颁布实施,标志着检察官制度从此法制化。

三、我国警官的起源和发展

警官作为国家暴力机关的一部分是一定历史阶段的产物。它随着国家的产生而产生,也必将伴随着国家的消亡而消亡。正如恩格斯指出的:"警察和国家一样古老"①。因为"国家是不能没有警察的"②。因此警察是从原始社会末期伴随着国家的产生而产生的。

在奴隶社会、封建社会中是没有专门的警察机关的,警察的职能是由军队、审判机关和行政官吏分别掌握的,其行使职权在法律上是极不严格的,神权、皇权或长官的意志起决定作用,并且私刑、私狱普遍存在。

近代意义上的警察,是专门适应资本主义制度需要建立起来的专门执行警察职能的机构和官吏。中国的警察是帝国主义入侵中国后的产物。清政府看到帝国主义的警察是统治人民的有效工具,便开始效仿。1898年,湖南巡抚陈保箴在长沙成立"湖南保卫局",这是中国历史上最早的专职警察机构。此后清政府先后在保定、天津等地创办了"巡警局"、"警务学堂"、"巡警学校"。1905年清政府为了维护其摇摇欲坠的反动统治,统一控制和领导全国警察机构,在北平建立"巡警部"。这是清政府的中央警察机关,也是历史上第一个全国性的专职警察机构。1912年,中华民国成立后,南京临时政府将"巡捕"、"巡警"改为警察。1927年蒋介石为残酷镇压革命活动,迫害共产党人和革命群众,维护国民党的反动统治,设立"内政部警政司",把各省、市、县的警察机关改为"公安局"。1946年,设立"内政部警察总署",把各省、市、县警察机关改为"警察局"。旧中国近代警察的历史是军、警、特联合起来镇压革命,压迫人民的历史。

新中国成立后人民公安机关取得了巨大的成就。自1946年到1966年间,在全国范围内建立健全公安组织机构,明确了工作

---

① 《马克思恩格斯选集》第4卷,人民出版社1995年版,第116、117页。

② 同上书,第117页。

任务:清除反动势力残渣和旧社会遗留下来的污泥浊水,并开展了镇压反革命运动,巩固了新生的人民政权;保证了党的路线、方针、政策的贯彻执行,保卫了社会主义革命和建设的顺利进行。

同检察制度发展一样,警察制度在十年动乱期间也遭到了严重的挫折。直到1976年粉碎"四人帮"以后,特别是党的十一届三中全会以后,公安事业才迈出新的步伐,取得长足的发展,巩固和发展了安定团结的政治局面,为改革开放和经济建设提供了良好的服务。

1995年《警察法》的颁布实施,标志着警官制度走上法制化发展道路。

第三节　中国司法官员的未来展望

在一个中国法制建设的观察者看来,全社会对司法制度、司法改革以及司法官员的热切关注和期盼可以说是过去数年间的一个显著现象。法律与政治界自不必说,一般大众传媒更如同约好了似的,对于法院、检察院以及公安系统在司法和执法过程中出现的种种负面现象连篇累牍地加以报道。广西壮族自治区高级人民法院副院长潘宜乐、河北省高级人民法院副院长高文英收受贿赂被判刑;喝醉酒的法官把小学生扔进水库淹死;作为赃物的手提电话被法官拿去自用;身为法院院长,居然将案件卷宗盗出来,以便让被告人得以串供……

这些案例足以让我们触目惊心,在震惊痛心之余,我们应当思考,为什么我国的司法界会沾染如此大规模的"司法病毒"?[1] 经

---

①　参见贺卫方著:《运送正义的方式》,上海三联书店2002年版,"自序"第1页。

历了无数的风风雨雨之后,中国的司法官员将何去何从? 建立一个怎样的制度才能使中国的司法官员真正合理正确地司其职谋其政呢?"它山之石,可以攻玉"。我们将通过比较研究,引出自己的看法,提出有益于完善我国司法官员制度的设想和建议。

一、我国法官的理想化构建

作为司法裁判权的享有者和诉讼的权威解决者,法官处于整个诉讼程序的中心地位,因此在中国目前司法改革领域对于法官改革的关注也最多。那么,什么样的法官才是真正意义上的法官呢? 各国有着不同的规定。

第一,从法官的资格与考试看,不同的国家在不同的时期对法官的条件有不同的要求。古希腊哲学家柏拉图认为:"至于法官,我的朋友,那是以心治心。心灵绝不可以从小就与坏的心灵厮混在一起,更不可犯罪恶去获得的第一手经验以便判案时可以很快地推测犯罪的过程,好像医生诊断病人一样。相反,如果要做法官的人心灵确实美好公正,判决正确,那么他们的心灵年轻时起就应该对于坏人坏事毫不沾边,毫无往来。不过这样一来,好人在年轻时便显得比较天真,容易受骗,因为他们心里没有和坏人心里的那种原型……正因为这样,所以一个好的法官一定不是年轻人,而是年纪大的人。他们是多年后年龄大了学习了才知道不正义是怎么回事的,他们懂得不正义,并不是把它作为自己心灵里的东西来认识,而是经过长久地观察,学会把它当作别人心灵里当别人的东西来认识,是仅仅通过认识,而不是通过本人的体验认识清楚不正义是多么大的一个邪恶的。"①英国法学家霍布斯(Thomas Hobbes,

---

① ［古希腊］柏拉图:《理想国》,商务印书馆1986年版,第119页。

1588—1679)认为:"良法官之条件,第一,须对自然率之公道原则有正确之了解,此不在乎多读律书,而在乎头脑清新,深思明辨。第二,须有富贵不能移之精神。第三,须能超然于一切爱恶惧怒等感情之影响。第四,听讼须有耐性,有注意力,有良好之记忆,且能分析处置其所闻焉。"①苏联学者加里宁指出:"审判员应当是以自己个人的行为,自己对工作的态度博得信任和威望的人,应当是具有很多社会政治经验和善于审讯的人,我还应对此补充一点,应当是一个有修养的人。"②

当今西方各国,从事法律职业都要以正规的大学法律教育为前提。在英国、德国、法国、日本这些国家,大学法律系毕业之后尚不能直接从事法律职业,通常必须再经过考试,成功者还要继续参加2年到3年的学徒式教育;在美国,只有大学本科毕业者才可以考法学院,法学院的学制是3年。这样,在这些国家里,一个人要开始其法律职业,从进入大学起算,要经过6年至7年的大学和大学以上的教育、培训。

在德国,法官资格须经二次考试及格才能取得。参加第一次考试的,须在大学修习法学至少三年半,其中至少须有四个学期在同一大学研习法律。在第一次考试与第二次考试之间应当经过两年的实习。实习期间需服务于普通法院民事庭、刑事庭或监察署、行政官署、律师事务所或由实习司法官选择的有关机构。本国大学法学教授无需考试即具有法官资格。要被任命为法官,除具有以上资格外,还须为德国人并"保证随时维护基本法所揭示的自由

---

① 法学教材编辑部《西方法律思想史编写组》编:《西方法律思想史资料选编》,北京大学出版社1983年版,第203页。

② 徐世京编译:《司法心理学》,上海人民出版社1986年版,第150页。

民主原则";而要被任命为终身职业法官,必须在取得法官资格后至少已经从事审判工作 3 年。

在法国,通过大学法律专业考试获得法学学士学位,是步入职业法官队伍的最基本专业资格条件。要成为职业法官,还必须参加国立法官学院的职业培训并通过考试;进行为期 24 个月的专业培训,包括在该法官学院的正式学习和在警察局、律师事务所、监狱以及在巴黎的司法部这些部门中实习,接受细致的指导以深化具体的法律知识。基本上每年都要有三名左右的学生留级,每 3 年有 1 名至 2 名学生被除名。要成为法官,除具备以上专业要求外,还要求具备享有民事权利、品行良好、正确对待法定兵役、身体健康等条件。上述严格的专业资格考试和专业培训的要求,使没有任何特别司法资格的人成为法官的可能性实际上被排除了,保证了法官职业的高度专业化①。

日本法官的任务,主要是审判诉讼案件,解决"法律上的一切争讼"。日本《宪法》要求"所有法官依其良心独立行使职权,只受本宪法及法律的约束"。因此,裁判所组织法对法官的资格要求很高。首先,必须是通过全国统一的极为严格的司法考试,并接受司法研修所培训 2 年,毕业考试合格,才能被任命为助理法官、检察官和律师。其次,担任助理法官、检察官和律师职务或裁判所司法、行政官员职务和大学教授、副教授 3 年以上的,可以被任命为简易裁判所法官。对最高裁判所法官资格和条件的要求就更高了,必须从见识广、具有较高的法学素养、年龄在 40 岁以上的人中任命。最后,有以下几种情况之一的人不能担任法官:依法不能担

---

① 参见周道鸾主编:《外国法院组织与法官制度》,人民法院出版社 2000 年版,第 102—103 页。

任一般官吏的人;被判过徒刑以上的人;受过弹劾法院的罢免裁判的人。

第二,法官选任方面,各国对法官产生的方式不一。国外法官的产生方式,主要有任命和选举两种。其中,大多数国家采用任命方式,少数国家采取选举方式,也有的国家两种方式同时兼用,也有的国家不同职级的法官有不同的产生方法。就任命法官的国家来说,情况也不完全相同,多数国家由国家元首(总统、国王、天皇、领袖等)任命,有的国家由政府首脑或者政府机构任命,有的国家由法官委员会(或司法委员会等)任命,有的国家由议会任命,还有的由最高法院或者最高法院首席大法官任命。总结起来,外国法官选任具有以下几个特点:其一,任命法官的主体层次很高。许多国家法官的任命是由国家元首或政府首脑以国事行为的方式进行的。任命本身就是一种国家荣誉,这有利于强化法官对职业的神圣感和使命感,从而严格依法行事;同时,由于任命法官的主体地位相对较高,有利于防止地方势力的干扰,从而保证独立行使司法权,避免司法腐败行为。其二,程序严格。一般都要经过多次司法考试和长期的司法实习或律师工作经历。这样,从法学学生到律师或司法实习生再到法官,是一个漫长而充满考验的过程。这一过程自身的漫长、艰辛和严格,使得外国法官具有优良的法律专业素质,同时使法官意识到自身的任命是一种巨大的荣誉,也是来之不易的,从而自觉严格依法办事,消弭司法腐败。另外,严格任命程序也有利于从严掌握法官资格的统一适用,保障法官队伍的优化更新①。在多数国家,法官的任命权一般集中在最上层,这有

---

① 参见肖扬主编:《当代司法体制》,中国政法大学出版社1998年版,第2—3页。

利于确立法官的地位和权威,从人事制度上防止地方势力对审判独立的干扰。

第三,在法官职业道德方面,各国都有基本的规定,强调社会道德和正义的准则。在美国,法官职业道德的要求包括三个部分:第一,规范作为法官的行为的规则。第二,规定何种情况下,法官应该拒绝审理案件的规则。第三,界定法官非司法活动的适当范围的规则。根据美国法官道德规章,法官在行使他(她)的司法权力时,应当勤勉、公平。法官与诉讼当事人、律师和证人以及其他法官打交道时,应当谦恭、得体。法官应尽量果断处理法庭事务,以使陪审员、律师和诉讼当事人不浪费时间,防止积压大量的未决案件。法官应注意双方的观点,并理智、正直地断案。美国法官道德规范的最后部分是规定法官在法庭以外的活动。法官应在其所有活动中,避免各种不正当的行为以及不正当的形式出现。不过法官的公正性受到怀疑,他就不能审理案件,这一点姑且不论,还应当认识到,法官无论何时,个人行为举止都应是值得公众信任,公平诚实,有助于司法界的团结。法官受到公众监督,并不得不承受比其他公民更为严格的约束。法官还不得允许任何人认为某个人或当事人对他具有特殊的影响力。法官的个人素质和品德,在西方人的经验中,被认识到是影响公正立场的重要因素,是考察法官公正性的重要条件。所以,西方人普遍信仰亚里士多德的名言"理想的法官是公正的化身",非常重视法官的素质保障,建立了严格的法官选拔和任免制度,以确保法官是在才智上超群、在品格上高尚的人。一个有污点的人没有资格担任法官,有了污点的人当然也要失去法官的资格。为了保证司法公正,这个形式上的要求还推及到法官以外的司法参与人。"法官在设定法律标准时受到道德标准的影响。"①这些都是执法中行使自由裁量权的道德准则。"运用司法裁量权解决的问题,不是需要证据确定的问题……而是运用道德判断来加以确定的问题。"②作为刑事证据制度的"自由心证"制度,就是依靠法官自己的"良心"和"内心确信"作出对证据的自主判断,这既依赖于法官的知识与经验,也依赖于法在人行使司法权事务的道德自律。至于英国的衡平法及其司法裁决,更主要是根据社会道德与正义准则行事③。

第四,从法官义务和权利上看,国际上也有不同的规定。在国际法学家协会的《司法独立最低标准》(1982 年)、第一次世界司法独立大会的《司法独立世界宣言》(1983 年)、联合国的《世界司法独立宣言(草案)》等国际文件中,都有关于法官的义务和权利的内容。上述文件认为:法官的义务应当包括以下几项:(1)公正地执行法律;(2)法官不得担任可能损及其司法独立性的非司法性质的职务;(3)法官不得审理有理由担心他持有偏见,或者可能引起不符合其职能之利害冲突的案件,对此应当回避;(4)法官有保密的义务。法官的权利应该包括以下几项:(1)独立权。法官在作出判决的过程中,应独立于其同事及监督者,任何司法体系或者任何不同等级的司法组织,均无权干涉法官自由地宣告其判决。(2)免责权。法官因执行职务的作为或者不作为,应享有不受诉讼或者骚扰、不出庭作证的免责权。(3)申诉权。针对法官的行

---

① [英]戴维·M. 沃克:《牛津法律大辞典》(中译本)中"法律与道德"条,法律出版社 2003 年版,第 658 页。

② 戴维·M. 沃克:《牛津法律大辞典》(中译本)中"自由裁量权"条,法律出版社 2003 年版,第 329 页。

③ 参见郭道晖:《道德的权力和以道德约束权力》,《中外法学》1997 年第 4 期。

为提出的指控,应按照适当的诉讼程序迅速而公正地审理,法官对处分决定有权申诉。(4)薪俸权。法官在任职期间应领取薪金,退休后领取退休金。(5)人身安全。国家行政当局应始终确保法官本人及其家属的人身安全。(6)参加培训权。国家应为法官提供继续受教育(即接受培训)的机会。

第五,在法官培训方面,世界各国大都十分重视,不仅要求担任法官职务的人员必须具有相应的法律专业学历,有些国家还明确规定,只有经过专门培训,才能担任法官职务和晋升高一级法官职务。在美国,法官培训机构较多,有联邦法院的,有州法院的;有全国性的机构,也有州的机构。美国设在威廉斯堡的全国州法院中心,设在华盛顿的全国联邦司法中心,设在纽约的司法行政学院,设在雷诺的全美法官学院,这些都是全国性法官培训的专门机构。美国法官培训的内容既广泛,又有重点,针对性、实践性、应用性很强。不同的培训对象,不同层次的训练班,均有不同的培训内容。至于培训的方式方法,有教师讲授,但不是主要的,主要的是法官自己讨论。雷诺的法官很注重这种教学方法。美国对法官的培训是舍得花钱的,它把这一点看作智力和人才的投资。培训经费的来源也是很广泛的,有联邦议会和政府的拨款,有州议会和州政府的拨款,还有私人企业、公司、基金会的捐款,另外,各法院和法官本人交的一部分钱也是培训经费的一个重要来源。在德国,司法职业培训已有150年的历史了,它成为法律专业大学毕业生开始司法职业生涯的第一步。没有经过职业培训或者职业培训后没有通过考试的将不能成为司法工作人员。由于《法官法》没有具体规定短期培训问题,所以在德国参加短期培训是法官自愿的。在法国,由于法官职业的重要地位,事关法官素质高低的法官教育培训工作受到格外的青睐。法官培训分为两种:一种是法官职业培训，由设在法国南部波尔多的国家法官学院承担，主要任务是培养新法官；另一种是在职培训，由设在巴黎的国家法官学院培训部承担，主要是负责在职法官的短期培训。法国法官教育培训工作的最大特点，是理论密切联系实际。教育培训工作的每一个环节都紧紧围绕司法实践这个中心。务实性、实用性、实践性是法国法官教育培训的出发点与归宿。法国法官教育师资队伍建设实行以兼职教师为主，专职教师为辅，法官教法官的基本策略。教育方案源于司法实践，教学内容阐释司法实践，教学方式配合司法实践，教学目的服务司法实践。

第六，从法官的纪律和惩戒上看，各国的较普遍的做法是，法官不得兼任行政职务，不得兼任议员，不得兼任其他营利性的职务。对于在职法官的免责原因、条件，绝大多数国家都有明确规定。法官除非因违法犯罪受弹劾或者自动辞职，其职务是终身的①。还有一些国家作了更严格的规定，如墨西哥规定，法官不得被随意免职，只有触犯法律被剥夺了自由，才被免职。英国规定，高等法院的法官，只有当其犯有严重罪行时，才可以被撤职。

第七，在法官任职保障制度上，西方国家为了实现法律的公平和正义，社会给予了法官们丰厚的资源。不论是英美法系还是大陆法系，法官历来有职业化和贵族化的传统。所谓职业化，是指对法官的选任有严格的素质要求，对法官的人数有严格的数量限制。职业化的传统是法官成为法律界最优秀的分子，能胜任各种错综复杂的案件的裁判工作。所谓贵族化，并非指法官们都拥有贵族血统，而是指他们在社会上拥有显赫而高贵的地位。国家以强有

---

① 参见［美］F.J.克莱因：《美国联邦与州法院制度手册》，法律出版社 1988年版，第 34 页。

力的权力和良好的物质待遇为他们解除了后顾之忧,以此作为这种地位的支撑。"如果司法过程不能以某种方式避开社会中行政机构和其他当权者的摆布,一切现在的法律制度都不能实现它的法定职能,也无法促成所期望的必要的安全与稳定。这种要求通常被概括为司法独立原则。"①《美国联邦宪法》规定:"最高法院与下级法院法官在忠于职守期间得终身任职,于规定期间享受报酬,其报酬于任职期间不得减少。"美国对联邦法官的职务保障主要有以下几个特点:第一,任职终身。所有美国联邦法院的法官一经任命,终身任职,直到年迈退休。第二,弹劾原因法定化。联邦法院的法官只有犯弹劾之罪②,方可免职。第三,弹劾程序法定化。联邦法院的法官只有根据弹劾程序,经参、众两院通过,才能撤销其法官职务。总之,美国司法制度的一个显著特点是司法独立。联邦法官做决定时是免受公众压力的,联邦法官由总统任命并被参议院多数成员确认。美国《宪法》规定,法官一旦被任命,就是终身制的,除非他们因严重失职而被国会免职,这些情况是极少的。另外,他们的薪金不能减少。德国《法官法》规定对法官在执法、职务、人身、工资等方面给予保障,以确保法官的独立性,保护法官依法行使职权。《法官法》规定法官是独立的,只服从法律。世界许多国家法官的物质待遇都比较丰厚。如美国联邦最高法院首席大法官的工资与副总统相等,联邦法院法官与国会议员、政府内阁官员工资大体相等。德国法官的物质保障包括在职待遇和退休后待遇两部分。法官物质待遇的一个主要特点,就是收入构成的单一性,薪金几乎是法官唯一的所得来源。德国法官物资保障的特

① [美]埃尔曼:《比较法律文化》,北京三联书店1990年版,第134页。
② 按美国《宪法》规定,可弹劾之罪包括叛国罪、贿赂罪和其他罪行。

点是:法官的待遇比照文官,为与文官相区别,并鼓励法官清正廉洁。德国采取司法补助费的方式使法官的薪金略高于相应级别的文官。大多数国家法官的物质待遇都较优厚。究其原因,有以下几个方面:其一,与法官职业阶层相适应。法官在各个社会中都处于较高的社会职业阶层之列。尤其是在英美法系国家。其二,作为一种复杂劳动的法官审判行为,应得到较高的物质补偿。其三,高薪制有助于养廉。

从法官的选任到其职业道德、权利义务、职业保障等诸多方面分析,国外的法官制度中的规定有许多可取之处。在借鉴这些"精华"之后,我们认为,构筑中国理想化的法官制度,应该从以下几个方面入手:

第一,在法官选任上应该公开从高等法律院校教师和高学历的律师中考聘、选拔法官。我们知道,我国审判员法律专业水平存在着整体偏低的现象,司法队伍入口有的把关不严,通过"关系"和"后门"挤进法官队伍的现象在基层人民法院很普遍。这就造成了什么人都可以成为法官,可以成为检察官。什么人都可以进入的行业如何能够引起社会大众的敬重呢?不仅仅外边的人不会敬重,职业内部的人自己也不会自重。值得注意的是,受过完整专业教育者与毫无专业教育背景者工作在一起,结果使得职业发生分裂,不同背景、不同出身的人们难以获得知识和语言的沟通,无从达成职业伦理准则上的共识,行业的凝聚力丧失了,同事之间必要的相互监督也无从谈起。更可怕的是,良莠杂处的行业中,人员的流向往往是劣胜优汰,借用经济学上的说法,叫做"劣币驱逐良币"①。

---

① 贺卫方:《司法公正需要合理的制度环境》,载《检察日报》1998年4月20日。

因此,由省一级法院组织统一把关,实行公开招聘和选拔,从高等法律院校教师和高学历的律师中录用法官,组建高水平的法官队伍是十分必要的。另外,在法官选拔时要进行全国统一的考试。法制统一是我国的宪法原则,同时也是市场经济所必需,因为市场经济的发展离不开通过法律所建立的统一的游戏规则。法制统一不仅要体现在《宪法》和法律要在全国范围内一体适用,更重要的是不同地方的法律职业者对法律条文的理解以及法律解释方法的把握应当是一致的。否则,即使法律条文是一样的,适用到具体案件的解决过程中却完全可能参差不齐①。正所谓,不进一个门,不是一家人。

第二,自由法学和法社会学的倡导者爱尔里希所言:"惟有法官的人格,才是法律正义的保障。"②我国最高人民法院院长肖扬指出:"法官的职业道德和一般人不一样,别人能做的事,法官不能做;别人能去的地方,法官不能去。现在有的基层法官判案连制服都不穿,不讲审判纪律,态度蛮横,松松垮垮、疲疲塌塌,人民群众怎么能满意呢?"③那么,如何使我们的法官队伍始终保持秉公执法的职业品质呢? 我们认为:首先,各级法院都始终要把法官队伍的思想道德教育摆到重要的工作日程之上,把它作为法官队伍建设的主要内容长期抓下去。法官的品质在很大程度上决定了裁判的品质,因而法官的伦理道德修养强烈地影响着司法的形象与法律的尊严。亚里士多德说得好,公众视法官为"活生生的正义",即人格化的法律程序。不管怎样,在我们的社会中,法官都肩负着

---

① 贺卫方:《运送正义的方式》,上海三联书店2002年版,第13页。
② 梁慧星:《司法官的人格塑造是关键》,《检察日报》2004年4月6日。
③ 魏东、任惠娟:《法官要严守职业道德》,载《南方都市报》2001年1月30日。

代表正义的职责。通过对法官进行系统深入的职业道德教育，强化法官的敬业精神，增强法官对国家、对人民的社会责任感。要注意把职业道德教育同职业能力训练结合起来，使法官素质全面提高。其次，重视建立健全提高法官素质的制度。邓小平指出："要大力加强政法、公安部门的建设和工作，提高这些部门人员的政治素质和业务素质。"①最后，确立一套良好的司法伦理准则和执行这套伦理准则的机制。司法伦理具有它自己的特点，司法伦理一定是建立在司法官的职业特色基础上的一套行为准则，比如说他跟当事人之间的关系应该怎样处理，他跟律师之间的关系应当怎样处理，他是不是应该远离商业、远离政治，还有他跟法学学术之间应该有什么关系，他应该怎样避免自己的偏见影响司法决策，如何解决司法拖延的问题，都是司法伦理所涉及的主要内容。我们现在一方面是一些违反职业伦理的行为得不到纠正；另一方面，法官又动辄得咎，经常受到不正当的威胁甚至惩罚。我们需要建立起一种机制，让涉嫌违反职业伦理的法官也能得到公平的对待。可以考虑在人民代表大会中设立一个机构，以公开的程序审理被追诉的法官，让他们也能够有一个公开申辩的机会。

第三，确立我国法官的权利义务制度，并把其落到实处。参照国际法学家协会的《司法独立最低标准》(1982 年)、第一次世界司法独立大会的《司法独立世界宣言》(1983 年)、联合国的《世界司法独立宣言（草案)》等国际文件，我国法官的义务应包括：严格遵守《宪法》和法律；审判案件必须以事实为根据，以法律为准绳，秉公办案，不得徇私枉法；依法保障诉讼参与人的诉讼权利；维护国家利益、公共利益，维护自然人、法人和其他组织的合法权益；清正

---

① 《邓小平文选》第二卷，人民出版社 1994 年版（下同)，第 371 页。

廉明,忠于职守,遵守纪律,恪守职业道德;保守国家秘密和审判工作秘密;接受法律监督和人民群众监督。我国法官主要应享有以下权利:履行法官职责应当具有的职权和工作条件;依法审判案件,不受行政机关、社会团体和个人的干涉;非因法定事由、非经法定程序,不被免职、降职、辞退或者处分;获得劳动报酬,享受保险、福利待遇;人身、财产和住所安全受法律保护;参加培训权;提出申诉或者控告;辞职。我国司法制度之所以存在许多不尽如人意之处,与法官的权利义务没有真正落到实处有着极其密切的关系。试想,如果法官切实履行其义务,还会存在司法腐败吗? 如果法官的独立权真正实现不受外界干预,还会存在"审而不判,判而不审"的现象吗? 法官的权利义务应该引起我们足够的重视。

第四,改革我国法官培训机制。改革开放以来,我国的经济建设和社会主义民主法制建设呈现了勃勃生机,市场经济体制和与之相适应的法律体系正逐步建立,法官的作用更加突出,任务更加繁重,责任更加重大。这就对法官的各项素质提出了更高的要求。因此,建立全国统一的法官培训制度,建立健全法官培训机制是十分必要的。首先,建立全国统一的法官培训制度,建立健全法官培训机构,充实工作人员。除已建立全国高级法官培训中心外,各省、自治区、直辖市也可考虑成立法官培训中心,分级培训法官,形成全国培训法官的网络。第二,选择高水平的培训师资。法官培训应由法官和大学教授、专家、学者结合起来教法官。其中作为培训法官的专职教员应该将一年的工作时间四分法利用:学习、办案、研究、教学。第三,改进法官培训的教学方法。建议提倡直观的、形象的、研讨式的教学方法。第四,应将法官培训经费按培训计划列入国家财政预算。第五,加强法官培训方面的对外交流,包括交换图书资料、讲学、派法官以访问学者身份到国外进修和实习,个别的也可以攻读学位等,吸收和借鉴外国更新法官知识更新的有益经验。目前我国法官队伍的总体水平还不适应党和国家提出的要求,法官培训工作任重而道远。

第五,在法官的惩戒和罢免方面,虽然我国已经立法规定了法官惩戒制度,但是具体程序缺乏明确规定,尚有待完善。我国还实行错案追究制,但该制度在实际运作中也暴露出明显的弊端,主要是对错案的界定不尽科学,惩戒措施不尽合理。下级法官往往为避免受到追究,遇到拿不准的案件就向上级法院请示,严重影响了法院审级独立。建议建立专门的法官惩戒委员会或类似的弹劾机构,依照严格的法律程序,公正地对贪赃枉法、徇私舞弊、失职、渎职法官进行审理和惩戒。

第六,我国法官的职业保障工作做得远远不够,需要改善之处甚多。本章开头引用了美国大法官杰伊(John Jay)的一段话,如果运送正义者都看不到正义,如何要求他们把正义运送到每个人的家门口?如果司法官员自身就对法律存在极大的不信任,如何要求他们在公众面前树立法律的权威性?建立法官职业保障制度应该是我国理想化法官体系确立的重心。如何完善我国法官任职保障制度?我们认为,应该研究并解决好以下几个问题:

1. 法官独立问题。当我们思考和设计我国法官制度时,法官独立是一个无法回避,也必须明确的问题。现代分权理论的创始人孟德斯鸠在其名著《论法的精神》一书中,明确区分了立法权、行政权和司法权,并提出如果司法权不与立法权和行政权分开,则不会有自由和法治的存在。因此,法治国家的一个重要标志就是有独立的司法权。司法制度的独立性原则包括法官个人独立和法院审判独立两方面。无论是从法官职业的本身特征或是从法院审判独立于法官个人独立的关系而言,法官个人独立的司法独立都是法治国家的题中之义:其一,法官个人独立是法官职业和审判活动的内在规律的要求。其二,法官的个人独立与法院独立审判是司法独立行使职责所不可分割的两个方面,没有法院审判独立,单个法官无法履行其职责;同样,法院的审判活动并不是抽象的,是由法官具体体现的,如果法官个人不独立,法院的独立、审判权的独立就毫无意义。如何真正地实现法官独立而不只是做表面文章,这又是一个值得我们深思的问题。由于法院的人权和财权掌握在行政机关手中,法院的审判活动在某种程度上不能不受到行政机关和行政长官的影响。因此,我们认为,要真正实现审判权不受任何外来干涉,则必须使法院摆脱行政机关在人权、财权上的控制,并彻底实现党政分开。首先,要给法院一定的用人权,或把用人权赋予上级法院和地方人民代表大会。法官的任命须有严格的规定,并且法官一经任命,除非渎职,即任职终身。罢免法官必须具备严格的条件,经过严格的程序。其次,法院的财政来源与国家、与地方财政相脱离。财政部门不得以任何理由扣留、挪用法院的财政拨款,保证法院财政来源稳定。最后,党政分开。党对法院的领导只是政策、方针、路线的领导,而不是对法院具体业务的领导。党对纠正错案、监督法官是否徇私枉法时,必须依照法定程序进行。

2. 高薪养廉问题。目前,我国法官薪俸菲薄,不足养廉。提倡廉洁奉公、无私奉献的精神对提高法官的职业道德素质无疑是有益的。但是,如果失去了必要的物质基础,则难免流于空泛。法官制度都应该建立在科学合理的基础上,而不是建立在对法官的期望值上。不切实际的、过高的期望值往往难以实现。其结果,不仅损害了法律的权威性,而且还破坏了人们对国家审判机关和法官的信任感。我国法学界的一致看法是,必须大幅度提高法官的待遇,使他们能过上有尊严的生活,这是法官队伍精英化的必然要求,也是法官独立审判必须配套的措施。但鉴于目前社会大众尚未改变法官是国家公务员的观念,并且此项改革关涉国家财政改革,因此我们建议在《法官法》里规定:法官的工资福利待遇标准由国家法律另行规定。

3. 建立合理的法官特权规则问题。要使法官在审判时免受外界的干涉,在审判活动中保持独立与公正,就必须赋予法官特殊的权力与地位。"司法豁免"特权规则旨在保障法官完全自主独立地执行其审判职能,并且能在一种合理限度内拥有某种外在及内在的自由。当然,法官的司法豁免权是相对的,它应保持一种合理的限度。不过,法官在审判过程中有行为不检或其他触犯法律的行为,他们仍应承受相应的行政、民事和刑事责任。此外,鉴于当前一些新闻媒体对法官正在审理的案件妄加评论,使用一些带有诱导和倾向性的话语,如将犯罪嫌疑人称为"罪犯",给法官造成了不得不"听命"于传媒的舆论环境,法官在审理案件时承受着巨大的压力,有时不由自主地"听命"于传媒,影响了案件的公正审理。设立"禁止对法官正在审理的案件进行评论"的规则,正是为了防止传媒舆论对法官独立审判的不利影响。

4. 对法官的监督和制约问题。人类历史发展的经验表明:权力的天然属性便是腐败,而防止权力腐败的最好方法就是以权力制约权力。保障法官独立与对法官的监督和制约具有内在的对立统一关系,二者都是防止司法腐败,维护司法公正所必需的。因为每一项制度,只有处于其中的人是好的时候,它才可能是好的①。我们所有的改革措施与制度的实现,也必须要求有一支高素质的

---

① 参见宋冰编:《程序、正义与现代化》,中国政法大学出版社1998年版,第23页。

法官队伍作为基础与前提条件,否则,再好的措施与制度也无济于事。当前,无论是理论界还是实践部门对法官素质的低下、司法腐败、法官失去社会信任的现象都有普遍的关注与深刻的认识,提高法官的素质与修养,并对法官进行有效的制约与监督,已是全社会共同的呼声。我们建议:首先,在实行法官任职保障制度的同时,还必须建立相应的法官弹劾制度,明确规定弹劾的具体条件和程序。其次,制定法官守则与法官评鉴机制。最后,充分发挥其他监督机制的积极作用。

二、我国检察官的理想化构建

"徒善不足以为政,徒法不足以自行。故有其人,然后有法;有其法,尤贵有人。"①对于我们寄予了太多期望的检察改革亦是如此,好的制度与体制的完善能够基于学界与实务部门的充分调研、分析、论证并提出,而要保证这些目标取向正确的制度创新与体制改革能在实践中被执行者严格地执行且不致走样,好的检察官就尤其显得重要。

对于检察官的选任、职业道德、培训以及职业保障等诸方面的内容,与法官制度存在很多相似之处,本书的叙述中,相似之处就不再重复,只是对检察官应该注意的方面加以分析。

第一,在检察官的培训方面,应建立与法官培训一体化的司法官员机制。一体化司法官培训是指国家对通过法律职业准入考试而取得预备司法官资格者,按照国家制定的系统培训方案和程序进行的司法官执业前统一培训。我们认为,我国一体化司法官培训机制的建立,首先应当解决的问题是体制框架的确定。为此,建

---

① 《郑观应集》上册,上海人民出版社 1980 年版,第 499 页。

议我国应尽快成立国家司法改革委员会,全面负责我国的司法改革工作。该委员会下设司法考试委员会、司法官培训与资格认定委员会和其他必要的委员会,对相关的具体司法改革事务各负其责。其中司法官培训与资格认定委员会负责国家司法官培训与资格认定法的制定,司法官培训的战略部署和对受训后的见习司法官考核的组织和任职资格认定。

司法官培训与资格认定委员会(以下简称司委会)下设司法官培训工作指导小组(以下简称"指导小组")、司法官资格认定工作领导小组(以下简称"领导小组")和国家司法官培训学院(以下简称"培训学院"),分别负责司法官培训工作部署的实施指导与监督,见习司法官的考核与任职资格认定工作的组织、领导和预备司法官、在职司法官的统一培训。其中培训学院由现存的国家法官学院、国家检察官学院和律师培训中心(拟建中的律师学院)合并而成,具体负责对预备司法官、在职司法官培训计划的组织实施以及对见习司法官的具体考核和培训成效的自我评价。

第二,在检察官的自由裁量权方面。通过制度构建以追求平衡。检察官的自由裁量权,是指检察官在审查起诉时,赋予检察官有作出起诉、不起诉、酌情起诉以及撤诉的权力。不管是纠问式诉讼模式还是抗辩式诉讼模式,其刑事司法体系都具有两项功能:一方面是犯罪控制;另一方面是正当程序。为了犯罪控制,该体系就必须赋予司法机关以各种权力,如逮捕权、起诉权和审判权等。这些权力是调查、起诉和惩治违反实体法的行为所必需的,也是充分保证民主社会所需要的法制和秩序所必不可少的。而正当程序则是法治原则的具体化,它要求对法律和秩序的维护不仅是有力和高效的,而且还应该是公正和合法的。因此,在控制犯罪与正当程序之间就存在着一种微妙的平衡关系。一个公正而合理的刑事司法体系就应是不仅能设法实现这种平衡,而且还能保持这种平衡。因此,在有效地惩治犯罪以维护社会秩序的同时,为实现个案正义的需要,目前世界各国都赋予检察官以起诉、不起诉和撤诉的自由裁量权。

总之,赋予检察官以自由裁量权是现代各国普遍的做法,是实现司法个案正义的重要手段之一,也是人们对刑罚目的认识的提高而导致由起诉法定主义原则向起诉便宜主义原则转变的必然结果。历史上,是否在起诉问题上赋予检察官以自由裁量权,是起诉法定主义和起诉便宜主义的本质区别。由于起诉便宜主义在强调效率的同时兼顾了实体的正义,与起诉法定主义仅仅以实现实体正义为目标相比,自然有其优势之处。因此,当代世界各主要国家都兼采起诉法定主义和起诉便宜主义,都在一定程度上赋予检察官以起诉裁量权,以便更加有利于实现个案正义。

第三,在检察官的考评方面。德、能、勤、绩、廉是现行检察官考评制度的五项指标。考评结论直接体现考评的价值目标的定位。由现行的检察官考评方法得出的考评结论分为三种:优秀、称职、不称职。对考评结论作如此简单笼统的划分以及考评结论本身意义的不确定性,导致了人们对考评结论难以理解和认同,从而损害了考评结论的权威,降低了考评的作用和效果,根本的原因就在于现行检察官考评的方法中没有较好地解决考评的价值目标定位问题。正如患者到医院看病,他首先关心的是医生的医术是否高明,其次才是这个医生的职业道德是否良好。至于该医生是否是"优秀工作者"或"先进工作者",患者并不太关心。因此,如果通过考评选出"医术高明大夫"、"职业道德良好的大夫"对于大夫和患者都具有积极而现实的意义。对于医生的考评,其价值目标的定位应当首先有利于促进职业能力的提升和符合患者的正当合理需求。对于检察官的考评,其价值目标的定位亦应符合检察官职业和法律监督工作的本质要求,应当符合人民群众对检察工作持有的合理期待。考评价值目标的定位可以根据检察工作的本质要求和当前社会政治经济生活情况而决定,不必像现行的考评方法那样几十年一成不变。

综上所述,现行检察官考评的思想和方法体现在价值取向上功利性过强,考评的结果对于被考评的检察官是一种可能转化成物质的或政治的利益。因此,不能排除这样的情况,即个别人为了通过考评得到某种利益,而极尽办法"作秀"、"造势"以博取此项"功名",考评就这样被异化成追逐世俗功利的手段。改造现行检察官考评制度,应对考评指标的价值取向有正确的定位,并处理好考评结果与激励措施之间的关系,促使检察官在考评过程中重视追求个人的荣誉和塑造良好的个人道德人格。从长远看,在考评过程中应强调非功利性作用的一面,这样可以间接起到有效促使检察官"护法"精神的形成,从而更有效和更持续地推动检察事业的可持续发展①。

第四,在检察官的地位方面。我们建议在庭审对抗时,应该树立控辩双方的平等对抗的诉讼结构,但同时也不能忽视检察官的客观公正性。1996年我国对《刑事诉讼法》进行了重大修改,这次修改以加强人权保障为指导思想,对我国原来的强职权主义诉讼模式进行了根本改造,其基本思路是通过在庭审阶段引入对抗制因素来增强庭审的对抗性,着力塑造一个控辩双方平等对抗的新型诉讼结构。要真正实现控辩双方之间的平等对抗,就要求作为

① 王琳:《检察改革:是要我改,还是我要改?——检察官考评制度反思》,《中国律师》,2004年第6期。

控诉方的国家检察机关一改往日高高在上、居高临下的姿态,而"屈身"为与辩护方地位平等、权利对等的诉讼主体。据此,有学者提出了检察官当事人化的主张,倡导检察官在新型诉讼模式下,应当居于原告当事人的地位,它与民事诉讼中的原告并无二致。对于此种观点,我们不敢苟同。基于现代刑事诉讼控辩平等对抗的结构要求,检察官应当还原为诉讼的一方当事人,只有将检察官在诉讼中的角色定位为一方当事人,才存在控辩平等的真正基础;然而,控辩双方的平等对抗应当是有底限的,检察官角色在当事人化的同时不能违背其客观公正的诉讼义务。将检察官在刑事诉讼中的地位等同于民事诉讼中的原告,是对检察官角色的一种误读,它将误导我国刑事司法改革尤其是检察体制改革的走向。当前,基于我国刑事诉讼结构控辩失衡的现状,学者们提出了检察官当事人化的主张,这种观点有其积极意义,应当予以支持。但同时也应当注意不能矫枉过正,不能因为主张检察官当事人化,就完全否定检察官的客观公正义务,将其完全等同于民事诉讼中的原告。其实,检察官的当事人地位与其客观公正义务并不矛盾,从检察官在刑事诉讼中承担控诉职能,负责提起公诉,并通过提出证据、陈述意见等活动推动诉讼发展的角度说,检察官发挥着控诉原告的作用,居于当事人地位;但这并不妨碍检察官基于国家司法官之立场公正地进行诉讼。因此,我们应当在确立检察官当事人地位的同时,将客观公正义务作为检察官当事人化的底限。

第五,主诉检察官的权限问题。由于检察工作改革中的主诉制改革的实质是在检察机关内部重新配置检察权,适当界定主诉检察官权力的性质和范围必然是这项改革的一个基本点。高检有关文件对此作了一个界定,然而,这种基本的划分不可能全部解决检察机关内部日常的权力互涉和互动问题。为了操作适当,对规范性文件所确定的职权范围也应当理解其划分根据,下面我们就对确定主诉官职权范围的一般原则作一探讨。

我们认为,可以将确定主诉检察官职权范围的主要依据概括为两项原则。第一项是"法定原则"。所谓"法定原则",是指主诉检察官行使权力,应当有法律的依据,不能违反法律越权办案。如法律规定应由检察长或检察院决定的事项不能仅由主诉检察官决定。第二项原则,即"相当原则"。所谓"相当原则",是指主诉检察官作出决定的权力应与该决定的性质和重要程度相适应。即使不违法,但对影响重大的业务事项,也不宜由主诉检察官单独决定。这一方面是因为目前仍然实行检察长负责制以及由检察院而非检察官依法独立行使职权的制度;另一方面也是为了保证重大事项的处理质量,通过监督制约以防止出现差误。同时也是考虑到我国刑事司法受多种因素影响,对某些问题的处理不能不考虑方方面面因素,需要一种从社会政治角度分析问题的更为宏观的视野。因此有的问题由检察长和检察委员会来考虑和决定更为适当。

在主诉制中,主诉检察官相对独立,同时也受到制约。"独立"与"受制"这对矛盾,主要涉及两重关系,一重是主诉检察官与检察长和检察委员会的关系,另一重是主诉检察官与部门领导即科(处)长的关系。应当说,前一重关系在法律上、法理上比较清晰,因为检察长领导检察院工作,在现行制度中,主诉检察官必须服从检察长的指令。但就第二重关系,即主诉检察官与部门领导的关系,目前应当说尚未厘清,存在一些模糊理解,需要在法理上作进一步的解析。

检察官处理的事务可分为检察事务和检察行政事务。检察事务,属于检察权行使范围内的检察业务事项,主要是案件办理过程中的程序和实体问题。检察行政事务,是关于案件处理以外的检察工作相关事务,如考勤、纪律、学习培训、工作条件设置、检察官职级待遇和福利、国家政治方针和政策的学习贯彻等。在检察行政事务中,还包括一种涉及业务的检察行政事务,如案件分配。案件分配本身并不涉及案件如何处理,但在实践中,司法分案权可能对案件处理的方式和结果产生较大影响,因为不同的法官或检察官对同一案件可能持不同看法并采用不同处置方式,而且不同的法官、检察官可能受其行政上的负责人影响的程度也不相同。

就检察事务的处理而言,检察长和检察官均为权力行使主体,这一点各国相同。值得探讨的是部门负责人的地位和权力。人数较多的检察机关、检察院内设一些职能部门即"功能单位",为什么内部要设立这些被称为"部、厅、处、科"的功能单位呢？日本检察总长伊藤荣树称,检察厅设部制的目的有两个:"一是大体确定检察官相互之间的事务分工,根据业务分工以谋求提高工作效益,同时明确责任所在;二是对拥有多数检察官的检察厅,可以大体上把分担事务性质相同的检察官集中在一起,便于上级进行适当的指挥监督。"伊藤荣树的解释是适当的。

部门的领导对检察行政事务承担领导责任,这一点不会发生异议。但其对案件的处理即检察事务是否具有领导权限,则涉及部门领导职务性质的界定问题。也就是说,科(处)长是单纯的行政协调人,还是可以作为检察长的业务代表,代表检察长或受检察长的委托分管某一方面的检察事务。

从法律上看,我国的《检察官法》和《检察院组织法》对这一问题的规定是不明确的。根据这两项法律,检察员、检察长、检委会委员是法律所确认的检察官职务,即法律职务,而科(处)长不是法律职务。关于领导关系,《检察院组织法》第3条规定:"各级人民检察院设检察长 1 人,副检察长和检察员若干人。检察长统一领导检察院的工作。"可见检察长的领导权限十分明确。而该法第20 条规定:"最高人民检察院根据需要,设立若干检察厅和其他业务机构,地方各级人民检察院可以分别设立相应的检察处、科和其他业务机构。"但对这些内设机构的领导职务及其权限并未作出规定。因此,从法律上讲,可以由检察机关自行确定内设机构及其领导的工作范围及管理权限。

从法理上分析,科(处)长与作为行政协调人的法院业务庭的庭长是有区别的,因为庭长不能决定其他法官审理的案件,不能以任何方式损害法官的独立性。但检察机关行政性(突出表现于"检察一体制")的存在,使科(处)长既可以作为行政协调人,又可以作为分管某一部分业务的检察长的业务代表。在后一种意义上,科(处)长实际上是检察长的业务助理。据我们所了解的有限情况,其他一些国家检察院的部门领导确实可能代表检察长作为部门业务的管理者,而不是单纯的行政协调人。有的国家,检察院只设一名检察长作为官署首长,再设几名检察长助理分管不同业务,有的兼任业务部门领导。这里以设计比较精密的日本的检察制度为例作一分析。

根据日本法务省发布的《检察厅事务章程》及其附表,日本最高检察厅、高等检察厅、地方检察厅分别内设 4 至 7 个部门。其中东京高等检察厅为设部最多的检察机关,内设一局六部,即事务局、交通部、总务部、刑事部、公安部、特别侦查部和公诉部。

检察机关下设各部部长的选任及职权,是由《检察厅事务章程》第 6 条规定的:

1. 检察厅的部(除前条第 3 款规定的临时部外)设置部长,由法务大臣从该厅的检察官中任命。2. 最高检察厅的部长,奉检察总长的命令,总管部所管的事务,并指挥监督所属检察事务官、检察技术官和其他职员。3. 高等检察厅和地方检察厅的部长,奉该厅首长的命令,总管部所管的事务,并指挥监督其职员。

根据有关解释,"总管"与"掌管"是有区别的。"总管",是对事务进行"综合性的统率和管理",部首长对本部事务进行"总管",包括检察事务与检察行政事务。但在管理时,必须考虑每一检察官都是"独立官厅",而检察事务本来就属于每个检察官应有的权限这一特点。

除了"总管"的权力外,部长还享有对部内职员的指挥监督权。但其范围因机关不同而有所区别。对高等检察厅和地方检察厅来说,检察长指挥监督的对象是隶属该部的检察官、检察事务官、检察技术官等全体职员。与此相对,对最高检察厅来说,则仅指这些人中除检察官以外的人。因为最高检察厅的检察官,每个人以直接辅助检察总长为原则,至于属于哪个部,只不过是大体确定分担的事务,而部长不过是以该部检察官中的首席者的地位,总管该部所管的事务。

以上规定说明两点:其一,总地看,日本检察机关的部门领导,在尊重检察官独立权限的同时,对检察业务也具有一定的管理权限,不是单纯的行政协调人;其二,在最高检察厅,部门领导对检察官所处理的检察事务,除"总括性管理"外,不具有直接的指挥监督权力;但在高等和地方检察厅,部门领导则具有这种权力。

长期以来,我国检察机关各部门负责人既为行政领导,又为业务领导,这使检察官的独立性和检察官应有的权限得不到保证。强化检察官的权力和责任,对部门领导的权力乃至检察长的权力进行限制,应是今后我国检察制度改革的一项重要内容。主诉制改革已先走一步,目前的实施方案是起诉部门领导对主诉检察官处理的案件事务,只具有建议权和提交检察长决定权,不具有改变主诉检察官决定的权力。也就是说,部门领导对主诉检察官办理的案件只有监督权而无指令权。在这种情况下,起诉部门领导的身份应是部门的行政领导人、检察业务的一般管理者以及检察官的监督者,不再是具有指令权的检察业务领导。从制度规范上看,检察一体制在起诉业务方面,大致表现为检察长与主诉检察官之间通过指令关系直接衔接,部门领导不再成为这一行政链的中间环节。

这种做法是否具有长久的合理性,我们认为还值得研究。因为部门领导代表检察长在一定程度上管理某方面的检察业务在法理上是能够成立的,尤其对于案件、事务繁多的大检察院,客观上可能需要部门领导代表或协助检察长处理业务事项,检察长在对检察业务的统一管理权限中,也应当包括授权或委托他人管理有关业务的权力。目前实行这种取消中层指令权,即所谓"压缩指令权"的做法,我们也是赞成的。在"统得过死、管得过多"的传统体制下,如果不这样做,难以使公诉机制发生实质性的变化,主诉检察官仍然像被婆婆管得太严的"小媳妇",改革就难以有突破。从实际情况看,即使高检作出了这种限权规定,部门领导在本部门的作用和影响仍不可小视。因为他可以利用纪律督察、人事管理、办案条件的提供等行政性权力影响案件的处理。如果仍实行部门领导分案,分案本身就是一种"涉业务"的管理权。因此,一旦部门领导对主诉检察官提出某种建议,主诉检察官一般是重视的。所以,"压缩指令权"后,应当说仍不用担心部门领导权力旁落,主诉检察官自行其是。由于主诉制改革具有一定的过渡性质,可以待检察机制根本改善,各方面条件具备后,再来确定比较成熟和稳定的内部职能关系。

三、我国警官的理想化构建

经历了河北聂树斌案、湖北佘祥林案和河南胥敬祥案掀起的舆论谴责浪潮后,警察声誉一再受损。中国警官的未来究竟应该如何? 这里,我们针对几个方面提出一些看法。

第一,限制警官权限,强化社会管理制度建设,以改革警察风纪。近年来轰动全国的典型案件——广东孙志刚被殴打致死、广西谢洪武被莫须有地关押 28 年、四川小女孩李思怡被活活饿死、陕西一对夫妻在家看黄碟被治安拘留、湖南嘉禾动用大批警察对付不服被违法强制拆迁的老百姓,促使人们思考警察权力的边界问题。首先,警察风纪要改变,就必须科学强化监督。一方面,公安管理尤其是需要审批、可能强制的管理要相对缩减,继续由公安机关"一竿子插到底",短时期、小范围内可能效率高些,但权力过于集中,公众就会请客送礼,警察就可能索贿受贿。另一方面,社会要协调对警察的监督,要把警务督察、行政监察、纪律检查和行政复议、行政诉讼等有机结合起来,形成网络;把依法"监督"与非法"干预"相区别,指出错误并分析原因、提出建议,但不直接要求甚至指派,以免使执法者手足无措。尤其需要解决的,是一些监督程序明显不科学的问题。例如,对无关痛痒的小额罚款用"本人无异议"等要件严密监督,而对"留置"、"拘留"甚至更严厉行为的监督,却明显零星、凌乱、软弱无力。从整体来看,目前的警察改革的核心问题是社会管理制度的相互契合不到位的问题,而不仅仅是个人的事。邓小平同志讲,还是制度最可靠,一个好的制度能让坏人也干不了坏事,一个不好的制度,即使是好人也可能办坏事,我们要依法治国,就必须要懂这个道理。

要真正解决警官权限的问题,就必须研究社会管理力量的科学分工问题。作为强力机关,警察的限制甚至打击功能已经很强,再把其他的限制、打击任务交过来,就会使公众把与各方面、各部门的矛盾一股脑儿地集中到警察身上,警察机关和警察个人就更难做事。公安机关不同于一般公务机关,与公众的安全、尊严、权益等很多东西严重相关,公众不会不重视,而且,一出动警察,就可能有拘捕,还可能关系人命,人们反应当然激烈,正因为如此,就应当尽量少动用警察。乱用、滥用警力,反映了中国社会对警察角色的问题认识模糊,甚至有些迷信警察管理。例如,中国有一句名言,叫"稳定压倒一切",这话本来是在特殊时期讲的,后来却成了一些人的上方宝剑,他们遇到一点风浪就强调"稳定压倒一切",就把警察拉上去,造成警察与公众的对立,从而损害警察形象,往往是更大范围、更深程度地影响到稳定。

关于警察,警察学老鼻祖、英国的罗伯特·比尔先生在170年前就提出了警察强力管理的"最后且最低"原则:只有到了其他部门、人员都不足以恢复秩序时,才能使用警察;只有在说服、建议和警告等各种非强力措施都不足以实现治安目标时,才能使用暴力。但中国目前的现实往往相反,其他部门一遇上难办的事就让警察去管,在这种"啥事不好办,警察往前站"的社会管理格局中,警察确实"管得太宽"。1980年邓小平同志在《党和国家领导制度的改革》中有段话,对今天的中国警察同样适用:我们这种体制的最大弊病,就是"管了很多不该管、管不好也管不了的事"①。

第二,公安管理体制亟待改革。首先是警察收费"自办警务"甚至为政府敛财的问题。不客气地讲,不少地方的警察其实是自己养活自己,怎么养?税、费、罚款、摊派合起来养。有调查表明,

---

① 《邓小平文选》第二卷,第328页。

这种情况有一定普遍性,有的地区问题还相当严重。警察自己收钱养活自己,自然很难做到"严格执法,热情服务"。个别地方,警察甚至是收钱来贴地方财政。例如,以前的"暂住费"就是很多大城市财政收入的重要部分,在个别城市甚至超过地方政府投资给警察的钱。因此,中国警官改革亟须解决的问题,目前是财政的切实保障问题,根本谈不上"从优待警"甚至"高薪养廉"。其次是领导体制问题,再也不能把警察当一般公务员看待。警察在国际上被称为强力部队,中国警察是国家行政和司法力量,其强制权甚至可能达到剥夺人生命的程度,这是其他任何机关所不具备的。正因为如此,对警察日常生活的管理可能与对其他公务员的管理似乎没有什么区别,但对警察执法的管理绝对不同于对其他公务活动的管理。目前亟须解决的一个问题是,警察执法过程必须相对独立,上级领导不得非法干预,而现实中这种干预比比皆是。我们的警察体制是条块结合,上级公安业务指导,人财物管理由地方负责,因此让毫无公安经验的人当公安局长、一年换几任局长等怪事,就时有发生,把警察当棍子,直接挥舞,直接干预其执法的现象,就比较普遍。应当立法明确规定,领导直接干预警察执法行为也是非法的、必须受法律制裁的,只有这样,一线警察才敢于执法:我不能干的,你逼我干也不行,逼急了我就告你违法,你就吃不了兜着走。这并不是不要党和政府的领导,也不是要搞"垂直领导",而是要切实保障警察执法行为的独立性。

第三,推行社区警务战略,改革警民关系模式。所谓社区警务,就是社区居民在警察的带领、指导、支持下,运用各种社区资源和合法手段,通过改造社区自然、人文环境等多种方式,全面、系统、长效地维护社区公共安全。"社区警务"不只是一种警务工作模式与方法,更是一种警务哲学,一种全新的社会公共安全思想体系。它贯彻"预防为主"、"警民合作"两大原则,实行"以社区为导向"、"以服务为导向"、"以治本为导向",具备"警察形象柔性化,警民关系伙伴化,警务对策前置化,警务活动社会化"四大特征,摆脱了单纯依靠警察、单方面、采取单一的限制甚至打击方式管理社会、保障安全的旧思路,一方面能有效地维护社会稳定,另一方面也符合警察新形象的广泛要求,符合社会主义政治文明、全面建设小康社会的需要。

自 1829 年英伦建警以来,世界范围的警务革命已然有势。警察职业化之后,次第展开的是警务的专业化和现代化。近年来,"社区警务活动"则渐成潮流。这是因为,职业化、专业化和现代化在给警务带来了更多方便和效率的同时,公民与警察越来越多地坐在了办公室里、电脑桌前,而不是随时准备出现在任何一个需要提供安全服务的公民身边,警察赖以存在的本源被人为地忽略了。

约翰逊·安德逊曾把警察比作一棵大树。这位"社区警务之父"解释说,近代以来的三次警务革命,都只是想让这棵树长高,却忽略了树离养育它的土壤也越来越疏远。警务这棵树要想长好,必然要求它的根扎得更深。而警务的根,就在社区,就在普通的百姓中间。①

推行社区警务,中国有独特的社会基础,很可能比其他国家更有条件。当然,问题也还不少。例如,社区警务的首要目标是保护公众安全和权益,也就是以服务为主,但目前我国公安派出所是"打击、管理、防范、服务"综合性多功能警务实体,有警察就说,我

---

① 王琳:《"防控"替代"严打"正当时 "警务革命"需持久努力》,引自《南方周末》第 1115 期,第 1 版。

们前五分钟铁面无私,后五分钟又必须和颜悦色,有时连表情都没法马上变过来。推行社区警务,关键是抓住基本特性、针对自身特点科学创新,尤其要抓住社会性、民主性两大特点:抓住"社会性"特点,站在全面建设政治文明、建设小康社会的高度,而不是自顾自地关门搞"警务改革";抓住"民主性"特点,真正摆正警民关系,不搞"警力不够,民力来凑",不能把公众当跟班而自己当"包工头",而是要让公众在社区公共安全事务中具有决策、实施、测评、奖惩等广泛的权力,通过警务民主来调动民力。总之一句话,推行社区警务战略,必须民情为先、民心为上、民力为主、民安为本。

第四,让警官走向街头,改革警察机构的建设。市场经济要求公安机关以新的方式取代过去被动接受报案的公安运作体制。中国人民公安大学教授汪勇说:中国公安机关经过很长时间的摸索发现,像世界上其他国家那样,将警力放置在街面上是减少犯罪发生的最好方式。"中国警察资源的确存在地区之间不平衡的现象,但公安机关存在警察资源的浪费也是不争的事实。"①随着经济社会发展的日益复杂,传统的侦查部门细化为刑侦、经侦、禁毒、网监等若干个部门和警种,传统的国保部门则分为政保、610、维稳等部门,传统的治安部门也分成了治安警、防暴警、巡逻警等警种。"请神容易送神难!"一方面警方提倡"一警多能",而另一方面,警务分工却在不断地细化。结果是,机关工作人员越来越多。"大家都喊警力不足,我不但不主张招兵买马,反要提倡精兵简政,对现有警力实行优化组合。"②美国华盛顿警察局华裔警官、《我在美国当

---

① 王大伟:《改革公安局》,《瞭望东方周刊》2005 年第 12 期。
② 同上。

警察》一书作者石子坚说,中国警察目前面临的最重要的是体制问题。"中国应该建立一支与国际接轨的'一警多能'的巡警队伍,并撤销不必要的行政建制。"①

① 王大伟:《改革公安局》,《瞭望东方周刊》2005年第12期。

第四章 司法道德

司法道德作为一种特殊职业道德,是社会道德在司法工作中的具体体现,它是适应司法实践的需要而产生形成的国家司法官员特有的社会意识形态。

在我国,司法道德具有与政治道德、国家法律、党纪政纪合一的特征,以坚定的法律信仰、缜密的法律思维著称。

司法道德的内容包括法律信仰、社会责任、司法职责、职业形象和特殊的个人生活形象。

司法道德建设的主要途径有:忠于国家、忠于法律、严肃纪律、加强教育、制度建设和以社会主义精神文明为指导。

第一节 司法道德的概念与特征

一、司法道德的概念

道德是调整人们相互关系的行为准则,是一定的历史阶段的产物,是一定经济关系、政治关系和社会发展状况决定的。道德是依靠社会舆论、伦理习俗和人们的内心信念维持的行为规范的总和。道德与思想一样也是人们行为的支配力量,正如毛泽东同志所说:"思想主人之心,道德范人之行"①。

---

① 《毛泽东早期文稿》,湖南出版社 1990 年版,第 85 页。

司法道德作为一种特殊职业道德,是社会道德在司法工作中的具体体现,它是适应司法实践的需要而产生和形成的国家司法官员特有的社会意识形态。

一般而言,司法道德也是由社会经济基础所决定的,是社会经济关系在司法职业中的反映。同时它又同社会其他方面以及社会上层建筑中的诸多因素发生关系,彼此之间相互影响,相互制约。在我国,人类社会发展的共同文化遗产、中华民族优秀文化传统和当前的社会主义精神文明建设,都对司法道德的内容和发展有重要意义。司法道德一经形成,就具有其相对独立性,就会对社会的经济、政治特别是司法实践产生巨大的影响作用。

二、司法道德的特征

1. 司法道德与政治道德合一

司法官员是国家法律的实施者,是国家意志与国家权力的主要践行者,其职业行为与职业活动关系到国家法律制度的实施与保障,关系到公民、法人的权利与义务,关系到国家政治生活、经济生活、文化生活以及其他社会生活的基本秩序。司法职业是执法的职业,它关系到国家的威望、法律的尊严和人民的利益,因而它不同于社会的一般职业。当前,司法官员是国家公务员,司法道德与政治道德合一,是司法道德不同于其他行业职业道德的首要特征。

从政治学的意义上讲,依法治国和以德治国相结合,是我国的基本治国方略。司法官员正是实现法治与促进德治的主力军。司法官员不仅要在其执业活动中,更好地遵守法律职业道德规范,成为各行各业的道德表率,而且还应面向全社会,树立其尽可能完美的道德形象,成为全社会的道德楷模。因此,法律职业道德不同于其他职业道德,有着更为丰富的内涵和更高、更严格的评价标准。

强调司法道德的国家性,强调司法官员的司法行为体现的是国家的意志,强调司法道德比其他职业道德更具有强烈的政治性和阶级性,便要求我们对司法道德培养也相应地具有严肃性,切实制定科学的、系统的培养计划,教育每一个司法官员严格执法,准确执法,公正执法。真正做到法律面前人人平等,切实贯彻法不徇私、法不阿贵,从而维护宪法和法律的尊严,保护国家和人民的利益。

从法理学的意义上说,司法正义是社会正义的最后一道防线,司法公正也是全体公民安全感的最终来源之一,意义重大。弗兰西斯·培根说过:"一次不公正的司法判决,比多次不公正的其他举动为祸尤烈,因为这些不正当的举动不过弄脏了水流,而不正当的司法判决则把水源破坏了。"①也正是因为司法活动在依法治国和以德治国中居于一个重要的位置,所以对司法人员的道德也就提出了更高的要求。

2. 司法道德和国家法律、党纪政纪合一

在司法职业活动中,道德规范、行政规范和法律规范三者在一定范围内有交叉重叠的现象。司法干部违背职业道德有时会导致当事人财产、人身自由甚至生命受到损害,违反司法道德原则和规范,往往同时违反工作纪律和触犯法律,将会同时受到党纪政纪处分和法律制裁。

在现代社会市场经济条件下,各行各业制定并促使其从业人员遵循相应的职业道德规范,是为了确保其产品为社会、市场所接受,因而总是将职业道德规范与相应的技术规则、产品质量管理及

---

① ［英］弗兰西斯·培根:《培根论说文集》,商务印书馆1995年版,第196页。

绩效管理规则相结合,使之具有可操作性和准强制性。法律职业则可行使国家法律制度所赋予的特殊权力,将其"产品"强加给特定对象,因而不存在市场意义上的风险。但法律职业的特殊性决定了法律职业行为、职业活动的后果,可能使国家面临社会风险甚至政治风险。因此,国家对法律职业道德规范,部分以立法形式加以确认,并由有关机关、团体进一步制定了相应的职业纪律,以确保司法公正并维护法律与法律职业的尊严与公信力,如《法官法》、《检察官法》和《警察法》中的有关规定,还有最高人民法院发布的《人民法院审判纪律处分办法(试行)》、最高人民检察院发布的《检察官纪律处分暂行规定》等。

3. 司法道德以坚定的法律信仰和缜密的法律思维著称

法律职业行为与职业活动的核心是法律思维活动。从可操作的层面上看,职业道德规范上升为法律规范与纪律规范,只能对法律人的职业行为产生某种强制性的规范作用,对法律人的法律思维活动,则很难直接产生强制性的规范作用。这种被赋予强制力且易于操作的职业道德规范,可称之为外在的职业道德规范,通常只宜解决肤浅层次的职业道德问题,其效力可能仅及于司法工作者的外在职业行为。但对司法工作者来说,更需要解决的是影响其法律思维活动的深层次的职业道德问题。职业道德规范上升为法律规范或纪律规范,提高了司法工作者的道德底线。但在这种"法定"的道德规范之上,仍然存在着一种可以更为内在地诉诸司法工作者的思想情感,通过内省自律方式以使司法工作者实现自我约束,进而积极影响其职业行为与职业活动的道德规范。我们将其称之为内在的职业道德规范。正是这种内在的职业道德规范,同上升为法律规范与纪律规范的外在的职业道德规范,共同构成了法律职业道德的完整体系。

第二节　司法道德的内容

一、法律信仰

法律信仰是法律职业道德的根本和基础。如果法律不为社会公众普遍认同,法治目标将无以实现;如果法律甚至不为司法官员所信仰,法律也就有名无实了。所以有学者说:"法律必须被信仰,否则它将形同虚设。"①(伯尔曼语)职业道德的核心是职业良心与职业信念。对司法官员来说,职业良心和职业信念,离不开法律信仰——法律至上意识的支撑。没有法律信仰,不具备法律至上意识,职业良心和职业信念是经不起考验的。我们通常把对法律的忠诚视为最根本的法律职业道德规范,其实,对司法官员来说,忠诚并不是最高的道德境界。忠诚是一种情感态度,是一种与特定权利对应或者以特定的权利为前提的义务。比如法学家葛洪义这样写道:"我们的社会需要法律人,所以,公民用税金保障法律人的生活,甚至多数情况下我们还希望为法律人提供比一般公务人员更周到和更全面的生活保障;何况,公民有时还在用自己最宝贵的生命和鲜血来捍卫法律人的独立与尊严。那么,法律人拿什么奉献社会并回报公民呢? 除了对法律的忠诚以及相应的法律方法,还有别的吗? 我不相信!"②这就是说,社会公众为法律人支付了代价,即崇高的社会地位与优厚的经济待遇,司法官员理应履行忠诚义务。据此,大概可以说,忠诚实属世俗情义。但世俗的情义通

---

① 伯尔曼著,梁治平译:《法律与宗教》,三联书店 1991 年版,第 28 页。
② 参见葛洪义:《法律方法、法律思维、法律语言》,《人民法院报》"法治时代"专栏,2002 年 10 月 21 日。

常是靠不住的。法律信仰则是对法律本身的认同、尊崇与皈依,更纯粹、更圣洁,近乎宗教感情,是司法官员的精神寄托和信念诉求之所在。对司法官员来说,只有建立了自己的法律信仰,具备了法律至上意识,其职业良心与职业信念,才赋予确定的内涵和坚定不移的根基。可以说,深植于职业法律人心灵深处的法律信仰,是现代法治得以生存、发展的根本前提和保障。

司法官员是普通人而非圣贤,同样具有普通人的思想、情感及生活、行为方式,偏见与偏执在所难免。对其他绝大多数职业来说,个人偏见与偏执,会受到市场戒律的拒斥。由于有严格的产品质量监督管理,个人偏见与偏执一般不会发生作用。法律职业则不然,司法官员的偏见与偏执,会不自觉地介入法律职业活动,严重地干扰其法律思维,而其所产生的消极影响往往是潜在的、隐性的,不易于事后及时矫正。而法律信仰、法律至上意识则表现为更纯粹的法律理性,渗透于法律人的法律思维活动,并抵御个人偏见与偏执的侵袭。此外,司法官员还有其个人的世俗利益范围。利益驱动可能使司法官员在其职业活动中,作出有损其职业纯洁性的不明智的选择。权力与人情会影响法律职业活动的独立性,使司法官员违背职业宗旨,造成对社会对他人不利的后果。只有具备法律信仰与法律至上意识,才能真正克服这种干扰而不致贻害无穷。为什么会存在司法腐败?说到底,还是因为一些法律人没有法律信仰,不具备法律至上意识,致使法律的崇高价值受到严重贬抑,而权力与人情得以凌驾于法律之上。

需要特别指出的是,在复杂多变、纷纭万状的现实生活面前,纸上的法律条文往往显得抽象与僵硬,并且总会存在一些疏漏和缺陷,需要司法官员在其法律思维活动中,充分发挥主观能动性,以弥合法律与现实的差距。法律思维,既是实践思维,也是理论思维。前者是根据法律的既有规定处理案件和法律问题的思维形式,后者是着眼于法律条文背后的潜在的具有普遍意义的法理和立法精神。两者互补,缺一不可。正是通过司法官员的法律思维活动,抽象的法律规范获得了现实的生命力。从抽象到具体,是一个复杂的思维过程,也正是司法官员表现其创造精神的自由空间。当纸上的法律越是远离或滞后于现实生活的时候,司法官员对于法律的解释和实践越是带有个人的主观能动性。对于这样一个至为重要的环节,外在的强制性职业道德规范是无能为力的。因为,由此而产生的结果,在形式逻辑的意义上通常是不见瑕疵的,即使存在瑕疵,也不可据以推断职业司法官员主观上存在恶意,从而对其作出否定性的道德评价并实施惩戒。因为专业技艺不成熟以及其他因素,也可能甚至更容易导致同样的结果。因此,对司法官员来说,只有建立了法律信仰,他才可能在任何情况下,本着对法律——包括既有的法律规范和法律基本原则的诚挚而深刻的理解,解释法律和践行法律,对个案作出科学合理的评判,以实现对公平、正义的呵护。

综上所述,法律信仰与法律至上意识,在司法官员的职业活动中,突出地表现为一种话语权,一种理性的批判力量,一种真正彻底的法治精神。所以,应将法律信仰视为最高的法律职业道德规范,并以之作为衡量司法官员职业资质的最为重要的道德标准。

二、社会责任和司法职责

法律是面向社会与人生的,必然要求法律人具有社会责任感,并将这种社会责任感融入职业责任感。社会责任感与职业责任感的统一,构成了法律人职业行为与职业活动的一个重要的道德支撑点。法律人同样是"三个代表"重要思想的践行者,不仅要忠实于法律,还要自觉代表和维护最广大的人民群众的根本利益。所以,中国当代语境下的法律职业行为与职业活动,实际上是一个综合了许多法外因素的复杂的理论思维与实践思维的过程。不仅不应排斥社会政治、经济、道德等诸多法外因素的影响,而且还应正视并充分考虑法外因素所具有的价值与意义。因此,法律人在以法律思维为中心环节的职业活动中,对于具体的法律问题,基于政治、经济、道德价值观念的思考,也是不可或缺且相当重要的。政治思维最大的特点就是强调政治上的利弊权衡,经济思维强调考虑成本与收益的问题,而道德思维则侧重于道德上的善恶评价。此三者追求的是个案评判的现实的合理性。处在第一位的当然是法律思维所考虑的合法性的问题,但对于合法性的评价,并不存在一个绝对排他的标准,合法性与合理性在本质上并不是对立的。抽象的法律规范与现实生活之间往往存在差距,所以,在进行合法性的思考的前提下,确有必要引入政治、经济与道德的价值标准,以作适当补充。这不仅是面对法律问题时应有的科学态度,而且也是对社会公众高度负责的表现。本来法律制定之初,立法者就充分考虑到了政治、经济与道德等诸多社会因素。秉承相应的立法精神,在实践中将个案置于特定的政治、经济与道德背景下进行审视,既使个案问题得到合法且合理的解决,同时也为法律与社会的进步积蓄了力量。然而,要做到这一点,既需要法律智慧,需要创造精神,也离不开强烈的社会责任感的有力驱动。这种体现在法律人职业活动中的强烈的社会责任感,实际上已内化为职业法律人所独有的更为深刻的职业责任感。对于法律人来说,社会责任与职业责任在本质上是一致的。但是,在职业行为与职业活动中,两者又极易产生冲突。比如,法官是公平、正义的化身,忠实于法律是其职责;检察官是国家利益的代表者,他要维护国家和社会的利益;律师是为当事人服务的职业群体,他应设法在法律范围内维护当事人的利益。但是,当法官面对与《宪法》及现行法律相抵触的法时,应如何从事? 当国家利益与最广大的人民群众的利益发生冲突时,检察官应如何选择? 当委托人利益与社会公共利益对立时,律师应如何作为? 解决这些冲突需要深厚的学养所孕育的法律智慧,更需要强烈的社会责任感所催生的道德勇气。需要特别指出的是,法律职业不理会激情,可也并不总是凭借冰冷的理性进行工作。对处在德治文化传统背景之下的中国法律人来说,仁爱之心与人文情愫,是法律人社会责任感与职业责任感的最重要的情感底蕴,也是法律人最重要的道德素质。在现代民主社会,法律是用以惩恶扬善、抑强扶弱的,本质上与世道人心并不相悖。只有在偏执一端的所谓人情与良法尖锐对立的时候,才出现法不容情的情形。以正义、公道等法律价值观念为理性基础的仁爱之心与人文情怀,同样深刻地影响着法律人的职业行为与职业活动,并成为具有重要实践意义的道德规范之一。仁爱之心,不仅会增强职业法律人的社会责任感与职业责任感,使之以更加积极作为的姿态,用法律武器同邪恶强暴进行斗争;而且也会渗透到职业法律人的法律思维活动,并产生积极的影响。在电视剧《大法官》(此剧经最高人民法院法官反复评审后方始上映)中,一农妇因不堪忍受家庭暴力而杀死恶夫,被控犯有故意杀人罪。被告人虽其情可悯,但杀人偿命,天经地义。女审判长在合议庭就量刑问题进行评议的时候,力主减轻处罚,并得到审判委员会多数成员的支持。尽管检方抗诉,但二审维持原判。该剧艺术而不失真实地向我们展示了一种悲天悯人的同情心是如何深刻、细腻地影响着女审判长的法律思维活动的全过程。我们看到,正是对于被告人的同情,促使女审判长对案情进行更深入的审视,对相关法律问题进行更认真的思考,并以其对法律意义的深刻领悟,对抽象的法律条文进行了既不违背法律精神又顺乎世道人心的完美演绎,实现了法律向弱者的适度倾斜。

三、职业形象与个人生活形象的统一

对其他职业人员来说,职业形象与个人生活形象通常是分离开来的,前者要受职业纪律的规范,后者则是不受羁束的自由之身。但是,对法律人来说,职业形象与个人生活形象同样要遵循相应的规范。对于职业形象,有关法律与纪律作出了明确、具体、严格的规定。对于生活形象也有基本要求。这是因为法律权威的真正基础是法律人的社会威信。人们对法律的认识与期许,大多是在与法律人打交道的过程中形成的。可以说,法律人的公众形象,就是人们心目中的法律形象。因此,国家以及有关机关、团体同时还以法律规范或纪律规范,对职业法律人作为公民本应完全享有自由的个人生活进行约束,划定了比普通公民更高的道德底线。同时,在法律与纪律规范之外,社会与公众对职业法律人的个人生活形象,还有更高的道德要求,要求职业法律人以近乎圣贤的道德君子形象示人,并永葆终生。国家与公众对职业法律人个人形象的道德要求,所重视的是法律人个人形象与法律形象的外在的和谐统一,以及法律人在社会主义精神文明建设中的榜样作用。对法律人自身而言,个人生活与职业生活实际上已内在地一体化,不能容忍二者在人格意义上发生分裂。一般说来,个人生活道德档次低下的法律人,其职业道德档次是上不去的。所以,法律人应致力于个人生活道德境界的提升。在道德上完善个人生活形象,是"诗外功夫",最终将对法律人的职业行为与职业活动产生良好的影响。对法律人来说,真正意义上的道德规范,首先不是指向具体

的法律职业行为与职业活动,而是指向法律人自身的道德建设,而这是一个长期的渐进过程,需要用一生的努力来塑造其至真、至善、至美、至圣的道德形象。

第三节　当代中国司法道德建设的途径

一、忠于国家、忠于法律

分析这个问题,我们首先要了解政治与法律对司法道德的直接作用。国家政权的取得,法律制度的建立,是司法道德得以形成的先决条件。司法执法人员队伍是在政治与法律制度建立之后或建立过程中才逐步出现的,法律中道德蕴涵及司法工作者的职业道德是在司法执法人员的队伍组成之后或组成过程中才逐步形成的。政治与法律制度是统治者最高利益的体现,对包括司法道德在内的整个社会道德发展与进步起着主导的作用。社会道德的进步必须体现政治与法律制度的巩固和发展的实际需要,同政治与法律制度的建设相适应。社会主义法律中所包含的道德价值,司法人员的职业道德也必须体现人民的根本利益,体现为人民服务的价值取向,坚持正确的政治立场和树立牢固的法制观念,是认识和把握法律中的道德价值,提高司法执法工作者职业道德素质的前提条件,我们司法人员不能受西方国家"三权分立"的影响,要自觉准确地发现、把握和运用法律中的道德价值,遵守司法道德的执业要求,坚持正确的政治立场,树立牢固的法制观念,这是政治与法律对司法道德的直接作用的生动体现。为此,对于每一个司法工作人员来说,司法道德的优胜劣汰,直接影响着能否公正执法、处理各种社会关系,任何事情如果我们做到以"法"为上,以"公"为先,就能做到司法公正,秉公执法,也就是说,要成为道德合格的司法人员,就必须在司法道德的坐标范围内做人做事。对于处于执法第一线的司法人员接触犯罪等社会阴暗面的机会更多,受影响和腐蚀的危险性也就更大。司法道德是司法人员立身处世的道德"坐标",司法人员不仅要善于同形形色色的犯罪分子作斗争,还要勇于同自己头脑中不良的思想道德观念作斗争。

司法道德还是司法人员综合素质的道德"标尺"。司法道德的重要作用总是与司法道德的要求联系在一起的。在依法治国的新时期,司法道德的总体要求,概括起来就是忠实于党和人民,忠实于《宪法》和法律,忠实于事实真相,以共产主义道德观念为指导,以公正司法为最高行为准则。也就是说,"忠实"是司法的"天职","公正"是司法的"天德",二者都是司法道德的本质要求。这是因为司法公正是一切法治社会的共同追求,司法公正以忠实于法律、忠实于事实真相为前提,没有忠实就没有公正。

二、严格纪律

进行司法道德建设所要解决的第一个问题就是要塑造新型的司法纪律。说到司法纪律时,我们很容易想到最高人民法院或最高人民检察院发布的司法人员几准几不准一类的规定。1995 年生效的《法官法》和《检察官法》对司法人员应当遵循的道德准则进行了较详细的规定。尽管如此,我国目前的司法道德规范仍然存在着很大的缺陷。主要体现在,在不少情况下将司法人员的犯罪行为,如贪污受贿、隐瞒或伪造证据、泄露国家机密等作为伦理规则的调整对象,混淆了违法与悖德的界限。有时甚至用道德的方式去调节违法犯罪行为,给人一种力度不足之感。同时这些规范对司法人员这种特殊身份的特殊性注意得不够,将某些其他公务人员或一般公民都应当遵守的准则作为司法道德规范。当然我们并不否认司法人员首先应遵守一般的、普遍的、适用的道德规范，但我们绝不能将这两者等同起来，我们认为符合实际的司法道德规范应包括以下几个方面的内容：

首先是约束司法人员自身行为的道德规范，因为司法人员是司法道德的主体，司法道德规范约束的对象首先应该是他们。这些规范要求司法人员不断提高自己的法律知识素养。因为导致不同行业从业者道德水平差异的原因，固然跟约束从业者的纪律的张弛有关，但应该注意的是，从业者的普遍素质的高低，也是最重要的影响因素之一。而当代中国的司法人员的法律知识素养很难说已完全能够适应当前司法实践的要求。以法院系统为例，近几年最高人民法院的调查结果显示，在全国法院系统近 25 万名法官中，本科层次的占 5.6%，具有研究生学历的占 0.25%。从来源上看，主要有三个：一是政法院校的毕业生；二是复员转业军人；三是以内部或公开招干的方式考入的人员。从比例上看，后两部分的人数远远超过第一部分①。提高司法人员法律知识素养的途径不外乎两个，一个是司法机关要加强对司法人员的培训，另一个是司法人员应该积极主动地去不断学习法律知识。约束司法人员自身行为的道德规范还应要求他们不断加强自身的道德修养。司法道德问题的产生与司法人员放松自我要求，不注意自我修养有着密切的联系。司法道德修养要求司法人员自觉地按照国家要求和社会道德、司法原则规范的要求在道德意识、道德情感和道德行为品质方面进行自我教育、自我磨炼。

其次是处理司法人员与其同事之间关系的道德规范。顾全大

---

① 张友连：《当代中国司法道德建设刍议》，《广西教育学院学报》2002 年第 2 期。

局、相互尊重、通力协作是司法人员处理与其同事之间的关系时应遵守的道德规范。这些规范要求司法人员在履行自己的职责时，充分发扬集体主义精神，团结一致、紧密配合、协同作战完成工作任务。所谓顾全大局，就是要求广大司法人员在实际工作中，胸怀改革开放和社会主义现代化建设的大局，以自己的实际工作为这一宏伟目标作出贡献，坚持做到以个人利益、局部利益服从集体利益、全局利益。在具体工作中，离不开同志间的相互配合。通力协作是司法人员处理与同事之间关系的具体要求，它不仅包括不同地方的司法人员之间要加强横向联合、提供方便，还包括同一部门内的司法工作者之间的密切配合。

最后是处理司法人员与当事人之间关系的道德规范。这其中最主要的是在面对与自己有亲友关系的当事人时应做到不徇私情。人是有感情的动物，司法人员作为社会生活中的现实的人，总是生活在一定的社会关系之中，在一定的社会环境中与一定的人相互交往，有亲情、友情等私人感情。因而在职务活动中怎样对待私情和私人关系，这是对司法人员道德觉悟的一个严峻的考验。所谓不徇私情，是要求司法人员不能因个人感情的考虑或出于个人的好恶来办案。

三、改善教育方式

道德最重要的特征就是它的自律性，如何使司法道德规范深入人心，让每个司法人员能认真领会、切实掌握，内化为自身的基本素质并外化为自己的实际行动呢？我们认为，较为有效的手段就是加强教育。司法道德教育是指国家有关部门按照社会的利益和司法道德规范的要求，对司法人员有目的、有计划地施加系统的道德影响的活动。司法道德教育的目的主要是完成三个方面的任务：一是向司法人员灌输符合社会要求的道德规范，为他们道德品质的培养和提高奠定深厚的知识基础。同时也只有通过这一途径才能使司法人员认识到做一个合格的司法工作者应当符合哪些要求，从而自觉地去遵循。二是批判各种与社会发展需要不相符的道德规范。具体地说，是要克服封建道德和资本主义道德的负面影响，揭露其实质和危害性，进而增强司法人员对于腐朽道德侵蚀的抵抗力和免疫力。三是营造良好的司法道德风尚，促进社会风气向好的方向发展。因为司法人员道德水平的高低与社会风尚的好坏密切联系，而司法人员的高尚的道德品质又依赖于成功的司法道德教育。近年来，我国多次开展了对司法人员的集中整顿和教育，取得了一定成效。正如最高人民法院院长肖扬同志在向九届人大常委会第七次会议所作的汇报中指出的那样："集中教育整顿取得了预期的效果，广大法官和其他工作人员普遍受到了一次深刻的教育，精神面貌发生了变化，严肃了纪律，纯洁了队伍；提高了审判质量和效率。"[①]但同时我们也应看到，我国当前的司法道德教育仍存在着许多不尽如人意的地方。我们认为要提高司法道德教育的效果，应完成三个方面的转变：

其一，由片面注重道德规范的传授转向注重道德品质的培养。司法道德知识的传授是司法道德品质的培养的基础条件之一，但不能说有了知识的传授就必然会有道德品质的形成，更不能想当然地将两者画上等号。但在我们的司法道德教育实践中，往往只是片面地强调了司法道德规范的传授而忽视了受教育者道德品质的培养与道德人格的形成。例如，我们经常热衷于统计开了多少

---

① 肖扬：《坚决消除司法人员腐败，努力维护司法公正》，《最高人民法院公报》1999 年第 10 期。

次讲座,有多少人参加了知识竞赛等。在当代中国,司法人员的独立性正在逐步的增强,自主性也在不断的提高。这时如果仅重视司法道德规范的教育而忽视了对司法人员道德品质的培养,就会出现一种怪现象,那就是很多司法人员都了解司法道德的要求,对其中的一些条文性的东西,甚至可以背诵,但他们又不能按照这些道德的要求行事,出现了司法道德知行上的不一致。要改变这种状况,需要我们完成司法道德教育从片面注重知识的传授向注重品质培养的转变。

其二,完成司法道德教育从经验型向科学型的转变。建国以来几十年的社会主义司法道德教育的实践,对司法道德教育的很多方面作了有益的探索,也积累了一些有效的经验,但这些教育大多数仅仅停留在经验的层次上。随着社会的发展,这种建立在经验基础上的司法道德教育已不能完全适应现实的要求。时代要求把心理学、伦理学、法理学等其他学科的最新研究成果应用到司法道德教育活动中,并积极吸取信息论、控制论和系统论等自然科学与管理科学的发展成果,积极地探索适应当代要求的司法道德教育的规律。

其三,在教育内容上从过分追求崇高性向注意现实性、层次性的转变。在司法道德教育中,要把握司法道德规范的层次性,从实际需要出发,针对不同的对象提出更加符合实际的要求。既要鼓励先进,又要照顾多数,把先进性要求和广泛性要求结合起来。过去有一段时期,我们对司法人员的道德教育脱离了社会实际的要求,无论面对的对象是谁,总是一律用大公无私、公而忘私的共产主义标准来要求一切人。司法人员作为行使国家司法权力的人群,应当具有相对于普通群众更高的道德水准。但对于司法人员中的领导干部特别是高级领导干部的道德要求就要高于对一般人员的要求。如果不能认清这些,一味求崇高,则司法道德教育不会取得良好的效果。

四、加强制度建设

在社会生活中,非正式制度性要求具有较多的灵活性,对不断变化的环境有较强的适应性,但非正式制度性要求又往往因其随意性、主观性、不确定性而变得游离不定、难以测度,有时甚至成为一些人营私舞弊的幌子。因此,加强制度建设,使社会生活制度化,有章可循,就成为了当今世界的一种发展趋势。所谓制度化,简单地说就是在一定社会关系中,社会为了正常运作,在一定领域内设置一定的价值目标,以及为实现此目标而制定的各种运行机制和手段。例如,为保证社会正常运行,有政治制度、法律制度、经济制度等。一般来说,过去理论界很少有人谈起道德制度化,随着社会发展的要求,越来越多的人们认识到实现道德制度化在社会生活中具有重要的作用。司法道德建设作为整个社会道德建设系统中的一个组成部分,应该顺应社会发展的要求,积极实现制度化。制度建设在司法道德建设中具有非常现实的意义。其主要体现在:

首先,制度建设是司法道德建设取得实效的保证。如果只是单纯地对司法人员进行道德教育,或只寄希望于司法人员的道德自律,而不进行相应的制度建设,没有制度的强制性约束,很难保证司法道德建设会取得理想的效果。

其次,制度建设可以促进司法道德教育和司法人员自我修养的发展。从人们道德品质的发展规律来看,往往要经历一个从他律向自律的转化过程,制度的存在才使教育和修养有了充分的依据。

最后,在我国司法道德建设的实践中,大多是偏于强调教育和修养等内容,而疏于相应的制度建设,相比较而言,制度建设比较薄弱,亟须加强。司法道德制度建设的一项主要的任务就是将部分司法道德规范法规化,在当代中国,要使某些道德规范被认同和接受,除了依靠社会舆论和人们的自觉之外,一个直接有效的方法就是将其中的部分道德规范制度化,将它们上升为法律。我们的先辈们早就注意到了这一点,并创造出了一套礼法互补,综合为治的成功经验。例如,在《唐律》中将"三纲五常"等道德要求律格化、条文化,对不敬、不孝、不义之人都要依法严惩。撇开其封建内容不谈,这套经验对我们今天的道德建设仍有借鉴意义。从理论上来看,"公平"、"正义"是法律的基本要求,而这些又可以归于司法道德追求的理想范围之内。因而它们构成了法律和司法道德产生"姻缘"的纽带。当代美国伦理学家、法理学家罗尔斯主张,法律必须基于某种抽象的道德概念,其核心就是正义,不正义的法律就一定要被抛弃。同时将部分司法道德规范法规化,也是当今世界司法道德建设实践的一个趋势。早在1972年,美国就制定了司法人员品行准则以代替司法伦理规范。这一准则包括了法官在法庭外的活动以及在法庭上的行为和责任。它要求法官不得受一己私利或相互矛盾的承诺的影响,或给人以受这种影响的印象。近年来,我国司法道德规范的法规化也有了一定的发展,在陆续颁布的一些法规中,将一些司法道德规范的要求规定为法律条文。它们的出现标志着我国在司法道德的法规化方面迈出了一大步。

五、社会主义精神文明

当我们把司法道德建设纳入到整个社会的精神文明建设的大背景下来考察时,就有一个大环境小环境的问题。小环境是司法系统的各个单位、部门的道德建设,只有各个单位、部门乃至每个司法人员从我做起、从现在做起,经过共同努力,才能在社会上形成一个良好的道德局面。但司法道德建设还有一个大环境的问题,即一种良好的社会氛围,整个社会精神文明的进步。简而言之,我们所进行的司法道德建设是整个社会主义精神文明建设的一个组成部分。反过来只有整个社会主义精神文明建设都搞好了,司法道德建设才能真正完成。

社会主义精神文明建设由两部分内容组成,包括思想道德建设和科学文化建设。其中思想道德建设是精神文明建设的灵魂,决定着精神文明建设的性质和方向,它所要解决的是共同理想和精神支柱问题,而这一问题又是精神文明建设中的根本性问题。首先是理想建设。理想是人们在实践中形成的具有实现可能性的对未来的向往和追求。社会主义司法道德理想是司法人员追求的目标,它体现并决定着司法工作者的道德境界和道德品质的优良与否,高尚的司法道德理想可以引导司法人员向高水平的道德境界攀登,使他们不断提高和增强自身的道德品质,形成崇高的道德人格。其次是道德建设。道德是人类精神文明的一个重要组成部分,任何精神文明的水平都将通过其道德风貌表现出来。社会主义道德建设以为人民服务为核心,这也是对中国的先进分子,尤其是中国共产党人为全国人民解放事业而献身精神的科学总结。同时为人民服务也是社会主义条件下司法工作者的根本宗旨和责任。为人民服务首先要求司法人员要热爱人民、关心人民的疾苦,当人民的利益受到侵害时能尽心尽力,竭力保护人民群众的生命和财产。为人民服务也要求司法人员甘当人民的公仆,在社会主义条件下人民是国家的主人。司法人员的权力是人民赋予的,各级司法工作者又都来自于人民。因而对司法人员而言,要摆正自己与人民群众之间的关系,反对特权思想,正确对待和行使手中的权力,接受人民群众的监督,善于听取来自不同渠道,用不同方式提出的批评与建议,不断改进自己的工作。胡锦涛同志最近提出的"八荣八耻"社会主义"荣辱观",对司法道德建设有巨大的理论与现实意义。

总之,我们认为当代中国的司法道德建设应该是由上述五部分组成的一个系统。确立切实可行的司法道德规范是司法道德建设的最直接的任务。而严格纪律、教育和将部分司法道德规范法规化又使得这种新型的司法道德规范能够切实地被遵守。同时司法道德建设又是当代中国社会主义精神文明建设的一个组成部分,只有整个社会的精神文明都搞好了,司法道德建设才有了坚实的基础。

第五章 司法方法

司法方法等于司法适用,具体是指司法官员认定证据、适用法律和作出判断的原则与方法。

司法方法大体历经神明裁判、王权人治裁判和国家法治裁判等三个发展阶段,司法方法在其发展过程中互为继承和扬弃。

司法官员依据事实,依据依律和作出裁判,有发现"真实"的司法方法,发现"法律"的司法方法和作出裁判的法律方法。

第一节 司法方法的概念与沿革

一、司法方法的概念

司法方法从广义上讲是人们一般认为的司法的定义,司法方法就是法律适用,我国的法学辞典一般不收入司法方法的词条。

如果我们把司法方法的概念再具体一些归纳,是否可以这样概括:司法方法是司法官员认定证据、适用法律和作出判断的原则与方法。

我们认为,《牛津法律大辞典》有关司法方法[Judicial method]的词条的概括非常值得借鉴。

"司法方法即独任法官或合议庭就一项诉讼争议进行审理,作出判决,宣告判决时所采用的方法或技巧。不同的法官、不同的法庭和不同的管辖区,其审判方法是不同的。这要受到诸多因素的影响,如法院的诉讼程序、适用于该管辖区的法律的不同渊源以及特定法官的个人态度和性格。普通法系法官冗长散漫的个人意见和大陆法系简洁扼要、无个性特征的判决之间也存在着很大的差异。一个法官是否把旧的规则适用于新的情况,以及如何将旧的规则适用于新的情况,或者说法官只能在何种程度上从现行有效的规则中推出结论,这一点尤为重要。

首先,存在着这样一个问题:法官是否真正地查明了某些事实,然后寻找适用于这些事实的法律规则,或者说法官是不是凭个人的直觉来断定是原告人还是被告人有理,进而去寻找证实该判断的正确性的事实和法律?判决的形式是靠查明事实和进行法律推论,还是凭法官的'预感'?

其次,在法庭审理过程中,通常存在着查明事实真相的问题,面对该问题的解决则取决于对所获得证据的真实性和准确性的评断,也取决于根据所提供的种种证据再现案情,即当事人各方当时究竟说了些什么话,做了些什么事,情形如何?如车辆的位置与速度。这在很大程度上是一个对人类本性的经验和认识的问题,而人类本性总是自然地恰当地反映在人们的行为中。

再次,还存在着另外一个问题,即从法律资料的权威性渊源如法律条文、判例、教科书的阐述等中找出一项判决的方式,并对这些条文、判例、教科书进行分析评价,从中找出适用于法官所受理案件的规则。这一问题的解决可以通过推理、类推适用,或通过一些判决的归纳得出较一般的原则,继而推定出适用于特定案件的规则。在上级法院,法官通常能够接受引起他们注意的意见,这些意见的论据如果不是全部具有也会多半具有相当的权威性。但是,如何根据由此而引出来的原则和规则形成一项判决意见,则完全是法官个人的事情。"①

我们经常说,"以事实为根据,以法律为准绳",惟独缺少的是"司法官员"的主观因素。讨论司法方法必须讨论司法的主体:司法官员。法官、检察官、警官是司法的主体,也是法律职业群体或者说是法律共同体最重要的一个分子。法治国家的一个重要标志就是司法官员的独立性、中立性、权威性,这就要求司法官员不但要有丰富的法律经验、崇高的人格,还要有精深的法学素养。人们都普遍相信:法官们会依法裁判,且他们执掌的法律是可靠的,凭良知行事,且他们的良知是高尚的;法官依特有的司法工作方式进行审判,而且这些工作方式都是科学的。很多国家的宪法或诉讼法要求"法官依照法律和良知裁判案件"。例如日本宪法规定:全体法官均依其良知独立行使职权,只受本宪法及法律的约束。而日本最高法院对此作的解释是:"所谓法官依其良知,是指法官不屈服于有形无形的外部压力乃至诱惑,而是根据自己的道德感的意思。""法官自己根据是否合乎道理来审判,就是宪法所说的依照良知。"我国《法官法》明确规定:"法官必须忠实执行宪法和法律,全心全意为人民服务"。《法官职业道德基本准则》规定:"法官应当具备惩恶扬善、弘扬正义的良知"。如果一个法官离开了个人良知,就丧失了当法官的基本资格,人民也不会相信他能够正确适用法律裁判案件。我们曾经反反复复强调法官必须具备高尚的职业道德,处理案件要"合情合理合法",实质就在于要求法官时刻依照宪法、法律和个人良知裁判案件,追求正确、合理的裁判结果。法官运用科学推理、结合事实与法律条文并通过主观良知裁判案件,这些要求只有接受专门训练、具有专业知识的法官,才能

---

① 法律出版社 2003 年版,第 614 页。

准确地适用法律。而我国现有几十万法官中只有不到三分之一的人经过法律专业训练，可是他们却掌握着公民的财产分配权，甚至生命权。

我们一直提倡的"以事实为根据"，其立法本意是指司法机关审理案件，只能以客观事实作为惟一根据，司法达到客观真实。但是实际上"以事实为根据"作为一项理想化的司法原则，在司法实践中却很难全部实现客观真实。试问，如果债务人已归还借款，但是尚未拿回借条，债权人持该借条起诉追索债务，而债务人举不出已经归还借款的证据，法官如何能够做到"以事实为根据"？又比如说债权人遗失借条，起诉后债务人拒不认账，法官怎么能够还事实本来面目呢？这些简单的案例即说明案件事实要靠证据来佐证，法官不可能抛开证据去无根据地认定客观事实。而通过诉讼中的证明活动再现案件事实，由于主客观原因，不可能完全再现案件原貌，只能是接近于案件事实的真相。实际上，法律真实和客观事实是辩证统一的关系。客观真实是司法证明活动所要追求的终极目标，法律真实必须在最大限度内反映案件事实的客观实际，这是法律事实的基础和前提。由于时空的不可逆转性，人民法院在审理案件时，只能根据证据规则来判断事实，这种经过适用法律得到的事实，就是法律事实，同时也就推定它为客观事实。由于法律真实的主要功能是作为裁判依据，所以它更多地是要解决事实认定的效率问题。由于诉讼是个持续的过程，所以随着时间的推移，法律真实也有可能发生变化，导致变化后的事实更接近于客观事实。为此，我们必须树立起"法律真理"的司法观念。在司法过程中，既不能以牺牲效率追求客观真实，也不能背离诚信原则滥用法律真实。应该在程序公正、公平的前提下，正确适用证据规则，努力追求法律真实与客观真实相一致。在这个过程中，需要法官在人格和智识方面具有令人尊崇的素质。法官的人格魅力指的是法官符合司法伦理要求所体现出来的魅力。它涉及法官自身的行为节操、法官与社会之间的关系准则以及法官与当事人及其代理人的关系准则等三方面的内容。司法伦理必须贯彻三项价值准则，即良心、刚直和廉洁。法官的智识魅力是指法官具有精深的法学知识、丰富的办案经验和高超的办案智慧。要做到公正裁判，不仅要求法官具备人格魅力，而且还应该具备智识魅力，尤其是办理复杂疑难的案件，光靠法官有一颗公正心是远远不够的，法官还得具有"公正力"，要有高超的办案智慧，而法官的办案智慧是离不开法官法学知识的精深和办案经验的累积，如果法官面对一个案件心有余而力不足的话，同样也难以作出公正、准确的裁判。关于法官的主观修养，我们可以借鉴一下英美法国家的做法。

在英美法的国家，很多法学家都有法官和律师的背景，能够做到大法官的几乎都可以称之为法学家。这种情况的存在与英美法的传统和特点紧密相关，英美法向来有崇尚司法、尊崇法官的传统；同时英美法以判例为主要法律渊源，法官的司法判决具有造法的功能，因此英美法国家对法官的要求很高，不但要求具备丰富的法律经验、崇高的人格修养，还要有精深的法学素养。很多法官都是从从事法学研究、法律实践多年的学者或律师中产生的，这也就形成了英美法国家法官兼学者这一现象的出现。英美法国家的法官地位很高，这种地位在很大程度上是由法官的素质——特别是其不凡的法律思想素质所决定的。从法官的遴选看，美国法官遴选并不看重其司法经验，但对其法学素养和法律思想的要求很高，如联邦最高法院大法官法兰克福特曾说过"最高法院大法官最重要的品质只有三个：哲学家、历史学家、预言家的品质"①；大法官布伦南认为还应有第四个品质即"非凡的耐心"；法兰克福特又说："我们可以绝对地说，从前的司法工作经验与是否适合做最高法院大法官之间的关系为零。有些经历的最伟大的大法官，例如霍姆斯和卡多佐等的重要性并非来自其司法阅历，而是由于他们本人就是霍姆斯和卡多佐这一事实。他们是思想家，更重要的是，他们是法哲学家。"②他们的理念认为经验的积累只是一种浅层次的，而思想的积累和形成才是高层次的。在英美法国家，像英国的丹宁勋爵，美国的波斯纳、霍姆斯、卡多佐等不单单是优秀的法官还是世界闻名的大法学家。

二、司法方法的沿革

人类认识总是在一定社会背景下进行的。在此过程中，司法制度也在随着文明进步。历史上，对神的崇拜导致了神明裁判的可接受性；在君权至上时期，"朕即法律"，君王的判断具有无可置疑的权威性。在现代社会，在认定证据与适用法律活动中，强调理性和逻辑性。

（一）神明裁判时期的司法方法

神示证据制度出现于人类奴隶社会，生产力的落后导致生产方式的低级状态，是神示证据制度产生的最为本质的历史背景和原因。可以设想，当人类还处于奴隶社会的"初始状态"中，思想意识的滞后导致认识能力的狭隘性。他们很难估量出他们视野以

---

① （美）亨利·阿伯拉汗：《美国：遴选法官的制度》，商务印书馆1990年版，第191页。姚建宗：《国家统一司法考试与我国司法官遴选：基本认识与框架设计思路》，《法治与社会发展》2002年第2期，第8页。

② 朴永刚、朴咏南：《美国著名法官法律思想评述》，《行政与法》2003年第11期，第120页。

外的事物的存在方式,没有先进工具的辅助也就直接导致了他们对周遭环境及自然小心谨慎的态度。神秘令他们不安,变化无常的天气、火山爆发、洪水的肆虐等激烈的自然现象使他们原本忐忑的心更加惶恐那些存在于他们感知范围之外的"生物"。这是"外界高等生物"的惩罚——智者们的猜测成了人们坚定的信仰,他们开始相信作为最高主宰者的神的存在,并无时无刻的监视着他们的行为。而他们的想像却只能停留在他们的"所见所闻",即他们所能掌控的生产工具,或许在此范围上略微有所拓展。生产技术的落后、生产方式的不合理直接决定了思想认识的局限性。就诉讼形态来说,由于缺乏相应的裁判资源,他们不得不求助于神明的"裁决"。

因此,可以将神示证据制度理解为:审判者通过反映神的意志的方式来作为其裁判诉讼争议事实的依据的制度。通过对神示证据制度的界定,不难看出其客观唯心主义的理论基础以及宗教迷信的思想基础。按照目前主流观点,神示证据制度由宣誓和神明裁判两部分组成。

所谓宣誓,即诉讼双方在陈述相冲突时,裁判者要求双方分别对神灵发誓,以证明其陈述的真实性。其中,宣誓者在宣誓过程中的表现被审判者看做是神灵意志的间接表现。如果宣誓者不敢发誓、表现出慌乱的神态或是口吃结巴,则被认为是某种神灵报应的迹象。究其实质是对宣誓者的一种心理强制,出于对信仰的强大压力或是恐惧以及道德的制约而形成内心矛盾的外化。

神明裁判即指通过某种冠以神的名义的自然力量的方式,让当事人接受身体上的考验来证明案件事实的方法。神明裁判的证明方式有很多,并且与不同国家、不同地区的宗教信仰和图腾崇拜有密切关系,如火审、水审、决斗等等。与宣誓对应,神明裁判则是采用对当事人的一种身体上的强制,这是一种对神力更为虔诚的笃信。由于神明裁判依靠的是不以人的意志为转移的听之天命的客观力量,故它是对司法审判公正性的严重破坏。神明裁判有以下几种方式:

1. 水审,分为冷水审和沸水审。冷水审一般是指将被告人投入河水中,就其是否能摆脱困境而进行案件事实的裁判。沸水审是指通过将当事人的手伸入沸腾的水或油锅,事后观察其受伤程度来进行案件事实的裁判。

2. 火审,通过让当事人接触火焰或被烧至滚烫的硬物,事后观察其受伤程度来进行案件事实的裁判。

3. 决斗,是指由争讼双方当事人进行搏击,以搏击的胜负结果来现示神意,并据以认定案件事实。

除上述以外,还有很多神明裁判方式在某一时期的某一地区盛行。如基督教式的十字形证明是指让原、被告面对面站立,两臂左右平伸,使身体呈十字形,接受上帝的考验。维持该姿势站立较为持久的一方即所言真实。以占卜的方式定罪量刑在我国奴隶社会国家曾予以适用。值得一提的是,神明裁判在古代审判官的适用倾向性问题。根据上述介绍,当事人在神明裁判的考验下很难不受伤害,而倘若受到伤害则要承担相应的法律责任,这对接受考验的一方明显不利。因而,古代审判官对于神明裁判的适用一般是在案情严重或十分复杂的情况下,并适用于嫌疑极大的当事人。

神示证据制度在现在看来是荒谬愚昧的,其对司法公正的破坏往往成为人们关注的焦点,但其之所以能横跨奴隶社会、封建社会这人类历史两大阶段,其所蕴涵的正价值不容忽视。首先,神示证据制度在当时的条件下一个很重要的作用便在于借助神力对当事人,尤其是撒谎者所造成心理压制力。无论审判官当时是否意识到这一点,但这种制度本身往往能起到让人意想不到的效果。另外,神示证据制度的另一个价值则体现为对当时社会秩序的稳定,具体的说是通过司法秩序的稳定从而维护社会秩序的稳定。神示证据制度的适用赋予了法庭审判宗教性的特点,它是司法与宗教相结合的典型。虽然这种模式无法与当代追求公正价值的司法体制相比拟,但它却毫无疑问的在当时获得了社会普遍效力。由于是神意的表示,以此为审判依据的判决与人民心中的信仰产生共鸣,他们不能怀疑至高无上的神的指令,自然也就不能与审判官的裁决相对抗。这样,司法权威便提到了一个历史的高度,而当事人及其亲属乃至社会都会尊重并履行司法审判的裁决。无论多么复杂、严重的案件最终都会有个结果,原、被告双方终会有一方得到制裁,另一方得到补偿,事实上,即便是败诉的一方也难以通过其他途径进行上诉,同时他们往往也不会采取激烈的对抗行为,因为在神的面前他们是没有任何权利的。司法审判结果的公信力避免了诸多矛盾的激化,一切纠纷都会在这里得到公正或不公正的化解。这也就直接导致了社会秩序的稳定,人们更加诚实地遵从法律的规定。神示证据制度也就在一定程度上成为统治者治国的工具。这里且不论其在若干年后被世人所怀疑、攻击、摒弃,至少在其盛行的时代里,它确实起到了"镇静剂"的作用。

(二)君权至上时期的司法方法

在我国,神明裁判绝迹的很早。司法方法首先表现为对口供的极端重视。早在西周时期,审判已经主要是围绕口供展开的。《睡虎地秦墓竹简》的有关记载亦表明,在当时的审判活动中,十分强调对被告的反复诘问,必要时还可以施以拷打直至求得口供。时至汉代,审理案件主要是按《周礼》"以五声听狱讼"的方法进行,经过审讯,得到口供,三日后再行复审,叫做"传复"。复审之后,所作判决要向被告宣读判词(即"读鞫"),如罪犯呼冤,允许请求复讯,即所谓"乞鞫"。自此,"罪从供定"的司法传统基本上为我国历代封建王朝所承继。在我国封建法典的集大成之作《唐律》中,结案必须有被告服罪的口供;如果不肯服罪,主管官员要针对其不服之处重新审理,否则将受到严厉的处罚,该项要求的例外情形仅限于"据状科断"、"据众证定罪"。之后的明清典律均有"狱囚取服辩"的规定。但在王权至上的封建集权社会,法工具主义思想根深蒂固,由于君权至上,因而法的权威性往往让位于君主的权威,法在实际上不能得到严格的遵守,君主可以任意地践踏刑法,使之成为一纸空文。"法外用刑"、漠视法律的现象十分普遍,无供定案的事例也时有发生。更重要的是,自汉以后,法律逐渐儒家化,"引经决狱"、"论心定罪"、"以情折狱"等现象十分普遍,这一时期的司法理论夹生于此皇权正统理论中,只能不停地做些策略性的调整,而无法真正走上近现代化的轨道。从一开始,单纯的司法就背上了甚多的包袱,德礼也好,顺天道也好,护皇权也好,矜念苍生也好,司法实在负担不了如此多的价值要求,而终于沦落为一简单的政治工具,此工具在开头还可以运用,随着社会矛盾的越来越非传统化,社会关系的越来越需精确化,司法手段正式到了举步维艰的境地。到了明代中叶以后,明代的皇帝直接控制审判大权,生杀任情,法外用刑,残暴镇压,在更大程度上败坏司法。可以说,在我国古代,司法方法的据证裁判从来都没有得到真正的制度化。

在欧洲大陆,神明裁判废止之后,取而代之的是从教会法传播而来的法定证据制度。在西欧法制史上,罗马帝制时期的纠问程序中已出现了法定证据的萌芽。罗马法复兴时期,在意大利注释法学派的努力下,法定证据制度逐渐在意大利城市国家与教会法的纠问程序中得到确立。从13世纪开始,作为教会法向世俗法渗透的一环,法定证据原则也逐渐向西欧大陆各主要封建国家扩散,并得以普及和发展。法定证据制度的兴起在很大程度上是与神明裁判衰落后司法力量为追寻案件实质真实而导致的恣意司法密切相关的。在欧洲历史上,在纠问程序和实质证据制度的发展初期,由于过分强调追求真实的目的以及摆脱传统形式主义举证方式的需要,纠问官吏搜集、审查证据的活动出现了一种倾向,即:无形式、无条件的倾向。只要纠问官认为能够发现真实,一切方式方法都委诸于他的自由裁量。也就是说他几乎不会受到任何程序制约的纠问。其结果是导致了事实认定上的恣意性。对这种情况的反省导致了抑制法官自由裁量的问题意识产生,其结果就是法定证据主义登上了历史舞台。而另一方面,正在形成的中央集权国家,以及为了统治秩序而有效约束分封割据的地方势力的迫切需求,则为法定证据制度的普及和发展提供了更直接的推动力量。在法定制度下,司法官对事实的认定必须以证据为根据,事实的评判即证据数量的加减。在此制度下,证据裁判以一种畸形的方式得到了前所未有的强调。出现的局面是,只要法官把起诉方提供的证据加在一起可以构成一个完整的证明,他就必须作出有罪判决;如果不能构成完整的证明,他就必须作出无罪判决。在这两种情况下,判决都不受具体案件中法官内心对证据确信程度的影响。在大陆法系国家,作为对法定证据制度的扬弃,自由心证制度尽管否定了法定证据的机械性,证据裁判却作为司法传统的一部分被继承了下来。

(三)法治时期的司法方法

在现代社会,权威的影响已经日渐衰弱。依据权威的笼统论证已经不再具有"合理的可接受性"。面对一项起诉主张,无论它是代表国家还是代表个人,无论它是请求民事权利还是要求予以刑事制裁,要想得到法庭的支持必须有其事实依据。证据开始与裁判密切结合在一起,证据裁判作为一项基本原则构成了现代诉讼证明制度的深层基础。

证据裁判原则,又称证据裁判主义,其基本含义是指对于诉讼中事实的认定,应依据有关的证据作出;没有证据,不得认定事实。但是,如果仅仅停留在"有证据"这样的肤浅认识,证据裁判原则的存在意义就大打折扣了。随着诉讼理论的发展,证据裁判的含义已超出单纯的认识论的范围,逐渐渗入价值论的因素。今天的证据裁判,已具有明确的规范意义:据以裁判之证据,必须具备证明能力,且必须经过正式的法庭调查程序。这种内涵的转化,大体上与下述三种认识有关:第一,由于证据直接影响着裁判者的判断,有必要将裁判者据以形成判断的证据限定在具有较大可靠性的范围之内;第二,基于对人权的尊重,不得不放弃过分强调查明事实真相的一维价值观而寻求与人权保障观念的调和;第三,随着新兴经济分析法学理论的传播,法庭调查的证据必须凝练、集中,而非漫无边际。

在现代诉讼制度下,证据裁判原则至少包含有以下三方面的含义:

第一,对事实问题的裁判必须依靠证据,没有证据不得认定事实。

证据裁判原则的否定性表达是,如果没有证据,不能对要证事实予以认定。从否定的角度看,证据裁判原则强调了证据对于裁判的必要性。与历史上曾经存在的裁判制度不同,证据是裁判的必要手段,而不是可有可无的工具。证据裁判原则要求对要证事实的认定必须以证据为基础。

第二，裁判所依据的必须是具有证据资格的证据。

裁判必须依据证据。然而，这里说的证据只能是法律视野中的证据。显然，一项材料，即使对裁判非常有价值，如果没有进入法律的视野，它将不具有任何裁判上的实质意义。因此，在诉讼证明中，我们所谈论的证据永远是法律规范下的证据，而不可能是事实意义上的证据。也正是在此意义上，我们更赞成以下主张，即将法律视野以外的对裁判有价值的材料称之为"事实"，此种事实只有进入诉讼的视野才会成为证据。

在现代法律制度下，一项材料是否可以作为证据接受法庭调查，有两种立法模式：英美法国家的规则调整模式和大陆法国家的自由裁量模式。在英美法国家，为适应陪审团审判，形成了一系列规范证据资格的法律规则。由于规则的存在，证据的可采性问题被进一步分解为两部分：事实上的关联性和法律上的可采性。二者的关系是：除依法律应当排除的外，一项具有事实关联性的材料可以采纳。在司法实践中，要想在法庭上出示一项材料就必须通过法律规则的审查、过滤，因此从外观上看，一项材料是否可以作为接受法庭调查的证据，似乎主要是一个法律问题。在大陆法系国家，证据是否可以接受法庭调查是由法官根据具体的情形作出判断的，立法一般不对证据的关联性问题作预先的规定。因此，在此种模式下，证据的可采性问题主要是一个事实问题。而且，从证据法的发展趋势看，世界各国普遍在追求一种正当性基础上的真理性，即不但要求法庭调查的证据必须具有事实上的关联性，而且还必须同时具备法律上的可采性。

第三，裁判所依据的必须是经过法庭调查的证据。

证据裁判原则的核心是裁判者对事实的认识必须以证据为根

据,这一核心体现在现代诉讼制度下,证据裁判原则要求裁判者对证据的认识必须以法庭为时空条件,以证据调查为其认识方式。在约束对象上,证据裁判原则是对裁判者的要求。根据该项原则,裁判者对事实的认识必须以证据为根据。并且,在现代证据理论中,一项普遍的要求是,没有经过法庭调查的证据不得作为裁判的依据,即使该项证据确实具有证明价值①。

理性、逻辑地适用法律贯穿了司法全过程。

第二节 司法方法的内容

司法过程从动态来看,是行为主体法官围绕纠纷发现真实,发现"法律",根据真实、适用法律作出合理裁判的过程;而从静态来看,司法过程主要是指由成文法到判决的过程,即事实—法律—判决。以事实为起点,法律为标准,判决为目的。而司法方法则是贯穿于此过程中的手段或工具,其重要性体现在:1. 借助于具体司法方法和规则,才能在正确认定证据的基础上,把事实和法律有机的结合起来,通过"法律事实"以发现真实;2. 借助于各种司法方法和技术才能把制定法与司法有机结合起来,从而疏通由法律规则到个案判决的转换过程,有效克服法律规则的僵化性,缓解规则和事实之间的紧张关系;3. 法治的实现需要司法方法论,法治的一个核心意义在于限权,通过各种司法方法,可以增大行为的合理性、合法性,克服法官的主观臆断,阻止法官成为司法领域的专制者。

---

① 樊崇义、吴宏耀:《论证据裁判原则》,《法律应用研究》2001 年第 6 期,第 1 页。

　　关于司法方法的具体内容,根据美国法社会学思想的杰出代表本杰明·N.卡多佐的总结,其司法方法主要有以下几类:1. 哲学方法,这是司法过程中最传统的方法,主要是法律推理。而把法律规则作为大前提,事实作为小前提,推理得出的判决作为结论的三段论方法是最基本的法律推理形式。我国的司法过程也大量使用这种方法。2."进化论的方法",也称遵循先例的方法。但他认为司法中运用判例与运用成文法规则相比应是第二位的,在遵循先例明显不符合正义和社会利益的情况下,法官可以不受先例的约束。3."传统的方法",也就是沿着社会习惯处理,如果哲学方法和进化论的方法都不能对案件作出恰当的指引,便采用习惯的方法。这里的"习惯"包括社会生活习惯和司法习惯。4. 社会学方法。卡多佐极为推崇这一方法,认为是今后最重要的司法方法。他认为司法必须与社会现实相适应,对司法过程意义认识的关键并不在于其本身,而在于通过司法达到最好的社会效果,为了达到这一效果,法官在判案中,离不开对社会因素的考虑,它包括社会道德、正义观念、社会条件的变迁、公共政策的变化、社会利益的平衡、社会舆论的倾向等等①。

　　卡多佐的司法方法理论为我们的司法方法研究提供了一个理论指导。其实我们的司法方法在很大程度上也是沿用着三段论、参考惯例、参考典型案例的做法,但卡多佐所提出的四个方面的主要司法方法是否全面和准确,尤其是在面向我们的司法实践,我们需要从理论上对司法过程中使用的主要司法方法进行重新明确,进而尝试着理清这些方法间的关系。依司法的不同阶段,即上述的

---

① 参见[美]本杰明·N.卡多佐著,苏力译:《司法过程性质》,商务印书馆1998 年版。

法官围绕纠纷发现真实,发现"法律",根据真实、适用法律作出合理裁判的三个阶段,我们来探讨不同阶段所采用的具体司法方法。

一、发现"真实"的司法方法

司法方法首先涉及的是事实认定问题,由此司法方法的适用首先解决的是确定解决纠纷的事实,并认定问题的真实所在。事实问题包括诸如时间、地点、气候、光线、速度、颜色以及对人之所说、所做、所听的认定,也包括对人的目的、精神状态、心理状态及知识等的需要的推断问题。裁判中认定的事实应是法律上视为"真实"的事实,也称法律事实,而这一法律事实,是法官依照诉讼程序,运用证据认定规则和一定的证明标准,主要当事人所主张的事实、提供的证据和通过对证据的听证、质证、认证后加以确认的。发现真实不仅仅是个理念问题,同时也是方法问题。从一定意义上说,方法问题更实际也更重要,能否发现真实及在多大程度上发现真实往往取决于我们的制度安排和规则设计。具体而言,法官在发现真实的过程中所运用的司法方法主要体现在有关证据认定方面。

对案件事实的认定是实现诉讼定纷止争目的的一个重要前提,但诉讼时确定的事实已成为历史事实,法官需要运用理性的逻辑思维,凭借证据进行推论即进行回溯性的历史证明。证据是诉讼开始的基础,也是诉讼继续进行的推进,还是引导诉讼走向终结的决定性因素①。诉讼中当事人履行举证责任证实自身主张、法官依法认定案件事实的程度或尺度是证明标准所要解决的核心问题。所谓证明标准是指,法官基于认定案件事实的需要借助证据

---

① 参见张卫平主编:《民事诉讼法教程》,法律出版社 1998 年版,第 186 页。

以及有关证明方式在内心深处所获得的确信程度或定案尺度①。对案件事实的证明是一个主观认识客观的过程,这种客观需要在何种程度上达到与客观存在的事实相一致,以达到诉讼证明的最低要求而符合公正与效率的司法方法论问题,也即证据制度和证明标准问题,长期以来一直是困扰我国诉讼认定案件事实、影响审判质量的一大难症。从人类社会的历史发展着眼,证据制度和证明标准的变迁大体经历了神示证据制度的神示真实、法定证据制度的形式真实、自由心证证据制度的实质真实及我国过去所倡导的客观真实等不同阶段,相应的诉讼证明标准也发生着显著的变化。

1. 神示证据制度

神示证据制度是古代奴隶制国家和欧洲中世纪前期封建制国家所采用的,具有野蛮、愚昧特征的制度。它通过对神宣誓、水审、火审、决斗等方式求助于神意,来确定案件事实的"真相"。尽管这一制度采用的是唯心主义的各种证明方法,但它能够利用当时人们的认识能力低下、信奉神灵的条件,促使人为避免遭到神灵的惩罚而如实陈述案件事实,从而有可能发现案件的事实真相。因而,对于正确断狱息诉也有一定的价值②。

2. 法定证据制度

在欧洲大陆封建君主专制政体建立后,适应当时的政治需要——强化君主的专制与集权,在诉讼上产生了纠问式诉讼以控制司法权。在此背景下形成了法定证据制度,这一制度的核心在

---

① 参见毕玉谦:《民事证据原理与实务研究》,人民法院出版社 2003 年版,第 850 页。

② 参见卞建林编:《证据法学》,中国政法大学出版社 2002 年版,第 18 页。

于,一切证据的证明力以及对证据的取舍和运用,均由法律明确规定,法官在诉讼中的自由裁量权极为有限,必须依照法律被动机械的计算和评价案件的各种证据及其证明力,并据此认定案件事实。法定证据制度下的证明标准是"形式真实",其优点是将司法活动中运用证据的成功经验上升为法律,使反映一般规律的经验法则成为普遍适用的证据规则,使证据的运用整齐划一,防止法官滥用权力。但其对证据证明力的规定过于死板,把法官评估证据的复杂工作简单化为依法加减证据的证明力,忽略了具体的个案情况,限制了法官的主观能动性,使其无法合理运用证据来认定案件事实①。

3. 自由心证的证据制度

自由心证的证据制度产生于 1791 年,至 20 世纪该制度为世界各国尤其是大陆法系国家所普遍采用。其基本含义是,法律对于证据的审查判断不作具体的规定,一种证据的证明力有无、大小以及证据的取舍和运用,由法官依据自己的良心和理性,独立的、自由的进行判断,并在此基础上形成内心确信而认定案件事实。显然自由心证的证据制度克服法定证据制度的武断、僵化,它赋予法官主观能动性,使其根据自己的理性和良心自由判断证据,认定事实。相对于法定证据制度下的"形式真实",自由心证的证据制度下的证明标准为"实质真实",强调以高度的盖然性或盖然性占优势作为形成内心确信的标准和尺度。自由心证经历了两个阶段:早期的自由心证将法官对内心裁判推向绝对化,排斥任何干涉,这必然导致法官的自由裁量权滥用;后大陆法系国家逐渐抛弃

---

① 参见李浩:《民事证据立法与证据制度的选择》,载于《法学研究》2001 年第 5 期。

传统自由心证的非理性和非民主因素,既强调法官独立判断证据的心证自由,也强调法律规则特别是证据规则对法官的制约,从而形成了现代意义的自由心证。

4. 客观真实的证据制度

我国的证据制度是建立在辩证唯物主义认识论的理论基础之上的(此处指新中国成立后。我们认为,我国在建立新中国之前,并未有成型的证据制度,因而在此不作探讨)。在建国后的很长一段时期里,我国的诉讼一直贯彻着"以事实为依据,以法律为准绳"的基本原则,法官在诉讼中要不遗余力地查明案件的一切事实,即实行的是"客观真实"的证明标准。客观真实"归根到底,就是要求司法人员的主观认识必须符合客观实际"①或者"依事物的本来面目来认识事物,使认识与对象的实际情况相符合"②。客观真实作为一种理想的价值存在,无疑具有积极意义,但这一学说是有缺陷的,其最大的问题在于过于浪漫主义而脱离了诉讼的实际。

5. "法律真实"的证据制度

20 世纪 80 年代末 90 年代初,随着我国民事审判方式的改革,基于程序正义理念和诉讼效率问题,法学界对客观真实提出了质疑:首先片面地追求"客观真实"标准,法官为保证案件事实与事实真相相一致,不管案件事实能否查清,花费大量时间调查取证,导致审判效率低下;其次"客观真实"的证明要求强调法官依职权调查取证,这会导致法官在庭审前的"先入为主",从而难以保证司法中立。基于此,有学者提出了"法律真实"的理念,指出:"相对于客观真实,诉讼中所呈现的并最终为法院所认定的事实,乃是

---

① 陈一云:《证据法》,中国政法大学出版社 2002 年版,第 28 页。

② 陈响荣等:《诉讼效益与证明要求》,载于《法学研究》1995 年第 5 期。

经过证据法、程序法和实体法调整过的、重塑的新事实。这种新事实因为不可避免地渗透了人的主观意志,因此可以称之为主观事实;又由于它是在诉讼过程中形成并成立于诉讼法上、仅具有诉讼意义的事实,因此也可以称之为诉讼事实或法律事实。"①我们认为,"法律真实"与"客观真实"之间存在着辩证统一的关系。追求客观真实是终极目标,而法律真实则是现实裁判的基础。它是从承认人们认识的有限性、诉讼证明的特殊性(即诉讼证明的对象是发生在诉讼前的案件事实,作为法官无法知悉实际发生的案件事实,而只能事后根据证据去推测、判断事实)及诉讼证明的时间的特殊性等诉讼的实际出发,是一种现实主义的真实说。在证明标准上,"法律真实"的证据制度借鉴上述自由心证的证据制度,采用的是高度的盖然性或盖然性占优势的标准。我们认为,在我国确立"法律真实"的理念及采用相应的证明标准应是一种趋势。

二、发现"法律"的司法方法

法官在具有相应的主观修养后,在运用各种司法方法进行审判之前,还明确一个客观方面的问题——法官"适法"过程中的法律渊源问题。这包括不仅仅是立法等正式渊源,其他因素比如说公共政策、判例、道德、习惯等非正式渊源也应在司法中发挥着重要的作用。

有关法律渊源,美国法理学家约翰·奇普曼·格雷认为应当从构成审判规范时所通常诉诸的某些法律资料与非法律资料中去寻找。格雷列举了五种这样的渊源:第一,立法机关颁布的法令;第二,司法先例;第三,专家意见;第四,习惯;第五,道德原则(其中

---

① 江伟主编:《证据法学》,法律出版社 1999 年版,第 117 页。

包括公共政策等）。美国法律哲学家埃德加·博登海默在此基础上将法律渊源分为两类，即正式渊源和非正式渊源。所谓正式渊源是指那些可以从官方的法律文件中以明确条款的形式中得到的渊源。所谓非正式渊源是指那些具有法律意义的资料和考虑。这些资料尚未在正式法律文件中得到权威性甚至是明文的阐述与体现。正式渊源包括宪法、法规、行政命令、行政法规、条例、自治或半组织机构和组织的章程与规章，以及条约与其他协议、司法先例；而非正式渊源则是指正义标准、推理和思考事物本质的原则、个别衡平法、公共政策、道德理念、社会倾向及习惯法等①。在我国，一般学者都认为，正式渊源包括制度法、经国家认可的习惯和国际条约。非正式渊源包括公平正义观念、法理学说、善良习俗、习惯及国家的政策等等。

在这里区分正式渊源与非正式渊源对于本书后面将要探讨的法官发现"法律"过程中的司法方法论具有很重要的意义。首先，它强调法官发现法律应首先在正式法源中去寻找，只有当在正式法源中找不到所要解决案件的法律或虽已找到，但该法律与社会所奉行的道德严重背离时，才能在非正式法源中寻找。其次它强调非正式法源对法官发现法律有重要意义。非正式法源可以弥补成文法律的空白；当我们面对个案思考共性的法律时，很可能会发现成文法律的僵硬性，运用非正式法源可以在不与法律的精神、目的和基本价值违背的前提下，对之进行补救，在一定程度上实现个案正义。下面我们就探讨一下正义之标准、判例、道德、习惯等非正式渊源在司法中的作用。

---

① ［美］E.博登海默著，邓正来译：《法理学、法哲学与法律方法》，中国政法大学出版社 2001 年版，第 414 页。

1. "正义之标准"在司法中的作用

在各法系中,尤其是英美法系,存在着很多这样的司法判例,即当实体法未授予法院以任何特殊权力去根据衡平法裁判"未规定案件"时,法院却以"自然正义和理性"为由而对新的情形予以救济。正义乃是法律观念本身的基本成分。法官必须在正义和实体法规范之间作出许多折衷和调和,即正义观念得到了司法机关颇为广泛的使用,而且在审判争议的案件中也起到了显著的作用。比如当指向不同方向并导向不同结果的两个实体法原则或两个司法先例从逻辑的角度看都可以适用于某个案件时,有关正义的考虑可以起到决定性的作用;法院在解释宪法和法规文件中含糊不清的条款时,也一直诉诸于有关正义的考虑。

2. 判例在司法中的作用

在英美法国家判例法是正式的法律渊源,而在我国并不是正式的。而目前的国内有的地方法院已经在实施"遵循先例"的原则,并且英美法系和大陆法系随着时代的发展有交融和统一的趋势。我们认为,我国应当广泛探讨引进判例法的制度,以推进司法改革的进程。当然这要在解决一些基本的基础问题的前提下,才能得以成行,例如法官本身的素质以及他们所拥有的解释权等等。一些地方法院已经推出了"遵循先例"的做法:比如在民商事审判领域开始实施"判例指导制度",即选择典型的案例判决作为判例,为法官审理案件提供借鉴和指导,今后有类似事实的案件,在适用法律以及裁量幅度上,都可参照相关判例进行判决。可以说判例是对法律最具体最生动的解释,可以帮助人们正确统一理解法律,进而保证审判活动的稳定与连贯。同时,判例给法官审理案件提供了重要的范例和参照依据,有利于防止一些法官由于经验不足或者受到外力干扰而在适用相同法律条款审理同类案件时作出差异很大甚至截然相反的判决。但是我们也得承认,判例不具有法律上的约束力,不能替代法律条文本身,而是在现有法律基础上树立起正确适用法律的"样板"。

3. 道德在司法中的作用

从法治所包含的基本成分——颁布某些作为明确标准的法律规则或原则来看,那种坚持在司法中将法律和道德明确区分开来的要求背后,存在着一定合理的价值论理念,而在司法实践中,这一要求的实现和贯彻,需要建立在法律规则和原则能够得到明确无误的阐述,从而司法机关在裁定争议时无需再依赖法律范围以外的概念的前提下。然而,数个世纪的经验告诉我们,任何司法制度都不曾也不可能达到如此之明确无误的程度。当法律出现模糊不清和令人怀疑的情形时,法官就某一种解决方法的"是"与"非"所持有的伦理信念,对他解释某一法规或将一条业已确立的规则适用于某种新的情形来讲,往往起着一种决定作用。正如曾有法官指出:法官们常常为了对道德要求作出回应而不得不在各处破例中作出让步。

4. 习惯在司法中的作用

习惯乃为不同阶级或各种群体所普遍遵守的行动习惯或行为模式。它们所涉及的可能是服饰、礼节或围绕有关出生、结婚、死亡等生活重大事件的仪式,也有可能与达成交易或履行债务有关。

一种常见的观点认为:随着法律规则的制订变得愈来愈明确,而且为立法和执法建立了日趋精干的机构,那么习惯的有效范围也就随之缩小了。然而,这并不意味着习惯所具有的那种产生法律的力量已经耗尽枯竭了,习惯仍常常以间接的方式渗入到法律领域。我们会发现,职业或商业习惯,甚或更为一般性的习惯,仍在非诉讼的情形中调整着人们的行为,而且这类习惯还在法庭审判活动中起着某种作用。法院有时也会宣称,具有地方性质的习惯可以背离和取代某一一般性的法律规则。例如,当一个法院在确定某一行为是否是疏忽行为时,法院可能必须确定理智正常的人所遵守的习惯性谨慎标准是什么。在有关渎职或不胜任某一职业的诉讼案件中,则必须注意有关适当职业行为的习惯性方式。为了确定商业法领域中的权利、义务和责任,法院就必须查明盛行于某一商业领域中的商业惯例。

5. 法律解释和漏洞补充

解决了法官发现法律的大致"场所"后,我们再来探讨法官在此过程中所运用的具体司法方法。法官在处理案件时,可能会发现正式法律中出现模糊和冲突,或者不能根据法律界定事实的法律意义,这就需要法官运用法律解释的方法;法官在处理案件时,可能会发现正式法律中没有对事实作出规定或虽有规定但规定得很不完善——存在空缺的时候法官应进行漏洞补充。

(1)法律解释

法律解释是司法中最重要的方法,在司法实践中发挥着重要的作用。王亚辛教授曾说:"事实上,无论是西方还是我国的学术界,法学的主流都是或者说应该是解释法学,应该是那种积极进取的介入影响社会、参与运作的学术态度。"①贺卫方教授说:"法律解释的过程蕴涵了法律发展的内在机理,同时保证了法律的连续性、稳定性和可预期性。法学家群体在追求利益的同时,发展出一套行业伦理准则。由于法律职业共同体构筑良好,所以,这套规则

---

① 王亚新:《社会变革中的民事诉讼》,中国法制出版社 2001 年版,"序言"第 8 页。

有很强的约束力。"①

众所周知,法律一旦制定出来具有一定的局限性,这种局限性随着法律的应用会更多地体现出来,通过法律解释可以克服法律本身的这种机械性和僵化性,才可以在共性的法律和个性的案子之间架起一座桥梁。可以说法律解释即是对法律适用的一种方式,这样促使法律会越来越完善。所以法律解释的重要性可见一斑。

法律解释是针对法律本身和事实的法律意义不清楚才使用的方法。虽然说法律解释也有一定的创造性,但是要受到原来文本的限制。虽然可以做什么扩大解释、缩小解释等等,它也是以原来的文本为基础。只有当法律本身不清楚,或者说司法者对法律的文字出现多解、歧义,或者出现对事实的法律意义存在疑义、异议时,才需要法律解释。法律解释具有各种不同的方法,主要包括文义解释、体系解释、限缩解释、扩张解释、法意解释、当然解释、历史解释、目的解释、合宪性解释、比较法解释和社会学解释等②。这里,对各种解释方法的含义不作赘述,只是强调一点:进行法律解释是,应首先是用文义解释的方法,尽最大可能在法律的可能范围内阐明法律的意义。只有当法官发现的法律明显和正义原则等相背离或者在法律的正式渊源中难以阐明法律意义的时候,才在非正式法律渊源中寻找解释。

陈金钊教授认为,法律解释的研究存在两个转向的问题:由机关解释向法官解释的转向;由独断型解释向整合型解释的转向。我们国家一直以来都是有权机关对法律负责解释,而法官

---

① 文池主编:《北大访谈录》,中国社会科学出版社 2001 年版,第 32 页。
② 参见梁慧星著:《民法解释学》第 11 章,中国政法大学出版社 1995 年版。

解释是不允许的,也根本没有这方面立法的规定,而参照西方的法律,法官就个案是可以作出解释的。按照陈教授的理解,法律解释的独断性主要表现在两个方面:一是解释主体的单一性,即主体只能是法官;二是解释的结果不应脱离文本的规范意旨。他认为在法官法律意识形成的过程中,法官应该认真地听取当事人、律师、检察官及其他诉讼参加人的意见,在各方面意义进行充分论证的基础上,找出可以被接受的意见,即解释过程应是在民主参与基础上的整合①。

(2)漏洞补充

拉伦兹说:"把注意力集中在法实务的法学,其首要任务在于从事法律解释,但其任务不仅止于此。大家日益承认,无论如何审慎从事法律,其仍然不能对所有——属于该法律规整范围,并且需要规整的——提供答案,换言之,法律必然有漏洞。"②漏洞补充是在法律规则出现空白时才使用的法律方法。在现实生活中,常常会出现这样的情况,公民的权利受到损害后,向法院提起了司法救济,但是法律对此损害并没有任何规定,这就出现了在法律出现空缺后法官该怎么审案的问题。在英美法国家以及根据法学理论而言,此时法官可以运用自由裁量权,对法律进行创造性运用,但是我国目前对此持有否定态度。我们认为,面对法律空缺或漏洞时,法官的任务就是设法去补上漏洞。此时的法官必须是具备上述主观素养的前提下,当然从直观上来看,这是与依法办事的法治原则相违背的。但是对司法实践有所了解的法学者都清楚,依法办事

---

① 参见陈金钊著:《法治与法律方法》,山东人民出版社 2003 年版,第 215—218 页。

② 〔德〕拉伦兹著,陈爱娥译:《法学方法论》,五南图书出版公司 1997 年版,第 277 页。

在许多场景下并不是直接依据成文法判案。法官判案的直接依据
是法官根据法律渊源和案件事实所构建的审判规范(或称为裁判
规范)①。裁判规范一方面体现法律的规定、精神和价值,另一方
面也体现了具体案件对成文法的反作用。在裁判规范构建的过程
中,各种司法方法都允许被运用,其中也包括对法律空缺的所谓漏
洞补充。法官对法律漏洞补充的行为带有很大的自由裁量余地,
他可以在各种非正式法源中自由确定。但是这种自由确定并不是
任意的确定,法官必须为这种确定讲清楚理由,也就是说要进行详
细的正当性的论证。如果没有这种正当性论证,法官自由裁量的
行为就可能变成任意专断的行为,法治在这一领域就可能荡然无
存②。漏洞补充方法可以使法律更细密,克服法律的静态性的
缺陷。

三、作出"裁判"的司法方法

法官在根据已经认定的事实、适用发现之法律作出最终裁判
的过程中,也涉及方方面面的司法方法问题,主要是法律推理、法
律论证及价值判断的方法。

1. 法律论证

法律论证是对法律解释、漏洞补充所确认的作为法律推理大
前提的法律的正当性所作的说明。王晨光教授说:"众所周知,不
同的人对于同一或相同事物的判断常常会得出不同的结论。因
此,推理应当考虑的一个主要问题就是有没有保证推理结果正确

① 参见陈金钊:《论审判规范》,载《比较法研究》1999 年第 3 期。
② 参见陈金钊著《法治与法律方法》,山东人民出版社 2003 年版,第 219—
223 页。

无误的规则和程序。一般认为,这种规则和程序由形式逻辑和辩证逻辑来确定。但是,这种逻辑规则就不能自动的保证推理的正确性。"①法律推理并不能证明作为大前提的法理的正确性。这一任务就落到了法律论证身上。

按照哈贝马斯的说法,法律论证的过程是一个协商对话的民主式活动。在论证过程中,当事人、律师(或其他代理人)和检察官都应有充分的发表意见的机会,而法官对这些建议应认真听取,并进行整合,尽量寻求各种参与主体的一致性。法官在寻求一种可以接受的最好的判决答案时,应遵循论证法律的合法性、客观性和合理性原则,且这几个原则应是依次递进的,首先是合法性论证,然后是客观性论证,最后是自然法学所倡导的理性对所论证的法律进行修正,以避免法律僵化和机械,从而达到公平的结果。法律论证的内容可以体现在判决书的说明理由部分。具体的论证的方法多种多样,既可以运用公平正义观念,也可以运用科学道理。当然在法治原则下,更主要的是应用法学原理、法律价值和法律精神。

2. 法律推理

法律推理是司法过程中必须应用的一种方法。这是西方学者常兴不衰的一个话题。有些学者对法律推理作了比较宽泛的解释,认为司法活动中的推理形式都是法律推理;而另一些学者认为并非所有的推理都是法律推理,应该把法律推理与司法活动中所有推理形式区别开。另外还有一部分学者把法律推理与法律解释、漏洞补充放在一起进行研究,把法律推理分为形式推理与实质推理。用实质推理把法律解释、法律论证、价值衡量等法律方法一

---

① 王晨光著:《法律推理》,清华大学当代中国研究中心、中国人民大学法律社会学研究所印,第5页。

网打尽。我们认为都有所不妥，不利于对司法方法进行深入研究。法律推理并不是指任何推理在法律领域中的运用，它仅意味着只要是法律推理，大前提必须是法律。

英国法学家拉兹把法律推理分成两类：一类是有关法律的推理即确定什么是可以适用的法律规范的推理；另一类是根据法律的推理，即根据既定的法律规范如何解决问题或者纠纷的推理。从广义来讲，法律推理的方法运用于司法的每一过程中，包括上述的法官发现法律的过程，而在这里我们所探讨的是法官已经发现的"法律"如何解决问题或者纠纷，并作出最终裁判的推理。

博登海默将法律推理分为"分析推理"和"逻辑推理"。分析推理意指解决问题时所运用的演绎方法、归纳方法和类推方法。最简单的法律推论形式就是用简单的三段论方法进行推理。需要指出的是，法律推理只能是三段论式的演绎推理。但也有学者有不同的意见①，就是以法律作为大前提，以事实作为小前提的三段论的推理过程。这一过程解决的就是判决的合法性问题②。当然有些学者说运用三段论式的推理也不会避免有冤假错案的发生，如果我们排除法官的枉法裁判的话，运用三段论判错案件，实际是发现法律、解释法律和论证法律的错误，也即法官等构建三段式的

①　张保生博士也说："在司法审判中，法官和律师都不是简单、死板固守一种推理方法，而是根据案件和审判发展的需要，不断地变换使用多种多样的推理方法，即使在不同的法系中，各种推理方法也常常是相互结合使用的。"（张保生：《法律推理的理论与方法》，中国政法大学出版社2000年版，第240页。）

②　王晨光教授曾说："法律推理是人们解决具体问题和纠纷的过程中，适用法律规范，查证事实情况和未作出具有说服力的法律结论所进行的合乎逻辑合情理的思维活动。"（王晨光：《法律推理》，清华大学当代中国研究中心、中国人民大学法律社会学研究所印，第5页。）

法律推理的大前提错误,而不是法律推理方式的错误①。运用司法方法对作为个案的大前提的法律进行充分的论证,是解决法律是否正确的有效途径,如果法官对于司法方法有娴熟的掌握,并加以正确的应用,在个案中可以找到正确的答案。法治在技术上就是靠三段论来支撑的。在英美法系,有"法官造法"之传统,因而归纳推理方法在司法中被广泛运用。在某些案件中,法官会发现没有任何法规或其他既定规则可以指导他的审判工作,但他却能够在对一系列具有先例价值的早期判例所进行的比较工作中推论出可能使用的规则或原则。此时,法官便是在运用归纳推理方法从特殊事例中推论一般性规则。与演绎推理和归纳推理相比较,类推可以被描述为从一种特殊到另一种特殊的推理,亦就是把一条法律规则扩大适用于一种并不为该规则的词语所涉及的、但却被认为属于构成该规则之基础的政策原则范围之内的事实情形。按照亚里士多德的观点,辩证推理乃是要寻求一种答案,以对在两种互相矛盾的陈述中应当接受何者的问题作出回答。在司法中,法官在解决争议时有必要运用辩证推理的情形主要有三种:(1)法律未曾规定简洁的判决原则;(2)一个问题的解决可以适用两个或两个以上相互抵触的前提,但必须在它们之间作出真正选择的情形;(3)尽管存在着可以调整所受理的案件的规则或先例,但是法院在行使其所授予的权利时考虑到该规则或先例在此争议事实背景下尚缺乏根据而拒绝适用它的情形。在上述情形中,法官不能通过分析推理的方法解决问题,而必须通过对话、辩论、批判性探究以及为维护一种观点而反对另一种观点的方法来发现最佳

---

① 参见陈金钊著:《法治与法律方法》,山东人民出版社 2003 年版,第 210—215 页。

的答案。由于不存在是结论具有确定性的无可辩驳的"首要原则",所以我们通常所能做的就只是通过提出有道理的、有说服力的和合理的论辩去探索真理。

3. 价值判断

价值判断是各种司法方法中的最高境界,但也是应该经过慎思后才能运用的方法。根据汉斯·凯尔森的观点,依据一有效规范对一事实行为所作的应当是这样或不应当是这样的判断,就是一种价值判断①。当法官在未规定案件中创制新的规范或废弃过时的规则以采纳某种适时规则的时候,价值判断在司法过程中会发挥最大限度的作用。在这类情形中,法官在权衡诉讼过程中所具有的利弊时运用的辩证推理,往往缺乏相对的确定性,有时还缺乏演绎、归纳和类推等推理形式所具有的那种无可辩驳的说服力。简而言之,在不受先已存在的规范和原则指导的相互冲突的利益间进行选择,就需要进行价值判断。格梅林说:"表现司法决定和判决中的国家意志就是以法官固有的正义感为手段来获得一个公正的决定,作为指南的是对各方当事人利益的有效据量,并参照社区中普遍流行的对于这类争议的交易的看法。"②可作为判断的价值很多,如公平、正义、自由、民主、人权、安全、秩序、效率等。价值判断的方法被有些法学家称为黄金方法。这种方法如果运用得当,可能是各种方法中最好的。但由于它的运用增大了法律的不可预测性,因而在法治原则下,它只能是一种谨慎使用的方法,也即只有在按照法律办事出现判决结果与社会所奉行的正义有严重

---

① 转引自[美]E.博登海默著,邓正来译:《法理学、法哲学与法律方法》,中国政法大学出版社2001年版,第502页。

② 参见[美]卡多佐,苏力译:《司法过程的性质》,商务印书馆2000年版,第45页。

冲突的时候才使用的一种方法。

　　司法执行的方法有行政的方法、司法的方法和民间调解的方法，不能一一例举。

第六章　司法价值

司法价值是指当今中国的司法性质、属性和作用。司法价值主要有宪法政治、秩序、正义等三种。

司法是人民民主专政，司法首先限制国家权力、科学配制国家权力资源、保护公民权利的宪法政治，或"良政"。以公民权利为基础，司法独立等原则均可包括在宪政价值中。

秩序是法律制度的形式结构，特别司法程序和司法方法的本质。在当今中国，秩序是对司法的判断标准和司法行为的根本目的之一。

正义关注法律规范和司法制度安排的内容对人类的影响以及他们在增进人类幸福与文明建设方面的价值。司法以"秩序"为出发点，从"效率"走向"公平与正义"是当今中国司法的指导思想和发展规律。

第一节　宪法政治

司法权是国家权力，司法是宪法政治的一部分，在中国是人民民主专政的一部分。因此，司法体现的第一个价值是限制国家权力滥用、保护公民权利的宪法政治或"良政"。

在司法过程中，权力与权利谁为第一性？两者关系如何界定？

司法制度怎样反映权力与权利的实际状况？对这三个问题,学者们见仁见智,莫衷一是。

韦伯把权力定义为:"处于社会关系之中的行动者排除抗拒而使其意志得到实现的可能性,而不论这种可能性的基础是什么①。"人的社会行动总是基于一定的主观意图,没有任何一个人会成为没有自己主观意图取向的、绝对服从他人意志的工具。但是,在社会生活中又的确存在这样的情况:一个人在遭到别人反对的情况下仍然具有某种以其意志左右他人行为的能力。权力所涉及的范围非常宽泛,既可以指家庭中家长对子女的管教,也可以指任何一个组织中上级对下级的命令。与"权力"相对应,韦伯还引入了一个"服从"(obedience)的概念。韦伯认为:"服从命令的动机……可能基于各种不同的考虑,从简单的习惯性反应直到最纯粹的理性的利益权衡。"②

从权力、服从这一组概念中,我们发现:在韦伯那里,权力不是一种单向作用的力(force),而是一种"关系"(relation)。这种关系是由具有主观意义取向的社会行动建构起来的。无论是行使权力的行为还是服从权力的行为,都是行动者有意识的"选择",而不是完全被动的接受。在这一点上,韦伯的观点与齐美尔的观点十分相似。齐美尔在分析"统治"这一概念时,提出了"主宰"(subjectivation)和"臣服"(subordination)这样一对范畴③。他认为:"主

---

① Max Weber, Theory of Social and Economic Organization, Glencoe, Ill.: Free Press, 1949. p. 324.

② Max Weber, Economy and Society, 2 vols, edited by Guenther Roth and Claus Wittich, Berkeley: University of California Press, reissue, 1978. vol. I, p. 53.

③ G. Simmel, On Individual and Social Forms, edited by D. Levine, University of Chicago Press, 1977. pp. 96—120.

宰"和"臣服"中都包含了一定的"自由"因素。这种"自由"就是
康德所称的意志自由。当把权力落实到司法领域就是法律理性统
治(简称法理型统治)。法律理性统治的基础是一套内部逻辑一
致的法律规则以及得到法律授权的行政管理人员所发布的命令。
它不依赖于与个人有关的身份或属性,是一种"非人格化"的统
治。这种统治形式在现代西方社会已经取得了支配性的地位,它
的最明显体现就是所谓的"法治国"(Rechtstaat)理想。使法治得
以有效的维持的是这样一套相互关联的信念:(1)适用于某一特
定社会群体的法律体系,或是经由全体社会成员的一致同意而产
生的,或是由一个为社会成员所认可的权威机构发布的,这套理性
的法律体系会得到全体社会成员的遵从。(2)任何法律都具有抽
象的、一般化的特性,并不指涉具体的个人或群体。社会管理围绕
着法律的制定、维护和执行而展开。立法机构负责制定适用于整
个社会群体的一般性规范,为社会成员的行为和社会关系的建构
提供一种基本的导向;司法机构负责在具体案件中纠正偏离法律
秩序的行为,从而使基于法律的社会秩序得以保持稳定;而行政机
构则依照一套既定的规则实施对社会的日常管理。(3)法律成为
一个高度分化的社会系统,独立于政治、宗教和其他社会领域。法
律职业者受过专门的职业训练,组成自治的职业共同体;法律知识
高度抽象化和概括化,成为一种只有专家才能掌握的专门知识;法
律实践必须由专家来进行,非专业人士受到资格条件和知识本身
的双重限制,无法涉足法律实践活动。(4)不仅法律实践活动具
有上述特点,整个社会的日常管理都进入一种技术化、非人化的状
态。管理人员都由受过专门训练的人士充当,严格按照规则办事,
不受个人心理因素的影响。从中我们不难看出韦伯的权力观点的
核心是建立在权威、秩序的基础上的,通过赤裸裸的暴力或建立

在宗教基础上的理性权威抑或个人魅力及传统伦理,确立一种有权威的秩序为社会行为确立法则。这就是以权力观点为核心研究对象的权力体系的本质。通过研究法学的历史,我们发现整个东方社会的统治,就是建立于此基础之上的,并拥有一整套的哲学、政治学、社会学予以搭配。然而随着人类社会的发展,权力不断演化,实现由神权到王权到人民主权的进步,以权力作为主要研究对象的观点,不断被以权利作为主要研究对象的观点所取代。

权利是一种观念(idea),也是一种制度(institution)。当我们说某个人享有权利时,是说他拥有某种资格(entitlement)、利益(interest)、力量(power)或主张(claim)。一项权利之形成,首先是对作为权利内容的资格、利益、力量或主张所作出的肯定评价,即确信他们是"应有的"、"应得的",于是才有要求别人承担和履行相应义务的理由①。

夏勇教授在其著作《走向权利的时代》中阐述了"权利本位"的观点②。"权利本位"简明地表达了"法是(应当是)以权利为本位"的观念。"权利本位"和"义务本位"是在讨论"法的本位"的过程中引出的概念组合。"法的本位"是关于在法这一定型化的权利和义务体系中,权利和义务何者为起点、轴心或重心的问题。"权利本位"是"法以(应当以)权利为其起点、轴心或重心"的简明说法,"义务本位"是"法以(应当以)义务为其起点、轴心或重心"的简明说法。"权利本位"观念的具体表述是各种各样的。此处

---

① Habermas, J., The Theory of Communication Action, vol. II Lifeworld and System, Boston, Mass.: Beacon Press, pp. 356—73.

② 夏勇:《走向权利的时代》,中国政法大学出版社 2000 年版,第 2 页。

摘引几段论述为例。"在商品经济和民主政治发达的现代社会,法是以权利为本位的,从宪法、民法到其他法律,权利规定都处于主导地位,并领先于义务,即使是刑法,其逻辑前提也是公民、社会或国家的权利。"①"权利构成法律体系的核心。法律体系的许多因素是由权利派生出来的,由它决定,受它制约。权利在法律体系中起关键作用。在对法律体系进行广泛解释时,权利处于起始的位置:权利是法律体系的主要的和中心的环节,是规范的基础和基因。"②"权利是在一定社会生活条件下人们行为的可能性,是个体的自主性、独立性的表现,是人们行为的自由。……权利是国家创制规范的客观界限,是国家在创制规范时进行分配的客体。法的真谛在于对权利的认可和保护。"③

张文显教授的权利本位观点是这样讲述的。法在本体上是以权利和义务为基本粒子构成的,法的全部运行过程是以权利和义务为轴心的,法的价值是通过规定和保障权利和义务来实现的。因而,权利和义务是法学的分析单元,法学要实现科学化、现代化、实践化,必须以权利和义务为基石范畴重构其理论体系。前资本主义法是义务本位法,资本主义法是权利本位法,社会主义法是新型的权利本位法,从义务本位到权利本位是法的发展规律。权利本位的哲学基础是辩证唯物论,道德基础是承担和履行义务必须以享有权利为前提,经济基础是商品经济和市场经济的自由竞争、平等交易和利益机制。法治是有特定价值基础和价值目标的社会生活方式,法治社会是民主、自由、平等、人权、理性、文明、秩序、效

---

① 夏勇:《走向权利的时代》,中国政法大学出版社 2000 年版,第 32 页。
② 同上书,第 46 页。
③ 同上书,第 52 页。

率与合法性的完美结合。由科学精神、市场观念、契约观念、权利义务观念、平等自由观念和公民意识为要素的理性文化是法治的文化基础,现代民主政治是法治的政治基础,商品经济是法治的经济基础。开展理性文化的启蒙教育,推进民主政治建设,发展社会主义市场经济是中国步入法治社会的必由之路①。

对司法制度的研究也因对思想基础体系即权力和权利的认识不同而不同。思想基础体系侧重于权力的学者主张权力的制约与分立,因此具有很强的现实主义色彩;而侧重于权利的学者则主张以制度立国,建设法治国家,限制国家权力,保护私权利,因此具有一些理想主义的色彩。通过进一步研究总结,我们发现对司法制度的研究包括制度的架构和制度的改进,制度的架构主要是为一些过去没能纳入制度的行为建立一些规则,司法的一个重要作用就是规则化。制度作为人类相互交往的规则,抑制着可能出现的机会主义行为。它的形成主要有两种形式:内在制度和外在制度。我们有时不得不问这样一个问题:制度何以产生? 有学者认为,制度产生的一种途径是通过长期的经验。例如,向约见的人问好的习惯可能被证明是有用的,有用的规制如果被足够多地采纳,从而达到一定的临界点,该规则于是就成为一种传统而长期保持下去,并被自发地执行和模仿,这就是"内在制度"(internal institutions)。内在制度是从人类的经验中演化出来的。还有一种制度却因设计而产生,通过自上而下地执行,这就是"外在制度"(external institutions)。外在制度通过国家的强制力来贯彻和实施。内在制度和外在制度的区别与规则的起源有关。礼貌是内在制度的例子,法律、法规则是外在制度的例子。但是内在制度

① 参见张文显主编:《法的一般理论》,辽宁大学出版社 1988 年版。

和外在制度并不是泾渭分明的,它们之间有着千丝万缕的联系。当一项经验被一定数量的人认可,达到临界点时,该经验就演变为一项内在制度,如果权力机关对此加以强制并演绎成文化,它就成了一项外在制度。例如,中国共产党领导司法工作,获得了大量的执政经验,有条件进一步规范为成文的外在制度,所以当前我国有不少学者都在研究将党组织的行为纳入制度中来,将党组织的行为由纯粹的经验似的内在制度进一步规范为成文的外在制度。

在现代生活中,权力被延伸,扩展为一个人依据自身的需要,影响乃至支配他人的一种力量[①]。权力客体在行动选择上的任意自由受到权力主体的控制,即虽然在某件事上有若干种的行动可能性,权力主体排除其他的可能性,只要求按其允许的形式行事[②]。由此可见,权力有如下几种性质:社会性,非对称性,强制性。在法律中,对权力的认识更多的是从公权力的角度来定义这个概念(下文论述中所指的权力是指狭义上的权力)。公权力是指以维护公益为目的的团体及其责任人在职务上的权利,是基于社会公众的意志而由国家机关具有和行使的强制力量,其本质是处于社会统治地位的公共意志的制度化和法律化(public power or state power),即国家权力或公共权力的总括,它可以具体分解为立法权、司法权、行政权、军事权、监督权等等。

权力之所以具有这样的性质和分类,西方的自由主义理论的论述是比较透彻的。人类自其诞生起就过着群居生活,人的社会

---

① 格思和米尔斯合编:《马克斯·韦伯文选》,牛津大学出版社 1940 年版,第 180 页。

② 莫里斯·迪韦尔热:《政治社会学》,华夏出版社 1987 年版,第 116 页。

性是与生俱来的。在群体中,必须要有一定的秩序和群体意志的形成机制以维护群体的存在和群体利益的实现(也就是公益的实现)。这既是个体自由和利益达成妥协与让步的结果,也是必须如此的自然选择。单个的人,无论是现在还是过去在面对浩瀚的宇宙、多变的自然界时,他的力量始终都是微不足道的。只有结成群体以群体的力量去面对外界的挑战才有生存的可能。社会的存在是人类的存在和人的个体存在之前提,所以当社会存在受到挑战时,必然要求赋予社会存在维护者一种强制力来进行制止并要求社会成员服从之。权力的理念因此应运而生,它的内容和具体形式也随着人类社会的进步在不断地变化和丰富着。所以,权力的首要价值取向就是权威,虽然它表现为权力客体对权力主体的服从,但却不是因为服从而有权威,而是因为有对服从的认同。权力是个人自由之间彼此妥协的结果,但不是否定的结果,维护公益的效果最终还是要体现在个体身上,所以尊重个人自由是权力得以存在的前提,否定之也就否定了自己。权威的来源不是其他,而是"人"对这种个人与社会之间合理关系的认同和尊重。具体的人也许从未认识到这一点,也许认识有偏差但却永远不能完全地无视和背弃它。由此派生的权力第二个价值取向是秩序,人的社会不是简单的人的个体累加的集合而是一个系统。既然是系统,就必须有规则、有秩序,因而作为社会整体利益的代表者必然义不容辞地承担着制定并维护社会秩序的任务。

在法律上,权利是指法律赋予人们享有的某种权益的可能性,表现为一定的权利的主体有资格作出一定的自由选择和自由行动。权利和自由联系在一起,享有某些权利,就意味着享有某种自由。权利是社会经济结构所内含的社会关系应然模式在主体行为自由方面的表征,并由道德、法律等社会规范体系所确认和保障,体现为法律化了的利益①。任何权利都意味着一定主体的个人在一定的范围内享有表达自己意志的自由和有机会、有条件实现自己行为的自由。没有这种自由，就根本没有权利的存在。而作为主体的个人有多大的机会与条件去表达自己的意志并实现自己的行动，则需要社会的认可，而这种认可就表现为个人的权利，每个人所获得的认可交织在一起，就是社会的权利关系。可见在权利身上所体现的是自由与社会公认的交织。权利本身属性就决定了它的第一价值取向是自由。无论是在什么样的文化传统中生活的人，都有着人之所以为人的并且因此是相同的欲求、需要和愿望，都要过社会生活。不论文明或文化把生活于其中的每个人塑造成或者想塑造成什么样子，但是最终改变的只是欲求、需要和愿望的表现形式和相关的社会制度，而不是欲求、需要和愿望本身。尤其是其中所蕴涵的人所固有的尊严和价值，人之作为人的本性。如果一种社会制度或一种文明有能力把所有的人变成非人，那么它自身就不可能延续。所以，作为权利内容的资格、利益、力量或主张最终是基于作为社会存在物的人的特性，或者说，人的权利的最终基础是人的本身②。而对这些欲望、需要、愿望、资格、利益、力量的终极抽象就是人的自由。不断地实现人的自由是人类社会永不终止的旋律。当然，人性不等于人的动物本能，人的自由还是要通过社会正义来体现和维护。个人利益的实现取决于他人的尊重和承认，取决于社会的尊重和承认，只有带有正义色彩的个人利益才能得到他人和社会的认同，所以权利的第二价值取向是正义。尽管社会正义本身也是历史的、变动的，而且人们可以根据体现和

①　参见 M·Winston, Philosophy of Human Right, (New York, 1989).

②　夏勇：《走向权利的时代》，中国政法大学出版社 2000 年版，第 17 页。

维护人的尊严和价值的程度来对不同时代、不同文明传统的社会正义作出优劣评价,但不要忘记,每个时代、每种文明传统里的社会正义都是人类的,都包含着或在最低限度的意义上包含着为人类所共有的普遍道德原则,如行善、敬老、礼貌、公平、抚幼、诚实无欺、取财有道等。这些道德原则无疑是品评正义的永恒的根基①,至于具体时空中还有哪些具体正义标准,则要取决于具体的人根据具体条件作出判断。权利的正义价值取向也体现了自由与权力相协调这一规律中关于个人利益与社会利益的平衡的原则。一个社会或文明的正义标准的确立和维护,往往最终都要取决于公权力的支持,以公权力赋予其在物质上和制度上真正的保护和救济。

与此同时,权力和权利都指向利益,利益的法律形式就是权力和权利。利益的资源的稀缺性和特定时期内的量值的恒定性,必然导致权力和权利的对立性。即权力的扩张,必然以权利的萎缩为代价;反之,权利的扩张,必然以权力的萎缩为代价。这就是权力与权利的守恒定律。在争夺利益这点上,国家权力是强者,公民权利是弱者,孰轻孰重,自有结论。

综上所述,权力与权利体现了权威、秩序、自由、正义、利益等若干价值,限制国家权力滥用和保护公民的权利,是宪法的政治基本原则和主要内容,权力和权利之间是辩证统一的关系,我们的制度包括司法制度也就建立在这样的基础之上。司法的现代化,在某种意义上说就是在司法领域中对权力和权利的价值取向体现关于质的规定性,两者的辩证统一关系则是对如上价值体现关于量

---

① 夏勇主编:《走向权利的时代》,中国政法大学出版社 2000 年第 1 版,第 17 页。

的合理分配要求。

有人甚至是相当数量的学者和司法官员主张"司法权独立"是我国目前司法改革的目标,也许可以认为司法权独立是司法价值之一。我们对此不敢苟同。第一,国家立法权、行政权、司法权的关系,即国家权力分工与制约是宪法政治的重大问题,因此,宪法政治的"良政"价值可以概括司法权的地位问题。第二,如果国家的其他权力能够以某种形式和司法权一起共同保护公民权利,岂不是更好的一件事情。第三,以目前的中国国情,特别是司法官员的素质和公民社会的软弱,提出司法独立不利于公民权利的切实保护。第四,中国共产党坚持"三个代表"的重要思想,坚持为民执政、和谐发展的路线,党对司法工作的领导能够限制国家权力对公民权利的强势地位。

第二节　秩序与正义

一、秩序是司法的基本价值之一

秩序是法律制度的形式结构,特别是司法程序和司法方法的本质之一。一般而言,秩序指的是在自然进程和社会进程中都存在着某种程度的一致性、连续性和确定性。另一方面,无序概念则表明存在着断裂(或非连续性)和无规则性的现象,也即缺乏智识所及的模式——这表现为从一个事态到另一个事态的不可预测的突变情形①。历史表明,凡是在人类建立了政治或社会组织单位

---

① Iredell Jenkin, "Justice as Ideal and Ideology," in *Justice*(NOMOS vol, VI), ed, C. J. Friedrich and J. W. Chapman(New York, 1963), pp. 204—209. 该文对秩序和无序的概念作了极为精彩的分析。

的地方,他们都曾力图防止出现不可控制的混乱现象,也曾试图确定某种适于生存的秩序形式。这种要求确立社会生活有序模式的倾向,决不是人类所作的一种任意专断的或"违背自然"的努力。

尽管存在着与主张行为受法律控制和社会生活受规范调整的概念相反的意见,但是对于历史的研究似乎可以表明,有序生活方式要比杂乱生活方式占优势。在正常情形下,传统、习惯、已经确立的惯例、文化模式、社会规范和法律规范,都有助于将集体生活的发展趋势控制在合理稳定的范围之内。古罗马人用"只要有社会就会有法律"这样一句格言概括了社会现实的这个方面。然而,以为彻底消灭国家或其他有组织的政府形式便可以在人们之间建立起不受干扰的和睦融洽的联合,乃是完全不可能的。不无遗憾的是,人类事务中的秩序并不是自动生效的。即使我们假定绝大多数人在本质上是关心社会的和善良的,但社会中毕竟还会有少数不合作的和寻衅的人,而对付这些人就不得不诉诸强力作为最后的手段。少数不安定的或刑事上的因素,能够容易地就把社会搞乱。新近统计数据表明,高度的经济繁荣——无政府主义者把它设想为他们的理想社会的基础——本身并不能自动解决犯罪问题。无论经济状况如何,"人必然是服从感情的"①,甚至智力正常的合乎情理的人,在不可控制的冲动迷惑下,也可能会作出社会所不能容忍的某种行为。在法律实施领域以外,那种认为"所有权力都同样不具有合法性"②的观点,并不能使一个社会妥善应付许多其他的工作,而履行这些工作则是该社会的成员或其工作机构所

① Benedict Spinoza, *Tractatus politicus*, R. H. M. Elwes(London,1895),ch. i. 5.
② Robert Paul Wolff, *In Defense of Anarchism* (New York, 1970), p.19.

义不容辞的责任。例如,在管理政府部门和生产企业时,权利的行使与命令的发布有时则是保证获得有效结果所必要的。

此外,我们也不能假定,一种建立在无政府主义自由形式基础之上的社会模式,会给人们的生活和工作带来机会与条件的平等①。有大量的历史证据证明,缺乏有组织的政府或者政府软弱无力,都极容易产生等级森严的科层统治或经济依附的状况。例如,在后古与中世纪初叶的某些时期,近似无政府状态的盛行,导致形成了社会制度的封建形态。而在这种社会形态中,社会地位较低的等级所享有的自由则是极为有限的。坚定的无政府主义者可能会回答说,这种现象应当归咎于遥远过去的特殊的社会偶然性,而且人们已能够通过旨在改善人的本性的深思熟虑的政策而事先防止这些现象的再发生。但是,在人类历史发展至此的这个时刻,要证明上述希望是否有根据,则是极为困难的。

社会生活中与无政府状态完全相反的情形乃是这样一种政治制度,在这种政治制度中,一个人对其他人实施无限专制的统治。如果这个人的权力是以完全专制与任意的方式行使的,那么我们所面临的就是纯粹的专制政体现象,而纯粹的专制君主是根据其自由的无限制的意志及其偶然兴致和一时的情绪颁布命令和禁令的。另外,历史上记载的大多数专制主义形式,并不具有上述纯粹专制统治的一些极端特征,因为一些根深蒂固的社会惯例或阶级习惯一般还会受到专制君主的尊重,而且私人间的财产权与家庭关系通常也不会被扰乱。再者,一个具有无限权力的政府,也可以通过宣布至少阐明的政府政策的基本目的的政治意识形态而为其

①　是 proudhon 给出这一假设的,Pierre-Joseph Proudhon, *What Is Property*, transl. B. R. Tucker(Princeton, 1876), p.41。

行动提供某种方向。然而,这种意识形态框架所提供的官方行动的可预见性程度,却可能是极为有限的。从社会学的角度来看,把越来越多的、模糊的、极为弹性的、过于宽泛的和不准确的规定纳入法律制度之中,无异于是对法律的否弃和对某种形式的专制统治的肯定。这种状况必定会增加人们的危险感和不安全感。然而,有一种方法可以预防这种专制状况的发生,而这就是法律方法即司法方法。法律在本质上是对专断权力的行使的一种限制,因此它与无政府状态和专制政治都是敌对的。为了防止为数众多的意志相互抵触的无政府状态,法律限制了私人的权利,为了防止一个专制政府的暴政,法律控制了统治当局的权力,法律试图通过把秩序与规则性引入私人交往和政府机构运作之中的方式而在极端形式之间维持一种折衷和平衡。而法律秩序中的规范和事实这两个方面,是互为条件并且是互相作用的。这两个要素是缺一不可的,否则就不会有什么真正意义上的法律制度。如果包含在法律规则部分中的"应然"内容仍停留在纸上,而并不对人的行为产生影响,那么法律只是一种神话,而并不是现实的。另一方面,如果私人与政府官员的所作所为不受符合社会需要的行为规则、原则或准则的指导,那么社会中的统治力量就是专制而不是法律①。因此,规范性制度的存在以及对该规范性制度的严格遵守,乃是在社会中推行法治所必须依凭的一个不可或缺的前提条件。

因此我们可以说,法律制度乃是社会理想与社会现实这两者

---

① Krl Llewellyn 在其所著的 Bramble Bush (New York, 1930)第一版的第 12 页中指出,法律官员们"就争议所做的事,在我看来,本身就是法律"。但是,在此书的后来的版本(New York, 1951)的第 9 页中,他修正了这一观点,因为他认识到,在努力阻止专断的和压制的行为的方面,这个观点并不能够适当地考虑到那些旨在规制和控制官方行为的标准和规范。

的协调者。通过法律制度的规定,达到立法者所需要达到的秩序。不同的民族、不同的时期运用各种司法方法所追求的秩序是有所不同的。秩序的不同,也表明了各个国家运用各种司法方法的不同,比如说专制统治者所运用的是以一种暴政达到其所追求的秩序,而进入近现代以来的世界多数国家,用所推崇的无罪推定原则达到了运用司法方法的高级阶段,即除了对于大多数人所自觉遵守的秩序之外,追求人的价值、人的平等博爱和社会正义。

司法方法的秩序目的所关注的乃是一个群体或政治社会对某些组织规则和行为标准的采纳问题。这些规则和标准的目的就是要给为数众多的却又混乱不堪的人类活动提供某些模式和结构,从而避免发生失控的动乱。按照这样的理解,秩序所关注的乃是社会生活的形式而并不是社会生活的实质,我们必须认真地发挥法律的秩序作用,以防有人采用专断的和完全不能预见的方法去对待人们,因为这些方法必定会对社会生活产生令人不安的影响。然而,我们也必须认识到,采纳那些给人们的预期提供一定程度的安全保障的颇有条理并且界定精准的规则,并不足以创造出一个令人满意的社会生活样式。事实的确如此,其原因主要在于消除人际关系中的随机性并不能够为人们在预防某个政权运用不合理的、不可行的或压制性的规范方面提供任何保障性措施。一个国家完全可以实施这样的一种秩序,选举法官的根据是他们所拥有的财产的数量多寡,或者在这一制度中,行贿受贿与欺诈会得到奖赏,而诚实正直则会受到禁止。一个政府也可能会把一些明确表述并且公正执行的有关剥夺权利和取消资格的规定适用于某个不受欢迎或失宠的少数民族。

当前我国的司法改革已经注意到制度建设,虽然有"法律移植"和"本土生成"等学派之争,但从形式上说,司法制度建设正是司法中的秩序价值的具体体现。

二、正义是司法基本价值之一

司法的"秩序"价值要求我们强调司法制度建设,"秩序"价值向前走一步就是"正义"价值。司法秩序和司法制度建设把我们的注意力转到了作为规范大厦组成部分的规则、原则和标准的公正性与合理性之上,正义所关注的是法律规范和制度性安排的内容、它们对人类的影响以及它们在增进人类幸福与文明建设方面的价值。从最广义和最为一般的意义上来讲,正义的关注点可以被认为是一个群体的秩序或者是一个社会的制度是否适合于实现其基本的目标。对于每个人以其应得的东西的意愿乃是正义的一个重要的和普遍有效的组成部分。没有这个成分,正义就不可能在社会中盛行。恰如亚里士多德所证明的那样,正义乃是一种关注人与人之间关系的社会美德。"正义本身乃是'他者之善'或'他者之利益',因为它所为的恰是有益于他者的事情。"①为了有效地发挥作用,正义呼吁人们从那些惟一只顾自己利益的冲动中解放出来。然而很明显,仅仅培养一种公正对待人和关心他人的精神态度,其本身并不足以使正义处于支配地位。推行正义的善意,还必须通过旨在实现正义社会的目标的实际措施和制度性手段来加以实施,也就是说通过各种司法方法来达到社会正义。由于正义概念关系到权利、要求和义务,所以它与法律观念有着紧密的联系。社会正义观的改进和变化常常是法律改革的先兆。当

---

① *Nicomachean* Theologica, transl. H. Rackham(Loeb Classical Library ed. , 1947), Bk. V. i. 17;又见 Plato, *The Republic*, transl. A. D. Lindsay (New York, 1950), BK. I, 341—342.

18 世纪的欧洲普遍得出这个结论——即使用严刑迫使人们供认所被指控的罪行是非正义的时候,人们便发动了一场运动,要求通过一项赋予反对自证其罪的特权的法律,而这一场运动最终也获得了成功,即国际法中反对自证其罪的原则,以及罪刑法定和无罪推定原则。

正义是一个古老而又现实的司法价值。

正义[Justice]通常被认为是法律应努力达到的目的的道德价值。正义要求人认识到自己的行为受法律约束。正义是指法律上的善良和行为标准尺度或准则,可以根据正义对行为进行评论或评价。法律同正义之间的密切关系可以从下列头衔、名称和短语中反映出来:最高司法官、法官先生、法官、法院、执法、公正的规定等等。正义可区分为社会正义、政治正义、经济正义、道德正义和法律正义。

法律对正义的实施并不是必不可少的。首先,法律正义需要有一个法律制度,并按预先规定的和公众周知的原则与规则为正义之行为,从理论上讲,为了达到正义目的,法律体系必须是普遍通用的,而且有能力为任何可能需要裁决的争议的判决提供规则,即使是这个"法官只做他认为正确的"规则;其次,法官和法院根据事实并按照正义的要求裁定个别争议就能够得到争端中的正义。当然,法官不能以没有适当的法律为由拒绝裁判。因此,每个法律体系必须为意外事故作出规定,并在适当的情况下为建设性的司法事业留下余地。

这样,正义一般可以司法方式实现,即通过把这个责任委托给经挑选的、有知识、有经验、公正无私并永久专门从事裁判争议问题的人来实现。这种方式的优点是法官根据经验、所受的训练和习惯,尽力公正地发现和适用一般规则,他们的裁判是公开的,而且可以对此裁判上诉、进行公开评论和专门监督与批评。总的看来,司法正义将合理的确定性和法则的可预见性与适度的自由裁量相结合,这种形式优于实施正义的其他任何形式。

在法理上说,正义分为实体正义和程序正义。程序正义一般而言,就是《牛津法律大辞典》所说的"公平"。

公正[Impartiality]是公平的一个方面,普遍认为是法官和执法者所应具有的品质。它意味着平等地对待争议的双方当事人或各方当事人,不偏袒任何人,对所有的人平等和公正地适用法律。仲裁人的偏袒将构成撤销其裁决的正当理由。

有人对"司法"作别样解释,认为,司法是法庭的主持、掌握、主管(administration of justice, administration of law)。从起源上讲,司法是适用法律解决人与人之间的纠纷、矛盾和冲突的一个内容和过程的总和。既然是要解决纠纷,那么就会是一个三角形的结构,居中的裁判者和分居两侧的争议双方。如何合理的将案件纳入到裁判程序中,且如何制定合适的裁判程序,这是对以维护秩序为价值取向的公权力的一个要求;同时作出最终的、不容更改的裁判是公权力权威的表现。在英美法系的法庭审判中,当事人才是整个审判的真正主导者,而法官却处在了"消极"的中立位置,这里的"公平"形象昭然若揭。

2005 年被人民法院确定为"公正、效率"年。从上述我们对"公平"的概念认识看来,"公平"和"清廉"一样,不过是司法官员所必须具有的品质。

正义关注法律规范和司法制度安排的内容对人类的影响以及他们在增进人类幸福与文明建设方面的价值。司法以现实法律秩序为起点,从效率走向公平正义,是当今中国司法的指导思想和价值演变规律。

第 二 编

中国古代司法制度

第七章　古代司法原则

中国古代司法制度源远流长,自成体系。从夏朝建立始,到清朝末年改制前,历时四千年之久,有奴隶制与封建制两大司法类型,基本没有受到外来影响,在世界法制史上独树一帜,发展时间之长,影响地域之广,号为"中华法系"。

宏观古代司法原则,结合特有的东方专制、儒家文化以及历史背景,形成如下主要特征:

第一,"法自君出"原则。

中国古代社会自国家形成之时,便是以君主专制主义为国家政治体制的基础,在这种体制下,君主独裁一切,不仅有最高的立法权①,同时也有最高的司法权。皇帝总揽司法,一切重要案件、所有死刑案件(尤其自隋唐始)必须经由皇帝最后裁决批准。形式上先后设置了许多司法制度,诸如录囚、登闻鼓、直诉、死罪复奏、秋审、朝审等,其实质是为了保证皇帝控制司法大权。此外,皇帝还可以仅凭个人的好恶,或法外施刑,或法外施仁。古代历史一直存在的是"治民之法",而从未有过"治君之法"。对于皇帝极端专制的"控制",仅仅凭苍天的"谴告"而已。

---

① 国家法典由君主颁布,单行法规以皇帝敕令出现,君主决定修改、废止任何法律。

第二,"一准乎礼"原则。

中国古代社会占据统治地位的思想是儒家学说,这一正统思想一直是古代司法的指导思想。古代许多法律条文是儒家学说的直接转化,比如"则天行刑"、"慎刑恤狱"、"德主刑辅"、"原心论罪"、"亲亲相隐"、"同姓不婚"、"三不去"、"五服"、"七出"、"八议"等。而且,儒家学说又是评价与解释法律的最高依据,有如著名的《唐律疏议》,其最高原则是"一准乎礼"。另外,在法律条文没有明确规定的地方,或者法律规定被认为是有悖于礼教和儒家经典的地方,往往以"经义决狱"来形成裁判的依据。在司法实践当中,上述思想也直接成为指导司法的基本原则,规范着司法实践的具体过程。

第三,"天人合一"原则。

中国古代司法奉行"天人合一"的哲学,这不仅体现在立法上以"天意"、"天道"、"天理"为依据,同时也体现在司法原则方面。历代王朝的司法均实行"秋冬行刑"、"秋审"等制度,赋予苍天以道德的属性,强调司法与天道运行的协调一致,并以此表明体现天意。《礼记》之《月令》篇、《吕氏春秋》之《十二月纪》、董仲舒之《春秋繁露》等,是司法奉行"天人合一"哲学的理论诠释。

第四,刑法主体原则。

中国古代社会法律的主要作用,一直被认为就是"定罪量刑"。其"刑"、"法"、"律"三者一直是作为同义词来使用,所以历代法典常常统称为"刑律"。司法官员也被称做"刑官",司法组织机构在中央被称为"刑部",在地方便是"提点刑狱司"或"提刑按察使司"。历代正史当中有关的立法、司法及其相关活动的记载,集中在"刑法志"或"刑罚志"篇章。在中国古代社会,长期实行重农抑商政策,商品经济不甚发达,民商事法涉及少且不能独立,亲属婚姻的规范大抵由礼教直接左右。所以,法律的主体一直是以刑法为主体。此外,有关程序法也和实体法不分伯仲,浑然一体,有关诉讼程序方面的法律规定,大多是以追究犯罪为主的刑事诉讼程序,同时也用审理刑事案件的程序去审理民事案件。

第五,从属行政原则。

中国古代司法一直被认定是君主实行统治的主要工具,司法服从于君主专制中央集权统治的政治需要是必然的。因此,造成各级司法机关必定服从或者混同于各级行政统治机构。在中央,历代王朝虽然都设立了单独的司法机构,但是辅佐君王的大臣、行政机构的长官,又有谁不通过参与、干预司法而维护王权呢? 在地方,中国历代王朝直接地就是实行司法与行政的合一,地方行政官与地方司法官是一身二任的,各级司法官员就是各级行政官员。再者,历代虽然设有专门的中央司法机关,设有专职的司法官员,但是,皇帝随时派遣另外的高级官员参与审判,甚至决定审判。在地方,从宋朝以后,开始在大行政区设立专门的司法机构,如宋朝的路、元朝开始的省,均有专门的司法机构,逐渐有一定限制的审判权限,可又完全被置于总督、巡抚等地方高级官员的控制之中,依然是行政长官掌握司法大权。

中国古代司法制度在漫长的历史发展中,形成了自己独到的特征,并对周边国家的司法历史产生了不同程度的影响,在世界司法史上占有极其重要的历史地位。

第一节　奴隶制社会的司法原则

华夏先民经由漫长的“天下为公”的原始社会,进入了“天下为家”的阶级社会之时,开始了有文字记载的历史,正值夏禹、夏启之际,时间是公元前的21世纪。

至夏王禹把权位传给儿子启时,意味着建立了夏朝,我国历史上第一个具有政治意义与法律意义的国家诞生,先民驶入了奴隶社会。历经夏、商、西周三代约两千年的历史发展,奴隶制社会开始向封建制社会过渡,大多史家公认这段历史为春秋战国之际。

奴隶制社会的司法原则之时间界限,上自夏朝,下止战国,约两千年间。

一、夏商时期的司法原则

夏商时期,是多元神崇拜向一元神崇拜过渡的完成之时。"天"、"帝"概念是这一时期的终极原理,尊神敬祖是夏商社会的主要思潮,而神权思想是政治与法律的指导原则。在这样的背景之下,夏商时期有如下司法原则:

第一,"君权天授"原则。

夏商时期是尊神敬祖的时代,君王把对苍天的崇拜与对祖先的崇拜紧密结合起来,自己的权力是承天继祖的产物,也就是说,是天授与祖传的结合,是替天行命的天子。"君权天授"意味着地上的王权就是天上神权的具体施行,手中的权力就是神权的体现。君权如此,行政权、司法权等也都毫不例外。一切都在神权法的笼罩之下,既是神圣的,又是合法的,同时也是不可侵犯的绝对权威。

第二,"恭行天罚"原则。

"恭行天罚"原则是"君权天授"的逻辑派生,既然王权是苍天所授,那么,权力运用也必定要秉承苍天之意。苍天能够洞察人间的一切行为,"多罪,天命殛之"①。苍天之命对有罪者予以惩罚,

---

① 《尚书·汤誓》。

对罪人的惩罚就是"恭行天罚"。总之,对罪人的惩罚是秉承天意,且由授命于天的王者来具体执行。当然,夏商时期的"恭行天罚",一是指对敌对势力的讨伐;一是指对臣民犯罪的惩办。

二、西周时期的司法原则

西周时期,是在夏商两朝神权法原则基础之上,逐渐形成一套承前启后的新的司法理论,是围绕"以德配天"、"明德慎罚"、"亲亲"、"尊尊"为中心展开的。

第一,"以德配天"原则。

有夏以来的"天命"权威,至西周时,出现裂痕。西周统治者提出"天命靡常"①,"皇天无亲,唯德是辅"②。天命不是永恒不变的,天命只赋予那有德之君,并保佑其完成地上的统治。苍天被赋予为神性与德性的结合,有了德性,才会有神性;失却其德性,就意味着失去天命的保佑。"以德配天"的原则,指导着统治者在立法、施政以及司法等方面,除却天命的光环以外,还不得不注重德性问题。只有"敬德"、"明德"、"以德配天",才能保有苍天的庇护。"以德配天"原则,不仅保有神权法之神秘的属性,同时也赋予它以社会的属性(即道德的属性)。在司法方面,除掉以往的"天罚"之外,现在不得不取决于人为的方面,其理论意义影响甚远。

第二,"明德慎罚"原则。

鉴于商朝末年滥施刑罚、不重德性的经验教训,西周统治者提出"明德慎罚"的思想原则,在立法乃至司法领域发生了重大变

---

① 《诗经·大雅·文王》。
② 《左传·僖公五年》。

化。"明德慎罚",就是实施德教、谨慎刑罚,强调教与罚的结合。"明德"即是崇尚德性、倡导德教,企盼能够通过道德的力量感化臣民,减少或者避免犯罪,使臣民服从统治。"慎罚"即是在司法当中,运用法律实施刑罚时,要力求慎重、宽缓,防止滥罚无罪、滥杀无辜。"明德,务崇之谓也;慎罚,务去之谓也。"孔颖达疏:"务崇之,谓务欲崇益道德;务去之,谓务欲去其刑罚。"①是说崇尚道德、谨慎刑罚,最终达到除去刑罚。

第三,"亲亲尊尊"原则。

西周实行以家族组织与国家政治制度相结合的宗法制,一种以血缘关系为纽带并保证世袭统治的政治形式。在宗法制度下,以"礼"为核心,规范从家族到国家的社会秩序。西周之"礼",重要之处强调"亲亲尊尊"的原则。所谓"亲亲",就是亲近以父为首的亲属,以亲疏远近、长幼尊卑的次序表明自己的身份,确定自己的行为,其目的是维护家长的地位与权威。所谓"尊尊",就是尊敬以君主为首的尊贵等级,以君臣上下、尊卑贵贱的等级表明自己的身份,确定自己的行为,以达到维护君王的地位与权威。"亲亲"维系家族范围内的秩序,重在一个"孝"字;"尊尊"保证国家的政治秩序,围绕一个"忠"字。通过"亲亲尊尊"的原则进行立法活动与司法活动的指导,达到统治者长治久安的目的。所谓"爱百姓故刑罚中,刑罚中故庶民安。"②

西周的司法原则,其实质是把德化与刑罚相结合,其目的是要建立一个"礼治"社会,形成了中国古代早期的礼法结合的司法特点。

---

① 《左传·成公二年》。
② 《礼记·大传》。

西周的司法原则,被后来汉儒发展成"德主刑辅"的思想,终成我国古代最具影响的司法原则。

三、春秋战国时期的司法原则

春秋战国时期,是我国历史上无论在政治、经济方面,还是在思想、文化方面,社会全面发生剧烈变动之际,是奴隶制法律制度的瓦解、封建制法律制度逐步确立的时代。

涉及司法制度方面,出现了此起彼伏的变法运动,成文法的公布已成为现实,诞生了影响法制久远历史的法家学派。

法家学派的司法原则成为春秋战国时期司法思想的主流,反映着这一时期的主要司法原则。

第一,"缘法而治"原则。

春秋战国之际,各诸侯国先后分别"铸刑鼎"、著《法经》、作"宪令"、定"国律"、改法为律等,制定了成文法。成文法的制定是"缘法而治"的前提,统治者方才"有法可依"。"缘法而治"的贯彻,就是要"君臣上下贵贱皆以法"[1],"言不中法者,不听也;行不中法者,不高也;事不中法者,不为也"[2]。无论行政,抑或司法,"唯法所在"。"缘法而治"取代了传统"临事制刑"之随心所欲的特权,并把刑罚作为有依据的稳定的手段运用。作为专制社会,君王主宰万民,官吏"缘法而治",正如慎子所说:"民一于君,事断于法。"[3]

第二,"布之百姓"原则。

---

[1] 《管子·法法》。
[2] 《商君书·君臣》。
[3] 《慎子逸文》。

成文法的出现,意味着对法制有了新的理解。韩非子指出:"法者,编著之图籍,设之于官府,而布之于百姓者也。"①即在官府里设立成文法,在百姓当中广为告知。"法莫如显",要使法律人人皆知,"境内卑贱,莫不闻之也"②。成文法的公布,超越了"刑不可知,则威不可测"秘密法的传统。

第三,"刑无等级"原则。

"刑无等级"原则,是"法律面前人人平等"的最早表述,由商鞅最先提及。他主张"壹刑",指出:"所谓壹刑者,刑无等级。自卿相将军以及大夫庶人,有不从王令,犯国禁,乱上制者,罪死不赦。有功于前,有败于后,不为损刑。有善于前,有过于后,不为亏法。"③在刑罚面前,不因功过而有所损益。韩非子集法家之大成后,提倡公平、平等、一断于法:"诚有功则疏贱必赏;诚有过则近爱必诛。""刑过不避大夫,赏善不遗匹夫。"④"刑无等级"原则,打破了"礼不下庶人,刑不上大夫"的等级传统。

第四,"轻罪重刑"原则。

"轻罪重刑",即在执行刑罚的时候,加重对轻罪的处罚,是刑罚严苛的重刑原则。商鞅认为:"行刑,重其轻者,轻者不生,则重者无从至矣。"⑤即强调对轻罪实施重刑,那么,轻罪就不会产生,而重罪也无从出现。"行刑,重其轻者,轻者不至,重者不来,此谓以刑去刑,刑去事成。"⑥企图以"轻罪重刑"达到"以刑去刑"的目

---

① 《韩非子·难三》。
② 《韩非子·难三》。
③ 《商君书·赏刑》。
④ 《韩非子·有度》。
⑤ 《商君书·说民》。
⑥ 《商君书·靳令》。

的。至韩非子之时,总结了法家的思想,在"轻罪重刑"的基础上,又提出"重典治乱世"的主张,并为重刑寻找人性为利害关系的依据,认为"民不以小利而加大罪",①劝说君王"不忍诛罚,则暴乱者不止。"②唯有"行重罚严诛,则可以致霸王之功。"③韩非子把法家的思想发展到极致。汉代司马谈评说这一原则,认为"可以行一时之计,而不可长用。"④

第二节　封建制社会的司法原则

春秋战国时期是中国奴隶制社会向封建制社会的过渡之时,秦灭六国,宣布战国的结束,同时也意味着进入了封建制社会。我国封建社会历史漫长,合久必分,分久必合,道出了封建社会治乱兴衰、统一与分裂的历史。

从法制的历史来看,汉代建立了封建社会正统的法制,唐朝时期是封建社会法制的鼎盛之时,而宋元明清则是法制由盛而衰的历史过程。中华法系,堪称在世界法制史上一个特有的典型代表,即是指封建社会时期的法制,其中最为主要的是指唐朝法制鼎盛时期的状况。

一、秦汉魏晋时期的司法原则

(一)秦朝时期的司法原则

秦推行商鞅变法,富国强兵战胜弱敌,先后吞并六国,完成统

---

① 《韩非子·六反》。
② 《韩非子·奸劫弑臣》。
③ 《韩非子·奸劫弑臣》。
④ 《史记·论六家要旨》。

一大业,建立起中国历史上第一个统一的多民族的中央集权专制的国家。秦朝建立后,沿着商鞅的法家路线,并结合韩非子法、术、势的思想,施行严刑酷法,把韩非子集之大成的法家思想付诸实践。

其司法原则,有如下几个方面:

第一,"皆决于上"原则。

秦始皇统一天下,确立了中央集权制度。国家大事,无论是政治方面,还是法制方面,"天下之事无小大皆决于上,上至以衡石量书,日夜有呈,不中呈不得休息"①。由秦始皇统一全国的立法、司法大权,成为秦朝至高无上的司法审判官,主宰朝廷全部的司法大权,对所有重大案件享有最高、最后的决定权,"君主独断"。"皆决于上"原则,即秦始皇专制统治的"统死"原则。

第二,"法令一统"原则。

《史记·秦始皇本纪》载:"治道运行,诸产得宜,皆有法式。"秦始皇"刚毅戾深,事皆决于法。"是说兼并六国后,尽废诸国"律令异法",使"法令由一统"。实事上,秦始皇拓宽了法律的调整范围,从政治到经济,从生产到生活,实行"皆有法式"。而且,司法的解释权也没有下放,严禁一般官吏解释法律。秦始皇下令,"若欲有学法令,以吏为师"②。以保证"法令出一"。

第三,"专任刑罚"原则。

"秦始皇吞并战国,遂毁先王之法,灭礼谊之官,专任刑罚。"③秦朝崇尚法家思想,摒弃儒、道、墨等家学说,尽灭仁义道德,唯法

① 《史记·秦始皇本纪》。
② 同上。
③ 《汉书·刑法志》。

独尊,专任刑罚。在司法上,实行"重刑处断",认为"重一奸之罪而止境内之邪"①。施行严刑酷法,不仅延续了三代以来的肉刑,甚至承袭了奴隶制下的死刑处置方法,在死刑中规定有凿颠、抽肋、镬烹、车裂等。刑罚还规定有严厉的连带责任,如族刑连带、军事连带、邻里连带等等。以至在文化上也施行残酷的死刑,"有敢偶语《诗》、《书》者弃市,以古非今者族。吏见知不举者与同罪。"②

(二)汉朝时期的司法原则

汉朝统治在制度上的特征是汉承秦制,维护着中央集权的体制。在法制方面,"作律九章",承前启后。"历代之律,皆以汉九章为宗,至唐始集其成。"③汉朝法律制度的建立,开始了中国封建制的正统法律制度,对整个封建社会法制发生着长期的影响。

其司法原则如下:

第一,"德主刑辅"原则。

西汉武帝时,采纳董仲舒"罢黜百家,独尊儒术"的建议,定儒家思想为一尊,确定了国家的正统指导思想。在法制方面,贯彻以儒家为主,并辅之以法家思想的路线,其实质是"霸王道杂之"④,施行"德主刑辅,礼法并用"。按董仲舒的思想,认为"圣人多其爱而少其严,厚其德而简其刑","大其德而小其刑"⑤。既有儒家的德、礼、教化,又有法家的政、刑、罚。封建社会"德主刑辅,礼法并用"的司法原则,贯穿了整个封建社会的自始至终,变化的仅仅是德与刑之间的相互比重而已。

---

① 《韩非子·六反》。
② 《史记·秦始皇本纪》。
③ 《明史·刑法志》。
④ 《汉书·元帝纪》。
⑤ 《春秋繁露·基义》。

第二,"论心定罪"原则。

汉代定儒家思想为一尊,反映在法制领域,出现了一个非常重要的司法原则,即"春秋决狱"。其司法依据《春秋》等儒家经典的大义审判案件,反把法律条文放置一边。如此形成汉代司法制度的重大变化,在审判案件的时候,既可依据法律之条文,又可依据儒家经典之大义,实行的是二元化的审判方式。"春秋决狱"的实质是"论心定罪"原则,在司法上偏重主观认定。凡主观动机符合儒家之"忠"、"孝"等精神,即使有危害的后果,也可以减轻处罚甚至免除处罚;反之,主观动机违背儒家的思想原则,即使后果没有危害,也可以定罪甚至给予处罚。

"论心定罪"原则,在司法上只重动机不重效果的定罪,带有极大的司法主观随意与擅断,严重地冲击了正常的客观的司法审判,为封建社会的后世产生长期而严重的历史影响。

第三,"礼律融合"原则。

把儒家思想提高到国家的统治哲学,礼教就会贯彻到法制领域。礼教所体现的尊卑等级反映在司法当中,自然产生特权利益。如皇帝的至高无上、官僚的等级特权,将会出现同罪不同罚的结果。这种"礼律融合"的司法原则,直接的后果就是"法(或罚)有差等",将使许多封建之"礼"上升到"法"的高度,甚至一定意义上说,"礼"就是"法"。

(三)魏晋南北朝时期的司法原则

上自东汉末年,下迄隋朝建立,近四百年历史,史称魏晋南北朝时期。其中虽有短暂的统一,大部分是分裂割据之时,史家称之"中原无主,五胡乱夏"。就法制史而言,可谓是承上启下的重要时期。立法频繁、体例典型、刑罚简化、纳礼入律,是这一时期的法制特点。其司法原则,主要有如下两点:

第一,世族特权原则。

魏晋南北朝时期,是门阀世族的时代,反映在司法领域,出现了维护贵族官员的"八议"与"官当"特权制度。"八议",是指依封建之礼的八种权贵人物,在触犯刑律后的审判上给予特殊关照,官府不得专断,所谓"大者必议,小者必赦"。如此,"八议"入律,使贵族官僚享有特权,甚至可以凌驾于法律之上。"官当",是指允许官吏以官爵当刑抵罪。如《晋律》规定:"除名比三岁刑","免比三岁刑"等。如此,官当之名入律,以官抵罪开始。世族特权原则充分体现了儒家"刑不上大夫"的历史传统,为贵族官员提供了逃避法律制裁的保证,被后世所继承沿用,影响深远。

第二,纳礼入律原则。

为维护封建社会的宗法礼教,上自国家君权的统治秩序,下至家族内部的宗法关系,依据礼的原则,纳礼入律,专设法律条款。确立"准五服以定罪"与"重罪十条",以维护和巩固其封建统治。所谓"准五服以定罪",是指亲属之间的犯罪,将依据五等丧服所规定的亲等关系来定罪量刑。如尊长侵犯卑幼,亲等关系越近定罪越轻,反之则加重量刑;卑幼侵犯尊长,血缘关系越近,判刑越重,反之则轻。总之,侵犯者与被侵犯者的血缘关系越近,判罚就会越重。"准五服以定罪"的规定,开封建法律以服制定罪的先河,后世以此作为司法审判的一个重要原则。所谓"重罪十条",即将违反伦理纲常和危害国家统治根本利益最为严重的十种犯罪置于律首,作为重要的打击对象,特别严惩。"重罪十条"在后世(隋朝始)得到延续而成为著名的"十恶不赦"条款。

二、隋唐时期的司法原则

隋唐时期是我国封建社会的鼎盛时期,政治、经济均获得全面发展,与之相适应的法制也进入了定型与完备的阶段,其《唐律疏议》代表着中华法系的成熟,中华法系赖之成为世界法制史上封建制法典的代表。

(一)隋朝时期的司法原则

《旧唐书·刑法志》概括了隋朝的法制状况,认为"隋文帝参用周齐旧政,以定律令,除苛惨之法,务在宽平。比及晚年,渐亦滋虐,炀帝忌刻,法令尤峻。人不勘命,遂至于亡。"是说隋文帝参酌北周和北齐旧的政策法令,删除苛刻的部分,旨在宽平简约,制定隋朝的法律。到晚年之时,法律逐渐刻薄,至隋炀帝时候,更是推行严刑酷法,百姓不堪忍受,隋朝终于走上了灭亡的道路。

隋朝的司法原则,主要有如下两个方面:

第一,"纳礼入律"、"莫善于礼"原则。

"纳礼入律"是延续自魏晋以来的司法原则,实质是德刑并用的体现,隋文帝主张"刑法与礼仪同运,文德共武功俱远"①。"莫善于礼"是主张在治国方略上,于礼律结合两者,更应注重礼的作用。《隋书·高祖纪下》载:"礼之为用,时义大矣。……故道德仁义,非礼不成,安上治人,莫善于礼。"表明通过司法的角度维护儒家思想的正统地位,进一步把法律推向了儒家化。

第二,"沿革随时"、"故有损益"原则。

所谓"沿革随时"、"故有损益",是说立法、司法必须依据时势的变化而发生变化,法律条文应有所增减,一切都应"取适于时,留心损益"。隋朝皇帝认为"自古哲王,因人作法,前帝后帝,沿革随时"②。

---

① 《隋书·高祖纪上》。
② 《隋书·高祖纪下》。

因此,"帝王作法,沿革不同,取适于时,故有损益"①。强调一个"变"的原则,注重因时势的不同而删除或增补某些法制内容。

（二）唐朝时期的司法原则

封建社会法律制度驶入盛唐时期,进入了定型与完备阶段,以《唐律疏议》为封建制法典成熟的代表力作,在时间与空间上均发生着巨大的影响。

唐朝的司法原则如下:

第一,德本刑用原则。

自汉代以来的正统法律制度一直倡导的治国方略是"德主刑辅",唐朝统治者延续这一思想,逐步确立"德礼为政教之本,刑罚为政教之用"的原则。唐太宗李世民"遂以宽仁治天下,而于刑法尤慎"②,以礼为先,慎重刑罚,其实质依然是礼教与刑罚并用的原则。唐太宗还指出:"失礼之禁,著在刑书。"③要求把失礼的禁条纳入刑书当中,以便能够严惩违反纲常名教的犯罪。如此再度融礼法于一体,相互为用,只不过是以礼为内容,而以法为形式罢了。"设礼以待之,执法以御之,为善者蒙赏,为恶者受罚。"④讲明礼法结合运用且在治国当中的不同作用。《永徽律书》以法律形式确定了"德礼为政教之本,刑罚为政教之用"的原则,结束了从汉代开始的"春秋决狱"原则,表明唐王朝把传统的"德主刑辅"确定为"德本刑用",将古老的礼法结合推向了高峰。

第二,简约适时原则。

简约适时的司法在推翻隋朝统治过程中发挥过重要的历史作

---

① 《隋书·刑法志》。
② 《新唐书·刑法志》。
③ 《全唐文·薄葬诏》。
④ 《贞观政要·刑法》。

用,是制胜的法宝之一。早在李渊起兵占领隋都长安之时,曾效法汉高祖刘邦的"约法三章","既平京城,约法为12条。惟制杀人、劫盗、背军、叛逆者死,余并蠲除之。"①除掉其他烦琐的法条,简约至仅仅12条,为推翻隋朝建立唐朝起到了很好的作用。建立唐朝初年,唐高祖也坚持司法的简约原则,他说:"法应简约,使人易知。"②唐太宗李世民也力求司法要简约宽泛,认为"国家法令,惟须简约,不可一罪作数种条"③;"务在宽简,取便于时"④。这即是简约适时的司法原则。同时唐朝统治者还强调司法的划一与稳定原则,"上(唐太宗)曰:'法令不可数变,数变则烦,官长不能尽记,又前后差违,吏得以为奸。'"⑤法令应该保持相对稳定性,经常变动会带来不必要的烦扰,而且也不便于记忆,更何况会给不法官吏提供托词,因此,划一与稳定性原则应是司法的一条重要原则。

第三,一准乎礼原则。

一准乎礼的原则,是唐律充分体现封建伦理基本精神所在,是唐律与其他法律相互区别的重要特征之一。一准乎礼原则,首先体现在唐律是以礼作为立法的主要根据,一部唐律一定是封建伦理精神——礼的最高体现。其次体现在唐律是以礼来注释法律的,号称"引礼证律"。法律除正条外,还有对法律的解释,而法律的解释是"以礼疏义"的。唐朝规定其"疏义"与法律正条具有相同的法律效果。更为突出的是,一准乎礼原则体现在唐律是以礼作为定罪量刑的主要标准。凡是违背封建之礼的规定,一定要受

---

① 《旧唐书·刑法志》。
② 同上。
③ 《贞观政要·赦令》。
④ 《旧唐书·刑法志》。
⑤ 《资治通鉴·唐纪十》。

到严惩。如哪怕是"祖父母父母在,别籍异财者",要被列为"十恶不赦"中的"不孝"重罪,加以严惩。礼成为唐律司法的主要依据。

一准乎礼原则,表明"礼"是唐律的精神,唐律是"礼"的法律表现。一准乎礼原则,是唐律作为封建制法典的本质。

第四,慎重行刑原则。

唐朝的统治者非常重视依法办案、依法行刑,唐太宗要求从事司法的官员必须做到"罚不阿亲贵,以公平为规矩"①,倡导公平执法。相反,如果滥用刑罚,必须严惩,而且"枉法受财者,必无赦免"②。主张司法公正,认为它关系到国家治理上的根本问题,"理国要道,在于公平正直"③。司法公正还体现在谨慎刑罚方面,特别是针对严重触犯刑法者,唐朝还规定了专门的程序加以审理,坚持慎刑原则。如凡"犯罪配流者,宜令所司具录奏闻"④;而对于那些判有死罪之人,尚需"由中书、门下四品以上及尚书、九卿议之";若有特别情况者,还可以"官录奏闻";犯死罪者唐朝规定要经过"三复奏"或者"五复奏",通过以后,方可执行。

三、宋元明清时期的司法原则

(一)宋朝时期的司法原则

宋朝的司法原则比较复杂一些,这主要是说宋朝在初期、中期以至后期,法制的表现力度不尽相同。宋朝初期,强调"重典"治理,但在司法执行中,又有宽缓而减轻刑罚的"折杖法";宋朝中期,"法贵在中制",强调用"中典";宋朝后期,"重典"的倾向越加

---

① 《贞观政要·择官》。
② 《贞观政要·政体》。
③ 《贞观政要·择官》。
④ 《贞观政要·忠义》。

严重。因此,下述的司法原则,仅就一般意义上而言。

第一,"法重"原则。

宋朝的政治是以加强专制主义的中央集权为特色的,宋初在法制方面同样强调"法重"原则。"宋兴,承五季之乱,太祖、太宗颇用重典,以绳奸匿。"①便以"重典"为原则,"立法之制严"。如自太祖起,就用法外敕令加强加重对"贼盗"的处罚力度;以司法定制重惩"贪墨"②,"诸职官以赃治罪者,虽会赦不得叙,永为定制"③;制定《重法地法》,对一些重要地区的盗贼犯罪处以重法。

第二,"法恕"原则。

宋朝在加强专制强调"重典"治世的同时,也强调"法恕"、"慎刑"。宋太祖曾下诏:"禁民为非,乃设法令,临下以简,必务哀矜。"④主张"用法之情恕",持宽容大度的态度。"其君一以宽仁为治,故立法之制严,而用法之情恕"。"不敢以诛夷待旧勋,不敢以苛法督现吏民。"⑤对待旧勋是以兼容之心,对待官吏、民众是以反对苛法为前提。此外,制定"折杖法",以递减徒、杖、笞之刑;制定"自首放宽原则",也是"法恕"原则的体现。

第三,"必行"原则。

宋朝统治者在法制的实施方面,也有足够的认识和理解,不仅要注重立法,更为重要的是要把蓑笠之法付诸实施。如南宋孝宗说:"立法不贵太重而贵必行,法必行则人莫敢犯矣。夫欲重则必

---

① 《宋史·刑法志》。
② 原指以荷叶包肉糜馈赠于人,后引申为官吏贪赃受贿的行为。
③ 《容斋续笔·戒右铭》。
④ 《宋史·刑法志》。
⑤ 《宋史·刑法志》。

难行,欲行则不必重。"①按孝宗所讲,法贵在必行,而且必行之法,应该是宽猛适中,如此之法,才能够达到"行而必"。

(二)元朝时期的司法原则

元朝是我国历史上第一个少数民族掌管国家统一政权的封建国家,在其封建法制的建立当中,有着不同以往的特点。自始至终存在着对原有部落习惯的保留与对汉族法制继承的矛盾问题,元朝统治者面对的是不断地发生着两者的冲突与不断地谐调两者的矛盾,出现了法制上的多重管辖制度、司法适用方面的不平等现象,构成了元朝法制的基本特点。

元朝有自己特色的司法原则,表现为:

第一,"祖述变通"原则。

"祖述变通"是元世祖忽必烈即位诏书中提出的重要思想,所谓"祖述"即是要"稽列圣之洪轨",是说要追溯成吉思汗以来的蒙古汗国的旧制,予以继承:在政治制度上,保留了蒙古族为主体的联合统治的制度;在法律制度上,保留了蒙古族的民族惯例与习俗,也注定保留了民族特权与民族压迫的内容。所谓"变通"即是要"讲前代之定制",是要参用前代宋金以来的制度——汉法,延续汉族的一些司法传统。如此祖述变通的司法原则,造成元朝的法制是"以国朝之成法,援唐宋之故典,参辽金之遗制,设官分职,立政安民,成一王法"②。元朝法制形式上是蒙古旧制与汉法的混合,实质上主要是"附会汉法"。

第二,"蒙汉异治"原则。

"蒙汉异治"是特别的司法原则,它的出发点显然是保护蒙古

---

① 《宋会要辑稿·帝系十一之四》。
② 郝经:《陵川集·立政议》卷三十二。

人的民族特权。元朝统治者在元建立初年就提出了民族分治的思想,认为"法之不立,其源在于南不能从北,北不能从南。——莫若南自南北自北,则法自立矣。"①南北分治,就是民族分治。也就是说,"治汉人必以汉法,治北人必以北法,择其可使而两用之、参用之亦可也"②。蒙汉异治,即以蒙古旧制(风俗与习惯)治蒙古人,而以汉法治汉人(所谓南人)。

"蒙汉异治"的实质是保护蒙古人的特权利益,是阶级统治与民族统治的结合。元朝规定了"人有四等",法律上确认蒙古贵族具有最高的统治地位,在政治、经济和法律上,均享有种种特权。

(三)明朝时期的司法原则

明朝的法制表现出处于封建社会后期法制的特点,在传统法制的基础之上,确立了独特的法制体系,与传统法制比较,立法技术得到了提高,法律规范更加严密,司法制度实现了改革。其法律制度对清朝的法制有着重大的影响。

明朝的司法原则,主要有如下三个方面:

第一,"刑用重典"的原则。

开国皇帝朱元璋汲取元朝"宽纵"亡国的教训,认为"胡元以宽而失,朕收平中国,非猛不可"③,提出"刑乱国用重典"的主张,"吾治乱世,刑不得不重"④,指导明朝的司法。为解决朝廷上下吏治腐败,有"重典治吏"一手;为解决"顽民狎玩,犯者不止",有"重典治民"一手。明朝"重典治国"原则,对改良吏治,安定社会有着积极的作用,"吏治焕然丕变矣——民人安乐,吏治澄清

---

① 《紫山大全集·论法治》。
② 《紫山大全集·政事》。
③ 刘基:《诚意伯文集》卷首。
④ 《明史·刑法志一》。

百余年"①。

第二,"法贵简严"的原则。

明朝的司法以吸收元朝教训而展开,认为元朝法制根本上没有采用传统的法典为主的形式,而是以各类单行法规及汇编为法制主体,结果是法律过于复杂,贪官污吏得以"便利"其中,造成混乱。所以,明朝的司法强调的是"简"、"严"二字。所谓"简",是指法律简明,条文不必太多,简明扼要,突出重点,人人皆知,官吏无以从中舞弊。朱元璋称之为"网密则水无大鱼,法密则国无全民"②。所谓"严",是指法律要严厉处罚重罪,以严惩达到威吓的作用,使民众不敢轻易触犯。

第三,"明刑弼教"的原则。

"明刑弼教"即是封建社会法制中礼法并用、礼法结合的传统。朱元璋自称是仿照古代圣贤对国家进行治理:"朕仿古为治,明礼以导民,定律以绳顽。"③"礼"与"律"是针对两种不同人群的:申明礼教,是用来引导社会大众的;确定法律,是用来严惩社会恶民的。从"明刑弼教"的实施看,明朝的礼法结合完全是两者并列的关系,不是"先刑后教",也不是"先教后刑","明刑弼教"就是要两者并列,以达到"礼"与"法"在社会控制当中的各自作用。

(四)清朝时期的司法原则

清朝是我国古代社会的最后一个封建王朝,以1840年的鸦片战争为界,无论在政治上,还是在经济上,抑或在法制上,都表现出两个不同的历史阶段(本小节讨论的是鸦片战争前的法制情况)。

① 《明史·循吏传》。
② 《明史·刑法志》。
③ 《明史·刑法志》。

鸦片战争前,清朝统治下的社会经济,曾达到了前所未有的发展,综合国力远胜过汉唐盛世;政治法律也集中国封建社会法制之大成,其典章制度的发展比较完善。

清朝的司法原则有如下两个方面:

第一,"详译明律,参以国制"原则。

清朝在入关前,其法制既简单又简陋,入关后,面对民族矛盾及社会问题,为施行法制,便宣布继承明朝法律,司法上依据明律治罪。"世主顺治元年,摄政睿亲王入关定乱,六月,即令问刑衙门准依明律治罪。"①可谓清承明制。之后不久,顺治皇帝下令编修《大清律》,并亲自为之作序。"朕惟太祖、太宗创业东方,民淳法简,大辟之外,惟有鞭笞。……爰敕法司官广集廷议,详译明律,参以国制,增损剂量,期于平允。"②所谓"详译明律",就是要最详尽地演绎《大明律》,实为以《大明律》为基础。所谓"参以国制",就是要参考入关前满族旧有的法律制度。应该说这一司法原则,对保持我国司法制度的连续性方面有着重要的历史意义。

第二,"宽严之用,因乎其时"原则。

清朝统治者比较注重延续汉族的文化传统,在司法原则上根据历史上"刑法世轻世重"的精神,雍正皇帝时提出了"宽严之用,因乎其时"的原则。雍正讲"世宗遗诏有曰:'国家刑罚禁令之设,所以诘奸除暴,惩贪黜邪,以端风俗,以肃官方者也,然宽严之用,又必因乎其时。'"③这是说国家的司法施刑之或宽或严,一定要根据时势的变化而变化,该宽则宽,应严必严。

---

① 《清史稿·刑法志一》。
② 同上。
③ 同上。

第八章　古代司法制度

中国古代司法制度有着漫长的历史进程,从夏朝建立国家开始,其重要的司法审判就会作为国家统治工具表现出对社会的控制状况。中国古代司法制度从夏朝起,历经数以千年的发展,积累了丰富的历史经验,是中华传统制度文明的重要组成部分。

中国古代司法制度的历史,分成两大类型:即奴隶制司法制度和封建制司法制度。奴隶制司法制度,由夏商两代的奠基阶段开始,司法活动是以君主具有最高司法权,与神权相为一体的审判,实质是神判时代。西周时期是奴隶制司法制度发展的高峰,司法活动逐渐向重人事、慎刑罚方向发展,取代了以往夏商司法的神判状况。既然有了重人事的审判,那么,宗法礼制的精神就会融入司法制度之中。春秋战国时期,是奴隶制的司法制度向封建制的司法制度过渡的历史时期。秦朝的统一帝国的建立,意味着封建司法制度已经确立。在君主专制中央集权的统治下,封建的司法审判程序及制度逐步建立起来。汉朝司法制度形式上是"汉承秦制",而实质上在儒家思想定为一尊成为正统之后,"春秋决狱"、"秋冬行刑"等在司法领域里的出现,表明正统的封建司法制度走上了历史舞台。隋唐是中国古代封建司法制度的成熟、完备和定型的时期,产生了一整套有关起诉、受理、审判、证据、回避、申诉、执行、狱政管理等制度。宋元明清时期的司法制度,最大化地推进了专制主义的中央集权,虽然在某些方面更趋于完备,但毕竟暴露出逐步走向封建社会后期的特征。

1840年的鸦片战争,打断了中国古代司法制度独立的发展道路,事实上司法制度也逐渐由古代向近代转型。

第一节 奴隶制社会的司法制度

奴隶制司法制度从夏朝建立国家开始,到春秋战国的社会大变动、大动荡、大改组,开始由奴隶制国家向封建制国家过渡、转变,其司法制度也表现出逐渐具有封建制的司法特点。这里的奴隶制司法制度的下限,止于春秋战国时期。

一、司法机构
(一)夏商的司法机构

夏王是全国最高的司法官。夏朝是我国历史上建立的第一个奴隶制政权国家,君权至上,夏王是国家的最高统治者。国王集国家行政、立法、司法大权于一身,当然是全国最高司法官。现在所知最早记载夏王行使最高司法权的史料,见于《尚书·甘誓》,记录着夏王启掌握生杀予夺大权:"用命,赏于祖;弗用命,戮于社。予则孥戮汝。"

中央司法官称谓"大理"。夏朝的司法官称做"士",或者称做"理",既掌管军政,又治理狱讼,表明当时实行的是军政官兼理狱讼的制度。

商王也是全国最高司法官。商王拥有国家最高的司法裁判权,甲骨文中有记录官吏奏请商王行使司法权的文字,"兹人刑不?"①

商朝中央最高司法长官改称"司寇",既是中央最高司法机构,又是商王之下中央最高司法官员。在司寇下,设立"正"、"史"等司法审判官员。

商朝的地方与基层司法审判官称做"士"或"蒙士"。他们仅处理一般案件,凡有重大或疑难案件必须上报司寇。

(二)西周的司法机构

西周的司法机构是奴隶制时代发展的鼎盛时期,有着比较完备的制度。

1. 西周的中央司法机构

西周的天子依然是国家的最高权威,"礼乐征伐自天子出",集所有大权于一身。司法大权当然归属天子掌握,"及刑杀,告刑于王"②。

中央专门的司法机构是司寇,于西周"六官"中掌管司法。司寇既是中央司法机构,又是天子之下的最高司法长官。有大司寇、小司寇和士师分负其责。大司寇"掌建邦之三典",即国家大典:轻典、中典和重典;小司寇"掌外朝之政",即外朝的政法;士师"掌国之五禁之法以左右刑罚"③,还辅佐大司寇,掌理官府里的政令,审查狱讼言辞,诏告司寇断绝狱讼,提供有关刑书供大司寇参考。

2. 西周的地方司法机构

西周除中央外,地方由分封国构成。各封国内的权力由封

---

① 《殷契佚存》850。
② 《周礼·秋官·掌囚》。
③ 五禁:宫禁、官禁、国禁、野禁、军禁。

国领主掌控，形成诸侯国与其下属的乡、遂、县、都各级司法机构。

各诸侯国的司法机构设立与总的设置大体一致，长官权力也颇为类似，即司寇、士师等官员。基层案件由乡、遂、县、都的各级官员处理。各个级别均设立"士"：有乡士、遂士、县士和方士，掌管各级地方司法，受理辖区内的狱讼。

（三）春秋战国的司法机构

春秋时期各诸侯国的司法机构基本沿袭西周的制度，只不过其称谓略有不同。鲁国叫"司寇"；齐国称"士"；晋国或称"士"或称"理"；而楚国则称"司败"。

战国时期各诸侯国的司法机构，在名称上有所变化：秦国叫"廷尉"；楚国称"廷理"。均负有本国的司法官职责。

二、监狱制度

（一）夏商的监狱制度

夏朝有最早的监狱。史载："系用徽缠，置于丛棘。"①所谓"徽缠"，当是绷绑、束缚的绳索；所谓"丛棘"，是指围住四周囚禁罪犯的地方，恐怕应是最早的监狱了。《竹书纪年》载："夏帝芬三十六年作圜土。"郑玄注："圜土，狱城也。"说明圜土是后来夏朝监狱之名。夏桀曾"召汤而囚之夏台"②。把商族的首领囚于夏台，不仅是监狱，而且可称做是关押要犯的监狱③。

商朝的监狱沿用夏制，监狱仍是圜土。《墨子·尚贤下》载：

---

① 《易·坎卦·上六》。
② 《史记·夏本纪》。
③ 夏台，又称钧台。在河南禹县南。

"昔者傅说,居北海之州,圜土之上,衣褐戴索,庸筑狱傅险之城。"史载商朝还有一个关押西伯的地方,叫做"羑里"①。

(二)西周的监狱制度

西周的监狱仍叫作"圜土",并设有专门的管理职官"司圜"。西周又有把监狱叫"囹圄",其作用和圜土大致相同,都有惩罚与教育的双重作用。

(三)春秋战国时期的监狱制度

春秋战国时期的监狱,除西周以来的圜土、囹圄外,又称"狴犴"。其监狱官员的管理在各诸侯国有所不同:鲁国由司寇负责;晋国为士弱氏管理;郑国是尉氏掌管。

三、诉讼审判

(一)夏商的诉讼审判

从现存史料看,夏商诉讼审判制度的概况集中于《礼记·王制》篇,从中反映出当时的诉讼审判情况:"成讼辞,史以狱成告于正,正听之;正以狱成告于大司寇,大司寇听之棘木之下;大司寇以狱之成告于王,王命三公参听之;三公以狱之成告于王,王三宥,然后制刑。"这段史料表明当时司法审判审级和对疑案的复核审判程序:大抵对于重大案件,先由基层司法官员立案预审,将结果向正报告;再由正进行审判,再向大司寇报告;大司寇进行复审,将其复审的结果向帝王上报;帝王令三公研讨审判结果,得出处理意见上报帝王;帝王根据"三宥"法,决定如何用刑。

夏商时期是处于"神权法"时代,司法审判的一个重要特征是"天罚"、"神判"。所谓"天罚",即奉天罚罪、替天刑罚,一切处罚

---

① 羑里,在河南汤阴。

都可归之于上天之意。《尚书·甘誓》载,夏启讨伐有扈氏时说,"天用剿绝其命,今余惟恭行天之罚。"而商朝统治者认为自己是"天命玄鸟,降而生商。"①所以《尚书·召诰》载,"有商服天命。"所谓"神判",就是"獬豸决狱","触不直以去之"②。当然"神判"也可以是天意的体现,因此,"神判"归根到底是"天罚"。

(二)西周的诉讼审判

西周的诉讼审判较之夏商有了很大的进步。

首先,对诉讼有了初步的划分,"争罪曰狱,争财曰讼"③。"狱"是论罪而提起的诉讼;"讼"是为争财而提起的诉讼。

其次,有较详细的审理过程。审理时双方必须到庭,称为"两造具备";听讼之时,法官要兼听双方供词,即"听狱之两辞"④;法官审察方法是"五听";全部核实、审察后,才按"五刑"处罚。

最后,有上诉及复审制度。一审结束时,向当事人宣读判决,称为"读鞫"。如不服判决,可以在规定的时间内上诉。司法机关接到上诉,必须复审。在西周,复审即终审程序。

(三)春秋战国的诉讼审判

春秋的诉讼审判基本延续西周的制度,有其发展,也有所不同:第一,起诉方面有两种形式,即自诉与控告。第二,双方当事人可以在法庭上辩论,自由辩说。第三,由法官合议定罪,立即执行。

战国的诉讼审判在春秋制度的基础上,又有所发展。如秦国规定:控告必须有其事实,否则即为"诬告";由于错觉而控告不实,即"告不审";还将控告分为"公室告"与"非公室告",仅受理

---

① 《诗经·商颂·玄鸟》。
② 《说文》。
③ 《周礼·地官·大司徒》郑玄注。
④ 《周礼·秋官·小司寇》。

"公室告",而"非公室告"则不予受理。"贼杀伤、盗他人为公室;
……子告父母,臣妾告主,非公室告,勿听。"①

第二节　封建制社会的司法制度

秦朝已经进入了封建社会,是把先秦法家理论付诸实践的朝
代,其司法制度强烈地反映出"尚法"特征;汉朝定儒家为一尊,开
始了封建社会正统的司法体制;唐朝是我国封建社会的鼎盛之时,
其司法制度更加成熟、完备;宋元明清时期的司法制度反映了封建
社会由盛而衰,逐步走向后期的特点。

一、司法机构

(一)秦汉的司法机构

秦朝建立了第一个统一的中央集权的君主专制国家,汉朝建
立后,以"汉承秦制"展开了政治体制,秦汉司法机构颇为接近。

1. 秦汉的中央司法机构

秦汉两朝均是加强封建皇权的体制。皇帝具有至高无上的权
威,总揽国家大权:秦始皇"天下之事无小大皆决于上",汉高祖下
诏明确司法大权的裁决程序,都是强调皇帝拥有最高的司法大权。

中央设置廷尉作为专职的司法机构,廷尉也是该机构的官名,
列朝廷九卿之一。其职能直接审理皇帝交办的刑事案件,审理全
国各地上报重大疑难案件。属下有左右正、左右监及椽史等,协助
廷尉处理具体事务。

汉朝遇有重大疑难案件,还实行丞相、御史大夫、廷尉等共同

①　《睡虎地秦墓竹简·法律问答》。

审理,称"杂治"。

2. 秦汉的地方司法机构

自秦朝始,地方设郡县管理,实行的是行政与司法合一的体制。郡县制意味着地方机构主要分两级管理。

郡守作为一郡的最高行政长官,也是最高司法长官,拥有重要案件的审判权,同时批复郡内各县上报的案件,以及拥有向上呈报中央的权力。郡守下属设法曹等助手,协助郡守处理具体事务。

县令作为一县的司法长官,负责县内重要案件的审理。下设县丞、曹等官职,负责本县案件的具体审理,然后上报县令批准,方可执行。

县下设乡,乡下设里。最为基层的组织享有一定的司法管辖权,其主要是调解纠纷、评断曲直之类。

秦汉地方司法机构同中有异,汉朝地方的司法权限比较大,郡守、县令甚至掌握死刑案件的判决权。

(二)魏晋南北朝的司法机构

1. 魏晋南北朝的中央司法机构

魏晋时,主持负责中央司法审判的长官主要称做廷尉,也有时称大理,作为中央最高的司法机构。所不同之处,是西晋曾以吏部尚书、三公尚书郎等与廷尉共同司法。

南朝时,除中央司法机构为廷尉以外,在尚书台内又设置一些参与管理司法的部门,如吏部尚书所属的三公曹、比部曹"主法制";都官尚书所属的都官曹"主军事刑狱"。

北朝时,北齐正式把廷尉改名"大理寺",为后世所沿用。大理寺的官员设置,比以往略多一些:长官称大理寺卿,"决正刑狱"。下属设置少卿、丞各一,作为大理寺卿的辅佐。北齐时另一现象,是尚书省兼管司法。

2. 魏晋南北朝的地方司法机构

魏晋南北朝地方管理实行的是州、郡、县三级行政区。在地方司法方面,相应成为三个不同审级(当然还有一个审级,设在中央)

州的最高行政长官为刺史,负责审理各郡县因不能审理决定而上报的各类诉讼案件。州府是地方司法的最高审级,州刺史所审案件在不能决断时,上报中央廷尉。

郡守负责郡所在地与所属各县案件的审理与复核,其案件一定是发生在本郡内各县境内。

县令负责本县所属的全部地区发生的一般案件,县一级的司法机关可以直接审判。

(三)隋唐的司法机构

1. 隋唐的中央司法机构

秦汉以来,中央司法机构的体制一直是以廷尉为中心的司法机关主宰诉讼审判,北齐把廷尉改成大理寺,其司法作用基本一致。

隋朝时改革官制,将原来的中央机构的"六曹"改为"六部",其中的刑部是中央重要的司法机关。刑部的长官是刑部尚书,侍郎为次长。刑部在中央司法中起到掌管司法行政方面的主要作用,掌管法律、法令及制定各级司法机关在诉讼审判当中的具体的行为规范。

隋朝沿用北齐大理寺的审判机关,仍设大理寺作为国家最高审判机关。以卿作为长官,少卿为次官。另置正、监、评、司值、大理丞等人若干。

隋朝还延续了以往的御史台作为中央监察机关的制度,设御史大夫为台长,治书侍御史为次官,还有侍御史、殿内侍御史、监察御史数人,共同组成御史台机构。

隋朝的中央司法机构由大理寺、刑部、御史台三者构成。大理寺负责审判,刑部负责复核,御史台负责监察。三大机构既有分工各自独立,又相互制约,相互监督,以保证司法公正。

唐朝中央司法机构的组成与隋朝大体一致,仍然是大理寺、刑部、御史台三大机构。

唐朝大理寺是中央最高审判机关,负责审理中央百官犯罪及京师徒刑以上案件,徒刑、流刑案件判决后须送刑部复核,而死刑的判决要送报皇帝批准。

唐朝刑部是中央司法行政机关,负责复核大理寺及州、县必须上报的徒刑以上案件,如有疑案,徒刑、流刑以下案件可以驳回原审判机关重审,也可直接改判;死刑案件则送大理寺重审。

唐朝御史台是中央监察机关,负责全国的监察事务,在司法上,还可以监察大理寺、刑部的司法审判活动;遇有重大疑案,可以参与审判。

唐朝中央司法机关已出现"会审",如遇有大案、疑案,由大理寺、刑部、御史台三家长官一同审理,称为"三司推事"。如遇地方发生大案,且又不便解送进京的,往往派大理寺、刑部、御史台三家的属官下去共同审理,称为"小三司"。

2. 隋唐的地方司法机构

隋朝的地方行政区几经变动,初期三级管理,后改为二级管理。行政机构分为三级时,即州、郡、县。以州统郡,以郡统县。经过罢郡,成以州统县,是州县二级管理。最后又并省州,改州为郡,是为郡县二级。

地方实行行政与司法合一的权力运用,行政官即司法官。州为刺史,郡为太守,县或称令,或称长,均是所属区域的最高行政长官,同时也是最高的司法长官。

县以下的组织是乡、里。"五百家为乡,置乡正一人;百家为里,置里长一人";"使治民,简词讼。"①这是说由乡正、里长受理民间词讼。

唐朝的地方司法机构依然由行政机关兼理,即行政与司法的合一。有所不同的是,唐朝有其直接管理司法诉讼的属吏、僚佐,且比较前代有所加强。曾在州府一级设置专门的机构分别审理案件。

唐朝前期主要分为州(府)、县两级行政。当时有州(府)328个,有县1573个②。

地方的两级司法行政,县以上或设州,或设府,而在要冲地方及少数民族地方设立都督府。府、都督府都是州一级的行政兼司法长官,负责审理州内重要的案件,包括"录囚徒""有不孝悌、悖乱伦常、不率法令者,纠而绳之"③。州的长官还有若干属官,如别驾、司马、司户参军事、司法参军事、市令等。这些属官中,司户参军事、司法参军事与司法工作有关:"凡男女婚姻之合,必辩其族姓以举其违。凡井田利害之宜,必止其争讼以从其顺。"④这些案件由司户参军事负责受理。而司法参军事则负责"掌律、令、格、式,鞫狱定刑。督捕盗贼,纠逖奸非之事,以究其情伪而制其立法。"⑤另有特别是州府长官每年要巡视属县一次,录囚徒、察狱讼,对疑狱、冤狱则申报尚书省,或直接奏报皇帝。这表明州府的长官对下

① 《资治通鉴》卷177。
② 参见《新唐书·地理志》。
③ 《唐六典·州县》。
④ 同上。
⑤ 同上。

属有着广泛的监督与监察权力。

地方的县是最低一级的行政机构与司法机关,所有的案件都从最基层的县开始。行政长官县令负责一县的司法事务,即"审查冤屈,躬亲狱讼"①。县长的属官设有主簿、录事、司法佐、史等,其中司法佐、史等官吏是协助县令处理案件的。县以下的基层组织有乡、里,唐朝百户为里,设有里正;五里为乡,以乡正为长。这最为底层的乡、里之长,组织调解和仲裁一般纠纷,事情若大或有刑事案件则交由县处理。

唐朝后期地方司法也有特别,即原来的监察道,逐渐发展成为州之上的一级行政单位,节度使称为道的最高长官。加上原有的州府与县,后期成为三级行政与司法。

(四)宋朝的司法机构

1. 宋朝的中央司法机构

唐制以刑部、大理寺、御史台三者为核心的中央司法机构,到宋朝有所接受,但又设置了审刑院,使历史上延续下来的刑部、大理寺、御史台的职能发生了变化。

宋朝的刑部,起初是行政与司法的混合部门,拥有比大理寺更高的审判权,职责是主管复查全国大辟已决公案以及官员犯罪除免、经赦叙用、定夺昭雪等案件。后来,审刑院成立掌管死刑的复核权,成为刑部之上的机关。刑部职能在宋朝发生了变化。

宋朝的大理寺,起初是作为各慎刑机关,从不直接受理和审断案件,仅仅是对各地上报的案件进行书面审核,再报送审刑院复审,并与审刑院共同签署上报。后来宋朝又恢复了大理寺原有的审判职能,对流刑以下案件有权断决;而死罪在断决后要报送御史

---

① 《唐六典·州县》。

台复核;对重大案件,要听取皇帝旨意而定。

宋朝的御史台,除去历来就有的中央最高监察机关的职能外,也具有司法监督和重大疑难案件的审判职能。御史台管辖的范围:命官犯法的重大案件;受理司法官员受贿而错判的案件;地方的疑难案件;奉命审判重大案件。

宋朝的审刑院,是宋初设立的审判复核机关,也有部分审判权。设立的目的是为防止大理寺、刑部的舞弊。有了审刑院以后,所有上奏案件必须先报到审刑院,然后再经审刑院发给大理寺和刑部。(当初的审刑院又叫"宫中审刑院"。991 年设立,撤销于1080 年。)

2. 宋朝的地方司法机构

宋朝地方司法与历史上大致相同,因宋分北宋、南宋,所以在都城地区的司法机构有所特殊,另外宋朝还设立了专门的和临时的司法机构,比宋前略微复杂些。

京畿　宋朝的都城,北宋时是开封府,南宋时是临安府。开封府、临安府先后都是京畿地区的行政机构,也是其司法机构。对京畿地区的诉讼案件、承旨审判的大案,可以直接判决禀奏皇帝,不受刑部和御史台的约束。京畿地区的司法权限"掌正畿甸之事。中都之狱讼皆受而听焉,小事则裁决,大事则禀奏。若承旨已断者,刑部、御史台无辄纠察。"①说明开封府、临安府均是一个特殊地区的司法机构。

路　宋初,仿唐制中的道而设立路,是由早先的监察区向行政区过渡而形成的。路是宋朝地方最高一级的行政机构,由中央派出。先后设有转运使、提点刑狱司、提举常平司等,其中的

---

① 《文献通考·职官 17》。

转运使和提点刑狱司有司法职能。两者并列一级的司法机构，监督管理所辖区域州府的司法审判事物；审核十日一报的州府案卷；举劾在审判方面失误的州府官员；随时前往各州府检查刑狱之事。

州（府、军、监）　州的长官设知州、通判各一人。知州作为地方行政首脑，兼行司法审判权："总理郡政"，"数县事，令、丞所不能决者，总而治之，又不能决，则禀于所隶监司及申省部。"①知州负责处理属县不能决的案件，并负责向属官解释法令条例，宣读赦宥。

县　县的长官设知县或县令，主要属官有县丞、主簿和县尉。宋朝规定县以及长官要亲自坐堂问案。知县或县令除负责县内的各项政务外，必须负责受理和审理其境内发生的各种案件。对杖刑以下的刑事案件有权作出判决；徒刑以上刑事案件和命官犯罪的案件，则将案情和预审的情况报上级州或上奏朝廷。

3. 宋朝的专设、临设机构

宋朝设有专门的审判机构，即军事审判机构和财经审判机构。

军事审判机构，拥有对军人案件的司法审判权。机构是枢密院、各级军事机构。宋朝在战时或者行军当中，违法者由将帅直接处置；平时则由枢密院和军事机构审理。枢密院是中央最高军事机关，除掌管国家军国机务、兵防、边备等政令以外，还有特别的司法权力：即复核军人死刑、军人反流罪刺配案件，然后上奏取旨。各级军事机构的司法权限：凡京城禁军案件，杖刑以下的可直接判决；徒罪以上的案件上奏。

财经审判机构，司法职能主要是审查经济案件。以神宗元丰

---

①　《宋会要辑稿·职官47》。

改制为界,之前的机构是三司,之后为户部。司法管辖的对象主要是京城与各地官司的经济案件,有时也受理民间财产纠纷案件。凡杖刑以下案件,可以直接判决,徒刑以上案送大理寺。

宋朝还设有临时的审判机构,有杂议、制勘院和推勘院。

杂议是针对疑难案件,由皇帝指派正副宰相、御史、谏官、翰林学士、知制诰等朝廷高官,对案件进行审理的一种形式。它不仅对案件作出判决,还可以解释法律,甚至修正法律。

制勘院是在遇到重大案件之时,皇帝派钦差官员到事发地临近的州县临时设置的机构,在派出地施行审判,以保证皇帝对地方重大案件的司法控制。

推勘院是由监司、周军派官组成的临时审判机构。所审理的案件比较复杂:有皇帝诏书批下的重案;有中央机关交办的重案;有监司在地方巡查发现的疑难案件;各州大辟罪犯录问或临刑时翻异的案件;各州县多次翻异的案件。

(五)元朝的司法机构

元朝是我国历史上第一个少数民族掌握国家大权的朝代,其司法制度较之唐宋法制有大的变化:建制重叠,多重管辖,职掌混乱,民不平等……

1. 元朝的中央司法机构

元朝在中央建立起旨在保障蒙古族王公贵族特权的司法机构如大宗正府、刑部、御史台、宣政院、枢密院等,拥有专职或兼职的司法审判大权。

大宗正府的前身是蒙古国总揽朝廷政务的大断事官,元朝撤销大理寺后,大宗正府成为重要的中央司法机构。其司法权限:专门受理蒙古人、色目人,尤其是蒙古上层人士的诉讼案件;有时全面掌握国家刑狱;兼理汉人轻重罪囚。1334 年诏曰:"蒙古、色目犯奸盗诈伪之罪者,隶宗正府;汉人、南人犯者,属有司。"①表明大宗政府的司法权限主要是针对蒙古人和色目人之犯罪。

刑部是在中书省下设置的机构,是中央审判机构和最高司法行政机构。以尚书为正长官,侍郎为副长官,职责是"掌天下刑名法律之政令。凡大辟之按复,系囚之详谳,孥收产没之籍,捕获功赏之式,冤讼疑罪之辨,狱具之制度,律令之拟议,悉以任之。"②刑部之权是如此之大,是因为元朝把以往大理寺的审判权划归刑部执掌。在实际运行当中,蒙古贵族、僧侣、军官的犯罪案件,刑部又不得受理。所以,刑部的司法权往往又被大宗正府、宣政院、枢密院等限制或者侵夺。

御史台是最高的中央监察机构,长官是御史大夫,与中书令、枢密使地位等同。元朝将全国划分为22个监察区,在御史台下设行御史台(亦称外台)为派出机构,"统制各道宪司,而总诸内台",监察"行省宣慰司已下诸军民官吏之作奸犯科者,穷民之流离失业者,豪强家之夺民利者,按察官之不称职任者"③。由于废除了大理寺,御史台的检查司法权得以扩大与加强,在全国形成一个庞大的司法检察体系。

宣政院是专门负责审理牵涉僧侣案件的司法机构,是最高宗教审判机关。宣政院长官由佛教国师兼领,各地僧侣的狱讼,大案由地方长官审理后,上报宣政院;普通案件则由宣政院在地方的派出机构僧录司负责审理。1304年,成宗下诏:"凡僧奸盗杀人者,听有司专决。"④1311年,朝廷下令,"僧人诉讼,悉归有司"。于

① 《元史·顺帝本纪》。
② 《元史·百官志》。
③ 《元史·刑法志一》。
④ 《元史·成宗本纪》。

是，"罢宣政院理问僧人词讼"①。

枢密院是最高的军事机构，主管军政大事以及兼管狱讼。长官是枢密使，往往由皇太子兼任。司法权限是"掌处决军府之狱讼"，同时参与军民、军政之间诉讼案件的共同审理。

2. 元朝的地方司法机构

元朝仍然实行的是地方行政、司法合一的体制，地方长官兼理司法事务。元朝分行省、路、州、县四级。

行省是地方最高的行政机关和最高的司法审判机关，实质是中央在地方的派出机关，其组织形式与中央机构明显雷同，设有行中书省、行枢密院、行御史台。凡地方的重案要通过行省上报中央，而中央刑部的判决也要经过行省下达地方执行。

路是巡视监察的区域，通常按所辖户数分为上、下两等，即上路、下路。路设总管府，长官为总管。下属官吏有推官二人，负责审判，"专掌推鞫刑狱，平反冤滞，董理州县刑名之事"②。

府在元朝设有两种：一则分为直隶省部或行省；另一则附属于路或宣慰司。府设监临官，由达鲁花赤担任；设长官，由知府出任；另有推官和司狱官为专职司法官。

州、县两级各置监临官一人，分别由达鲁花赤担任；其长官分别由知州、县尹出任；另有辅佐若干。

在元朝的地方司法体制中，路、府、州、县的词讼均由长官推问，但达鲁花赤可以直接干预甚至控制地方司法；元朝也仅仅在路、府两级设立推官，专门负责刑狱案件，而在州、县两级并没有专职的司法审判官吏。

---

① 《元史·仁宗本纪》。
② 《元史·刑法志二》。

（六）明朝的司法机构

1. 明朝的中央司法机构

明朝的中央司法机构称为"三法司"，即刑部、都察院、大理寺。在此之外，司礼太监有部分审判权；五军都督府有对军人诉讼的管辖权；刑科、锦衣卫、通政司等也有一定的司法参与权。当然，明朝的中央司法机构是以"三法司"为主。

刑部　刑部沿袭唐宋官制，为中央六部之一，但职能有所不同。唐宋刑部是复核机关，审核大理寺徒、流案件，以及地方徒以上案件。明朝刑部的职能是主掌审判，"总掌天下之刑名及徒隶勾覆关禁之政令"①。刑部审理的案件主要有两种：一是全国各地的上诉案件；一是京畿地区的案件。刑部有权处决流刑以下案件，审理结果须报大理寺复核，再由刑部具奏执行。

大理寺　明朝大理寺主掌复核驳正及复核刑部审理的案件。显然与唐朝有别：唐大理寺是中央审判机关，刑部复核。大理寺设卿 1 人为长官；又左、右少卿各 1 人；左、右寺正各 1 人；其他若干。长官大理寺卿"掌审谳平反刑狱之政令"②，其中流刑以下案件，大理寺复核后有权决定是否驳回刑部重审，而对于死罪的复核，其结果须由皇帝最后审批，方可执行。

都察院　明朝撤销了御史台，改为都察院，作为中央监察机关，主要负责监察百官，在这个意义上是风宪衙门。明朝的都察院除监察外，还有重要的司法权：一则对中央司法机关审判案件的审录与监察；二则有权对地方司法进行监察与干预。长官设监察御史、都御史，都御史的职责范围主要是中央与京师，而监察御史的

---

① 《明太祖实录》卷 130。
② 《明史·职官志》。

职责范围主要是地方。

明朝的中央司法机关，以刑部为主要审判机关，大理寺为复审复核机关，而以检察院为监督机关。三法司各自分工负责，相互有所牵制，三者共同对皇帝负责，以保证皇帝的至高无上的专制。

2. 明朝的地方司法机构

明朝的地方行政区域基本是划分为省、府、县三级管理，其地方司法机构与之相应，因为照常是行政与司法的合一体制。

省　元朝的行省至明演变为省，省的常设机构称为"三司"，即承宣布政使司、提刑按察使司、都指挥使司。省级长官有布政使、提刑按察使、都指挥使。一般意义上，布政司侧重行政；按察司侧重司法；指挥司侧重军事。与此同时，按察使与指挥使都具有一定司法权。提刑按察使司是省级专职司法机构，负责省内的司法审判及对官吏的监察工作。提刑按察使司有权处决徒刑以下的案件，徒刑以上案件须送刑部批准。

府、县　明朝的府、县两级，仍然由其行政长官知府、知县兼掌司法。府设立推官一职协助知府处理审判之事，而县一级则完全由知县独立掌握审讯、判决等工作。府、县两级司法范围，可以处决杖刑、笞刑，而杖刑以上的案件则要逐级上报批准。

3. 特殊的司法机构

明朝有特殊的司法机构，也是明朝的独特现象，即有明一代的厂卫组织。明朝把东厂、西厂、锦衣卫和镇抚司合称叫厂卫，可以凌驾于三法司之上，掌握司法审判的实际权力。"刑法有创之自明，不衷古制者：廷杖、东西厂、锦衣卫、镇抚司狱是已。是数者，杀人至惨而不丽于法。踵而行之，至末造而极。举朝野命，一听之武夫、宦竖之手,良可叹也。"①明朝司法的一个突出特点是厂卫组织对司法活动的干预甚至操纵,这也是造成明朝司法混乱的一个重要原因。明朝"英、宪以后,钦恤之意微,侦伺之风炽。巨恶大憝,案如山积,而旨从中下,纵而不问;或本无死理,而片纸付诏狱,为祸尤烈。故综明代刑法大略,而以厂卫终之。"②其厂卫组织司法权限不仅凌驾于三法司之上,而且也远远超过明朝成文法的规定。

(七)清朝的司法机构

1. 清朝的中央司法机构

清朝的司法制度承袭明朝的体制,中央司法机构仍以刑部、都察院、大理寺为核心,也称为"三法司"。说是承袭明制,但最大的不同是清朝没有明代的所谓厂卫组织。

刑部 作为全国最高的司法审判机关,称为"刑名总汇"。刑部长官是尚书与侍郎,又统称为"堂官"。清朝官制的特点是一个官职常常是满、汉各1人出任。刑部下设17个清吏司,分管各省的司法审判事务。整个刑部的官员是中央六部之最,编制即407人,而实际上常达1000人左右。刑部职责规定为:掌天下刑罚之政令,以赞上正万民。具体职责是:核拟全国死刑案件;办理秋审、朝审事宜;审理京师地区的"现审案件";批结全国军流遣罪案件;主持修订律例;司法行政事务。

都察院 作为全国最高的监察机关,有"风宪衙门"之称。设满汉左都御史各1人;满、汉左副都御史各2人。当时都察院下设六科、十五道,六科是监察六部的独立检察机关,十五道是分察各地刑名事务。整个都察院的职责是"掌司风纪,察中外百司之职,

---

① 《明史·刑法志》。
② 同上。

辩其治之得失与其人之邪正。……凡重辟则会刑部、大理寺以定谳，与秋审、朝审。"①具体职责有两个方面：一方面是会谳，即与刑部、大理寺共同复核、拟议全国死刑案件；另一方面，参加"秋审"、"朝审"，都察院长官作为"九卿"之一，参加会审大典。

大理寺　作为中央平反刑狱的机关，亦即死刑的复核机关。大理寺的长官为卿、少卿，均为满、汉各1人。其职责是"掌平天下之刑名，凡重辟则率其属而会勘。大政事下九卿议者则与焉，与秋审、朝审"②。具体地说，即及时平反冤狱；参加三法司会审，与刑部、都察院共同会审京师地区的死刑案件及按复外省的死刑案件；参与秋审、朝审；主持热审。

理藩院　清朝另设有理藩院，专门管理蒙、藏、回等少数民族地区的中央国家机关，具有司法职能。"掌外藩之政令，制其爵禄，定其朝会，正其刑罚。"③表明审理案件也是理藩院的一项重要工作，外藩地区的死刑案件必须报理藩院，由理藩院会同三法司审核拟定死刑立决还是监候，立决者上奏皇帝批准后处决，监候者等待秋审，再作判决。

2. 清朝的地方司法机构

清朝的地方司法依然是从属行政的传统，在地方有行政权就有司法权。清朝的地方机构总括为省、道、府、县四级，司法机构也与之相应。

省　清朝地方行政长官，每省设置一巡抚，二三省设置一总督（有的总督又兼任巡抚）。显然，总督比巡抚的级别应高些，可是

---

① 《清光绪会典》卷69。
② 同上。
③ 《大清会典·理藩院》。

二者又并非隶属关系。省级的按察司是直接综理刑名事务的,但又不是省级的最高司法权力,按察司须把案件的审理报给总督、巡抚,如此看来,地方上的总督、巡抚是省级最高司法权的体现者。总督、巡抚的司法职能是:主要督促所属按限结案;督促、查檄地方终审、具题等项;审批徒刑案件及按察司经复核没有异议的案件,确无异议即可执行。另外,对于军流刑的案件复核,如无异议,报告刑部;对死刑案件,进行复审,作出"看语",专案向皇帝具题。省级具体的司法职能由按察使司执行,主管一省刑狱案件。按清朝的有关规定,按察使司负责审理自理案件,"限一月完结"。其自理案件有两个方面:一是审理督抚、藩司、学政、提督及本司衙门书吏、差役等人的轻微刑事案件;二是审理所属州县上控的词讼。按察使司最为重要的司法职能是复审府级上报的刑案,对徒刑案卷进行复核,对军流、死刑犯进行复审,书写"看语",上报督抚。此外,按察司还主持全省的秋审和管理狱政事务。

府 清朝的府在全国共设立八十多个,直隶厅、州一百多个。按行政区域的管理规定,府一般辖有五六个至八九个州县,直隶厅不辖县,而直隶州要辖二三个县。府是州县以上的司法审级,其职责是"决讼检奸",主要是复核州县上报的刑事案件,复审州县解送来的人犯,查核有无翻供、验证人证、物证,审查州县上报案卷有无差错以及州县拟罪是否得当。如果府的复核没有异议,便作出"看语",上报省按察司;如有异议,可以驳回。府级还接受军民不服州县审判的上诉与申诉案件。对于直隶州的案件,可以报本管道台审转,"直隶州一切案犯由道审转解(按察)司"。雍正皇帝说过:"刑名案件,知府尤为上下关键,务期明允公当,地方始无冤民。不可听属员恳求,亦不可畏上司驳诘而草率苟且,以致讼狱颠倒。"①

县　清朝的县设置较多,且与县同一地位、同一等级的,还有重要地方所设的州,还有边远民族居住地方所设的厅。这些同一等级的区域在清朝有 1500 个左右。作为基层行政组织的县,号称"牧令所司,刑名钱谷二事为先务"②,头等大事是司法与财经。在司法进程当中,"凡军民人等有冤抑之事,应先赴州县衙门具控,如审断不公,再赴该管上司呈明,若再屈抑,方准来京上诉"③。可见,县为"初审",即处于第一审级的地位与作用。县有"自理案件",限 20 天完成,指一些轻微的刑事与治安案件。县最大的司法权限是处以笞、杖、枷刑。对于徒刑及徒刑以上的刑事案件,县有侦察和初审的职责,经初审后"拟罪",按时上报给上司复审。

清朝的地方司法审级为四级:县有自理案件,且对刑事案件有初审拟罪权,然后可将徒罪以上人犯与案卷解送给上一审级;府级复核县级上报的刑案,复审人犯,并作出拟罪"看语",上报省按察司,当然府级也有自理案件;按察司对府级上报的刑事案件,徒刑进行案卷复核,流刑、死刑则经复核后上报督抚;总督、巡抚则对省按察司上报的死刑案件进行复审,并上报中央刑部。

二、监狱制度

(一)秦汉的监狱管理

秦汉时期已进入封建社会,监狱的设置、管理等与奴隶社会有所不同。除却监狱有共同的威慑、恐怖特征以外,封建社会的监狱

①　《广东通志·训典》卷一。
②　《牧令须知》卷六。
③　《读例存疑·诉讼·越诉》卷三九。

在管理方面,开始有了对犯人一定程度的衣食供应等生活方面的管理。

秦汉监狱的设置 秦汉时期,由于行政区设置的郡县制度,相应地从中央到地方建立了国家控制的监狱体系。秦朝始皇帝时,有"赭衣塞路,囹圄成市"①的记载,说明当时囚犯之多,监狱之众。又载:"秦狱吏程逸善大篆,得罪始皇,囚于云阳狱。"②透露两个信息:一是大抵按郡县而设监狱;二是开始使用了"狱"字,称谓囹圄之类。到汉朝时期,我们可以见到非常普遍地把监狱称为"狱"字。西汉武帝的时候,仅仅在洛阳中都之地,竟设立官狱达 26 所。而整个西汉时期,"天下狱二千余所"③,足以见得地方监狱是何等的普遍。

秦汉监狱的管理 秦朝设有专门的监管人员,对监狱进行管理。有专门的狱吏、狱卒管理监狱。监狱门口设置门岗,由署人、更人站岗。当监狱犯人较多,还责令轻刑的犯人代为管理重犯。秦朝凡在押的犯人一律身着赭红色囚服,头裹赭红色毡巾,用以与正常人相互区别。按秦汉时期的监狱管理规定,在押犯人有囚粮供应、囚服发放。但关于囚服的发放,实际上是由犯人购买。汉朝时,监狱的管理更加细致一些,比如,犯人入狱后,日给囚粮,季换囚衣。身体有病,官府给药。

秦汉的录囚制度 所谓"录囚",是指皇帝和各级官员定期或不定期地巡视监狱,审查囚犯,或平反冤狱,或施行赦免。至迟在汉朝时期建立了录囚制度,史有"诸州常以八月巡行所部郡国录囚

---

① 《汉书·刑法志》。
② 《能书录》。
③ 《汉书·刑法志》。

徒"①的记载,又有何武作扬州刺史的时候,每"行部录囚徒"②。表明在汉朝录囚制度在郡国已经建立,其主要任务是巡视监狱,平反冤案。沈家本曾讲,"录囚之事,汉时郡守之常职也"③。是说西汉时期,录囚仅仅是郡县的事情。皇帝开始亲自录囚,应起于东汉。史载"及明帝即位,常临听讼,观录洛阳诸狱"④。东汉明帝亲临听讼,到洛阳监狱亲自录囚。皇帝录囚,为的是彰显朝廷的慎罚与仁政。

(二)魏晋南北朝的监狱管理

魏晋南北朝监狱的设置　东汉末年的曹魏政权,曹操在军中设理曹掾属,主典刑狱,在军中设置监狱;魏文帝时,在尚书省设置都官曹,负责军中刑狱,时都官曹成为国家最高的军中刑狱机关。

西晋武帝时,在御史台设立黄沙狱,关押诏狱以及廷尉审理不当的囚犯,不久黄沙狱废除而并入河南狱,置治书侍御史掌管狱事。

南朝时期,中央设置廷尉和建康两个主要监狱,按三官之制设置正、监、平三官,职掌监狱之事,而具体事务由狱丞负责。中央两个监狱,以建康为"南狱",廷尉为"北狱"。监狱管理由三官轮流值日,处理狱囚的犯罪案件。

北朝孝文帝实行汉化,在京师设置廷尉、籍坊两个中央监狱。以廷尉关押重大案犯及州郡上报的疑难案犯,而籍坊则把已决的囚犯关押服役。

魏晋南北朝时期,大多是在京师地区设置监狱,而地方上的各

---

① 《汉书·百官志》。
② 《汉书·何武传》。
③ 《历代刑法考·赦考·赦十二》。
④ 《晋书·刑法志》。

州、郡、县,也都各自设立各自的监狱,主要关押本地区的囚犯。各地之刺史、郡守、县令则是各级监狱的主管长官,下设专职的狱吏,把监狱的具体事务交给狱吏负责。

魏晋南北朝监狱的管理 魏晋南北朝时期的狱政管理,延续了前代管理上的积极成果,一定程度上体现了人道的精神。史载:"狱屋皆当完固,厚其草蓐,切无令漏湿。家人饷馈,狱卒为温暖传致。去家远,无饷馈者,悉给廪,狱卒作食。寒者与衣,疾者医药。"①可见对囚犯的衣、食、住、病等,均作出规定且有所安排。到北魏时期,监狱的管理又有新的规定:例如"妇人当刑而孕,产后百日乃决";再例如犯死罪的囚犯,如果父母年迈而又没有奉养之人,囚犯可以"留其养亲"。这是魏晋南北朝时期监狱管理方面较积极的一面,当然这一时期,也有消极的一面。

如各个朝代都先后制定出了相关法律,用以规范系囚、讯囚所使用刑具的尺寸、规格。南梁规定:"其鞭,有制鞭、法鞭、常鞭,凡三等之差。制鞭,生革廉成;法鞭,生革去廉;常鞭,熟靼不去廉。皆作鹤头纽,长一尺一寸。稍长二尺七寸,广三分,靶长二尺五寸。"②虽说刑具有所规范,但是,刑讯的手段却是不断翻新,以期达到刑讯的目的。如孝文帝之时,流行使用重枷刑讯的方法,《魏书·刑法志》载:"时法官及州、郡、县不能以情折狱。乃为重枷,大几围;复以缒石悬于囚项,伤内至骨;更使壮卒迭搏之。囚率不堪,因以诬服。吏持此以为能。"至北齐之时,各级狱官违法用刑的情况愈演愈烈,"时有司折狱,又皆酷法。讯囚则用车辐、杖,夹指。压踝,又立之烧犁耳上,或使以臂贯烧车钢。既不胜其苦,

① 《晋书·狱官令》。
② 《隋书·刑法志》。

皆致诬伏。"①由此可见,法外用刑的现象比较普遍,视刑具尺寸规定之不顾。如此狱官的违背法律的刑讯结果,必定会造成大批的冤假错案。

(三)隋唐时期的监狱管理

隋唐时期是我国封建社会法制的定型与完善之时,尤其在监狱管理方面,以唐朝为代表,在监狱的设置、管理方面,更趋向其制度化,达到鼎盛时期,对封建社会后期的历史产生了深远的影响。

隋唐监狱的设置 唐朝监狱的设置与以往相比较为完善,从中央到地方各级各地都普遍设立了监狱。史载:"凡京都大理寺、京兆、河南府、长安、万年、河南、洛阳县咸置狱。"②"凡州县皆有狱,而京兆、河南狱治京师,其诸司有罪及金吾捕者又有大理狱。"③在中央设置大理寺狱,专门羁押中央机关的犯罪官吏和皇帝诏令逮捕的罪犯;在京师地区设置京兆府狱、河南府狱,关押京师地区的罪犯;在京都的属县(长安、万年、河南、洛阳)设置地方监狱,关押这些地方的罪犯;另外,在州县设立地方基层监狱,关押当地的罪犯。应该说唐朝的监狱设置比较体系化。

大理寺狱归大理寺管辖,设"刑部丞掌押狱"④,总管监狱事务;设狱丞2人至4人,"掌率狱吏,知囚徒。贵贱、男女异狱。……因病,给医药,重者脱械锁,家人入侍。"⑤

地方监狱是州有州狱、县有县狱。所有的监狱皆以典狱职掌狱事,上州设有典狱14人,中州12人,下州8人;上县设典狱10

---

① 《隋书·刑法志》。
② 《唐六典》。
③ 《新唐书·刑法志》。
④ 《唐六典·大理寺》。
⑤ 《新唐书·百官三·大理寺》。

人,中县8人,下县6人。看来,整个唐朝管理监狱的人数应该相当的多。

隋唐监狱的管理　在唐朝,罪犯作出一定的区别:"罪已定为徒,未定为囚。"①说明监狱关押的主要是未决犯,或者是刚刚判决后正待执行的已决犯。在囚禁罪犯方面,唐朝实行贵贱、男女异狱进行管理,同时还按照罪行的轻重程度分别关押。另有"散禁"政策,即对处罚为杖、笞刑罚的罪犯,以及年龄80岁以上、10岁以下、废疾、孕妇、侏儒这样一批人群,全不使用械具。一般来讲,囚犯的衣食问题,由其家属解决。仅对那些家不在本地的犯人,衣食由官府提供,实行官给衣食。监狱管理还特别注重对囚犯生病的处置,按规定囚犯有病,监狱的管理者必须向上级报告,请求医药及其治疗,当病情严重之时,还特别允许家人前来探视。为体现官僚的特权,唐朝的监狱管理规定,对犯罪的官员实行特别优待,包括可以不戴械具,允许每月洗澡一次,倘若犯罪官员生病,还允许其家人前来照料。

为强化监狱的管理制度,唐朝继续历史上"录囚"的传统,并使之制度化。唐高祖、唐太宗都是亲自录囚的榜样,史载,唐高祖武德元年,"亲录囚徒";唐太宗"每视朝,亲录囚徒"②。唐太宗规定:"诸狱之长官,五日一录囚。"③表明唐朝监狱录囚的经常化、制度化。从中央来说,统管全国司法的刑部,在每年正月要到各地巡视狱情,所到之处"阅狱囚纽校、粮饷,治不如法者";"使人至日,先检行狱囚枷、锁、蒲席及疾病、粮饷之事,有不如法者,皆以状

---

① 《太平御览》卷642,《律序》注。
② 《册府元龟》卷58。
③ 《新唐书·刑法志》。

申"①。唐朝的录囚还彰显出一定的规范化来。

(四)宋朝的监狱管理

宋朝监狱的设置　宋朝是君主专制中央集权制得到高度强化的历史时期,在监狱制度上也得到了充分的体现。自唐朝开始,从中央到地方一整套监狱体系建立了起来,宋朝延续着传统的监狱体系,同时宋朝使之更加完整而有所发展。中央监狱设有大理寺狱,其中一段时期又有御史台作为补充,有很长的一段时期,大理寺狱和御史台二者并存,均为中央监狱。其实,中央还有一些特殊监狱,即"诏所系者之地",专门关押皇帝诏令交办的重要犯人。当然,宋朝从京师到地方州县也都普遍设有各级监狱。从历史上看,宋朝的监狱设置应该是超过以往任何时代的。

宋朝监狱的管理　宋朝的监狱管理,特别是对待囚犯的管理有新的方式方法。大体上看,所有监狱的囚禁规定:男女有别而分室居住;贵贱有等而异狱监禁;又有轻重与公私的差异。在监管方面,宋朝有检视警卫的制度:规定监狱的管理者要定期地检查监狱的安全措施、监狱使用刑具的规格尺寸、狱囚人数以及狱囚的衣食供给等等。在对待囚犯的生活待遇方面,有规定囚犯的衣食、生病等情况的制度,囚犯享有最为基本的衣、食、医药待遇,以保证囚犯的生存与生活。

宋朝狱官的责任　宋朝对狱官的责任有着详细的规定:在收进罪人的时候,必须查验罪人犯罪的原由,确认收监的具体时间,一同上报;对那些处以徒刑、流刑的罪犯,只要断罪,就必须按时遣送配所,以便实行强制劳役。假如由于是监狱管理者的失误、失职,导致囚犯死于狱中,那么就必须承当责任。

————————

① 《唐六典》。

宋朝的监狱制度,一方面体现了"大权尽为人主、集于朝廷"的高度君主专制的中央集权制,另一方面又能够在封建意义上一定程度地显示出文明与人道的意义所在。

(五)元朝的监狱管理

元朝初年的监狱设置基本延续宋朝的制度,之后不久,由于元朝的行政机构与宋朝有所不同,所以在监狱的设置上也不同于一般的历史朝代。

1. 元朝监狱的设置

关于中央监狱,元朝不设大理寺,而刑部成为全国最高的司法机关,如此中央监狱便设置于刑部,由刑部管理国家狱政。又有掌管皇族事务的大宗政府设置的监狱,羁押"诸王驸马投下蒙古色目人等应犯一切公事,及汉人奸盗、诈伪、蛊毒、厌魅、诱掠、逃驱轻重罪囚及边远出征(有罪)官吏"①。大宗政府设置的监狱,由断事官扎鲁花赤掌管。1312 年,仁宗制定监狱制度,规定"以汉人刑名归刑部","上都、大都所属蒙古人并怯薛军站色目人与汉人相犯,须收押者,归宗正府处断"②。至此,刑部设置监狱,大宗政府也设置监狱。此外,元朝还在宣政院设置监狱,关押的是犯罪的僧侣;还在枢密院设置监狱,关押犯罪的军官。

关于地方监狱,元朝的地方行政区域划分为路、府、州、县,与之相适应分别设立监狱,由各级官府"设司狱一员,狱丞一员,狱典一人"③,掌管各自监狱的事务。元朝形成了地方的四级监狱管理体制。

---

① 《元史·百官志三》卷 87。
② 同上。
③ 《元史·百官志七》卷 91。

2. 元朝监狱的管理

元朝对监狱官员的管理比较严格,制订了专门的《狱官条例》。条例中对监狱管理人员的"失职"、"纵囚"、"失囚"、"受赃"等,分别作出不同的处罚规定。比如:"受赃",是指"诸司狱受财,纵犯奸囚人,在禁疏枷饮酒者,以枉法科罪,除名"①。元朝的法律规定,官吏要定期提点牢狱,检查稽核罪囚。一方面要了解囚犯的真实情况,有无冤案,以便平反;一方面要检举狱吏的不法行为,考查官吏,以便给以惩处。

元朝的统治有个不断"汉化"的过程,同时受到儒家思想的影响,监狱管理方面也凸显了悯恤狱囚的做法:如根据囚犯男女性别不同、犯罪情节轻重不同,进行分类监禁,"毋或掺杂"。也考虑提供囚犯最为基本的生存条件,例如供给囚粮、提供必需的生活必用品,还提供最为基本的医疗条件,对孕妇、老弱废疾者,提供一定的优待。

元朝的监狱管理既体现了时代的特点,也体现了民族的特征,对封建社会后期的司法制度产生了长期的影响。

(六)明朝的监狱管理

明朝最为突出的特征是高度的中央集权政治,反映在监狱管理方面,最为集中的表现就是厂卫狱的设置,世称"诏狱"。它是封建社会监狱历史上最为残酷与黑暗的代表。

《明律》"捕亡门"有载:"凡犯罪被囚禁而脱监,及解自带锁枷越狱在逃者,各于本罪上加二等。"而《明会典》有"将监门牢固封锁","随即押汇收监"等等。如此史料被视为将"狱"称"监",至少始于明代。因为自汉朝以来,所有地方所设之狱,一直称为狱,

---

① 《元典章·刑部十七》卷55。

却无称监之名。《明律》开始将狱称为监，被后世所沿用，已成定式。

明朝监狱的设置　明朝的中央司法机构是刑部、大理寺、都察院，而监狱的设置在刑部与都察院，大理寺不设监狱。明朝地方行政区域为府、州、县，相应行政机构在各级司法机关设置监狱，显然地方监狱由相应司法机关管辖。明朝监狱设置的最大不同是，在普通监狱（正狱）之外，设置了特务监狱（非正狱），那就是历史上最为著名的厂卫狱。厂卫狱附设于厂卫，是由厂卫组织掌管的特务机关监狱。"刑法有创之自明，不衷古制者：廷杖、东西厂、锦衣卫、镇抚司狱是已。是数者，杀人至惨而不丽于法，⋯⋯一听之武夫、宦竖之手。"①这是在司法方面明朝与以往历史的不同之处，就这种"非正狱"而言，居然独立于一般司法机关之外，直接受皇帝管辖，在狱政管理方面，也极为特殊，可以不遵守一般制度，如大量地使用酷刑，注定冤假错案之多，用刑之惨，才称之为"非正狱"。

明朝监狱的管理　明朝在总结以往历史监狱管理经验的基础之上，制定出非常严密的监狱管理制度。其中最为主要的是系囚制度、悯囚措施和录囚制度三个方面。

关于系囚制度，明朝为保证对罪囚实行安全有效的羁押役用，制定了包括提牢点视、安全保卫、桎梏、劳役等制度，称为系囚制度。所谓提牢点视制度，首先专门设立提牢官，对监狱的安全保卫负责，总提牢官统一掌握监狱的钥匙，由狱卒巡夜值班，且按月更换提牢官，以防止存在舞弊行为，保障监狱安全的万无一失。所谓桎梏制度，是为防止罪囚逃亡、惩罚罪囚而制定的制度。制度规定了狱具的种类、名称、大小、长短、轻重以及质地、用途，以便有针对

---

① 《明史·刑法志》。

性的使用狱具。为了能够合法地使用狱具,明朝还专门对破坏桎梏制度的行为加以严重处罚。所谓劳役制度,即是充分利用罪囚的劳动力资源,制定出力役制度。在明朝罪囚的劳役比较复杂,各个时期均不统一,表现为役种不同:有屯种;有充国子监膳夫;有牧马;有运砖杂工;有煎银;有炒铁;也有种田;等等。

关于悯囚制度,明朝在悯囚方面的制度应该说还是比较完善的,理应是儒家思想宽恕政治的实际体现。所谓悯囚制度,是指为保障罪囚基本的生活,对贫困者提供免费的衣食,为有病的罪囚发放医药,给犯罪的官僚以优待,给老幼妇女以宽待,经常清洗狱具以及禁止淹禁罪囚等等,并为此制定各方面的制度。其中禁止淹禁罪囚制度,是指"狱囚情犯已完,监察御史提刑按察司审录无冤,别无追勘",理应断决、起发而不与断决、起发,以致淹滞留禁的行为,称之为"淹滞"。

关于录囚制度,被历代标榜为"明德慎罚"仁政的体现,自汉朝以来大都把录囚制度作为一项重要的制度作出具体的规定。即是由皇帝或者地方官吏定期、不定期地巡视监狱,向罪囚寻查决狱的情况,从而对狱情进行了解,达到监督的目的。到明朝之时,录囚制度已逐渐形成为会官审录制度。也就是说,皇帝一般不再亲录罪囚,代之的是三法司、司礼太监等主持的圆审、热审、大审、朝审等等,反审罪囚,以决遣轻罪。

(七)清朝的监狱管理

清朝监狱的设置 清朝有所谓"内外大小问刑衙门设有监狱"之称,从中央到地方各级均设置监狱,可见监狱的设置之广、之众。

清朝的中央监狱总体设置基本沿袭明朝的监狱制度,依然设置在刑部,成为刑部监狱。刑部监狱由刑部堂官职掌,由提牢厅具体管理监狱事务。提牢厅的官员设有主事、司狱等。清朝的刑部监狱分为南监、北监两座,在京师地区的重犯和兼候秋审的犯人关押在刑部的南监或北监。中央监狱还设有官监、女监,也有病监的特殊设立。

地方监狱的设置总体与地方行政相协调,是在地方行政长官的统领之下,有专门官员负责官吏监狱。在清朝的按察司、府、厅各级设置的监狱,各自设立司狱1人专门从事监狱的管理;而州一级设立的监狱,则设立吏目1人主管;到县一级的监狱,设立典史1人管理。

在中央与地方所设置的各级监狱之外,清朝还设置有"特别监狱",据统计全国有大小特别监狱达两千余处。例如有奉天府监狱、顺天府监狱、宗人府(空房)监狱、盛京刑部监狱、内务府慎刑监狱、京师步军统领衙门监狱等。

清朝监狱一般以垣墙隔开,分为内外两座,称内监、外监。内监关押强盗以及处以斩、绞刑的重犯,而军流以下的轻罪犯人则关押在外监。不用铁锁而关押称为"散收",是指那些官犯公罪流以下、私罪杖以下、军民轻罪且又老、幼、废、疾罪犯;笞杖等犯人用铁锁一道关押;斗殴人命等案罪犯以及军流徒罪等罪犯,用铁锁、杻、镣各一道;强盗、十恶、谋杀、故杀等重犯,用铁锁、杻、镣各三道关押。

清朝监狱的管理　早在清雍正年间就有《提牢条例》的纂修,先后也制定了关于监狱管理的各种规章制度。其管理非常具体详备,从入狱到出监都有细致的规定,有如戒具、囚衣、囚粮、医药、探亲、修缮、值夜、警戒、提审、监狱交代等等。史载:"凡牢狱系囚徒,年七十以上、十五以下,废疾,散收,轻重不混杂。锁、杻常须洗涤,席荐常须铺置,冬设暖床,夏备凉浆;凡在禁囚犯日给仓米一升,冬给絮衣一件,病给医药。"①说明在囚衣、囚粮、囚病等方面均有所制度。

　　轮流值班在清朝的监狱管理当中也是比较突出的制度。中央刑部监狱制定了严格的提官值班制度,由提牢主事(满、汉)、司狱在提牢厅里和南北两狱内轮流值班值宿。规定在此犯家属要是来监狱探视犯人,必须立号登记,详细备查。

　　清朝比较注重监狱管理,律例馆订有《稽查南北两监事宜十条》,非常全面地反映了监狱管理的具体规定,从对罪犯之间发生口角的处理,到罪犯吃饭的具体规定,从罪犯的提审程序到往来的押解过程等等,均有详尽的明文规定。

三、诉讼审判

(一)秦汉的诉讼审判

1. 秦朝的诉讼审判制度

　　秦朝由于是历史上空前统一的封建帝国,在诉讼审判制度上有了明确的规定,较之西周以来的历史有了很显著的进步与发展。

　　秦朝的诉讼制度　秦朝时期还远未设置单独的程序法,从诉讼人的角度看,分为被害人的本人自诉和官吏公诉两种;从犯罪的性质角度看,分为公室告和非公室告两类。

　　自诉与公诉　秦简中有一个重要概念,称为"劾",即是指被害人本人或者被害人亲属向官府进行控诉,这就是被害人本人"自诉";而"公诉",是指由官吏纠察犯罪,也称为官告。公诉人可以是国家各级行政长官,从朝廷、郡、县以上的御史中的监察御史,到亭长、里典之类,谁都可以有权充当公诉人。

---

① 《大清律例》。

公室告与非公室告　秦朝的法律把对于家庭以外的其他社会成员之人身、财产以及生命的侵犯行为,叫做"公室犯罪";而把适用于"家罪"的行为,如关于财产方面的"子盗父母"和"父盗子女",在人身侵犯行为方面的"父母擅杀、刑、髡子及奴妾",家罪的范围仅限于有血缘关系的父母与子女之间、主人与奴婢之间的侵犯行为,叫做"非公室告"。

另外,秦朝的诉讼类型还有:"常人告诉",即非被害人或其亲属的第三者,得知犯罪事实及犯罪人,向官府告发;"犯人自告",即犯罪人主动到官府投案自首,秦朝也叫"自告"或"自出";"官员纠举",即那些没有审判权的官吏得知犯罪及犯罪人而进行的举报。

秦朝的审判制度　秦朝留下的历史史料及云梦秦简,为我们提供了了解其当时的审判制度包括审判程序、证据制度、有罪推定等等。

审判程序　秦简《封诊式》记录了当时官府受理控告、审讯被告、询问证人、现场勘验、搜查鉴定等审判过程。归纳其过程,按《封诊式》载,凡审问"必先尽听其言而书之",是说首先一定要听取当事人的口供,并当场进行笔录;"其辞已尽书而毋解,乃以诘者诘之",口供及笔录过后,所存在的疑问,再反复问讯对正;口供以外,注重调查与勘验,弄清事实;审讯之后,作出判决,并"读鞠",即宣读判决书;若犯人认罪,则照判决执行;假如当事人不服,可以要求重审,即"乞鞠"。

2. 汉朝的诉讼审判制度

汉朝的政治制度总体原则是"汉承秦制",在司法方面也是大体如此。依《晋书·刑法志》中相关史料,汉朝诉讼与审判也有法律上的规定,如"囚律有告劾、传覆……有系囚、鞠狱、断狱

之法"①,说明汉朝的诉讼审判是有法律规定的。与秦朝制度相比,除却秦原有的同样制度外,汉朝在诉讼审判方面新的制度如下:

关于诉讼,有"告"与"劾"的区别。汉朝的起诉原本叫"告、劾"。所谓"告",相当于自诉,即指吏民告发违反犯罪,其中包括当事人自己直接到官府告诉。所谓"劾",近似于公诉,即指所有由官吏请示司法机关处理的诉讼行为,其本义是相应职责的官吏对有犯罪行为嫌疑的公职人员提起的诉讼。

"诉权"的限定。第一,不得越诉,必须严格按司法审级逐级告诉。第二,不得卑幼告尊长,依据是"亲亲得相首匿"原则。第三,诬告反坐,以虚构的事实告发他人,使用反坐原则,而且处罚较重。如"诸年八十以上,非诬告杀伤人,他皆不论"。是说年满80岁以上,犯有诬告是要施行处罚的,而以外的犯罪均可不以刑法处置。

关于审判,有以下几种:

"辩告",即在审理案件之前,司法人员要向当事人宣读相关的法律条文,实行宣誓,如有故意提供虚假证言,可在3日内作出更正,否则,法律处以人人罪反坐的惩罚。

"刑讯",汉朝在审理案件时,时常采用刑讯,进行逼供。"不服,以掠笞定之,……捶楚之下,何求而不得。"②

"奏谳",即针对疑难案件而制定的一种疑狱平议、上报复审制度。"诸狱疑,虽文致于法,而于人心不厌者,辄谳之。"③

---

① 《晋书·刑法志》所引魏《新律序略》。
② 《汉书·路温舒传》。
③ 《汉书·酷吏传》。

"春秋决狱"，亦称"引经决狱"、"经义断狱"，是指司法机关在审理案件的过程中，以儒家思想作为判案的指导思想，直接引用《春秋》等书的经义分析案情，认定犯罪，中心是用经义的精神解释和使用法律的一种审判方式。最为核心的法律思想是由董仲舒的解说，即："春秋之听狱也，必本其事而原其志：志邪者不待成，首恶者罪特重，本直者其论轻。"①是说要追究行为人的思想动机，动机邪恶者，即使犯罪未遂也不免除刑事处罚，首恶者要从重处罚，对那些无主观恶性的犯罪者从轻处罚。以此形成了许多主要的观点，如"原心定罪"、"亲亲得相首匿"、"恶恶止其身"等等。

"秋冬行刑"，即对于一般的死刑犯必须在秋天霜降以后、冬至以前执行，以示汉朝流行的"顺天行诛"。"秋冬行刑"的原则是以"谋反"、"大逆"等为例外的，而汉朝对犯有"谋反"之类罪犯的处决是"决不待时"的。

(二)魏晋南北朝的诉讼审判制度

魏晋南北朝时期的诉讼审判制度，较之以前历代有着这一时期的历史特点。突出之处是有关诉讼审判方面的法律开始独立成篇；儒家化在诉讼审判过程中的地位与作用更加明显；审判过程中的刑讯逼供现象更加严重与普遍，以至刑讯制度化；……

其一，诉讼审判的原则。

诉讼审判方面的法律独立成篇。魏晋南北朝以前，历代的法典都是把诉讼审判与其他法律合为混编，从《魏律》始把诉讼审判方面的法律集中一起，编成《告劾律》、《系讯律》、《断狱律》三篇，标志着立法与司法发展历史进入了一个新的历史时期。至北齐定律之时，十二篇章的律典体例中，依然保持诉讼审判方面的法律独

---

① 《春秋繁露·精华》。

立成篇：删减合并为《斗讼律》、《捕断律》。以后隋唐时期制定法律，大多延续北齐的体例，其历史影响颇为深远。

诉讼审判制度的儒家化日趋突出。自汉朝以来定儒家思想为一尊，法律制度开始了儒家化的进程，至魏晋南北朝时期，这种表现更为突出。这一时期的儒家思想与法律制度几于并驾齐驱，真正意义上体现出礼法并重；"重罪十条"的制定集中的反映除封建纲常的核心地位与作用；另外，"八议"入律、"官当"制度、"准五服以定罪"；等等；儒家的精神完全融入其法律当中，法律在真正意义上实现了儒家化。礼即法，违礼就是违法，儒家化成为司法审判的基本原则。

其二，诉讼审判的审级。

魏晋南北朝时期大多实行四个审级的制度，即县、郡、州、廷尉（大理）。县、郡、州三个审级设在地方，第一审级的县，管辖本县地区案件的诉讼与审理；第二审级的郡，管辖本郡所属各县发生的案件，并复核县的上报案件；第三审级的州，审理所属各郡县因不能审理而上报的案件、审理州府所在地的案件以及审核与复查所属郡县已审结的案件；第四审级的廷尉（大理），是国家的最高司法审级，审理皇帝直接交给的诏狱、发生在中央官员之间的各类案件以及地方上报的重大疑难案件。

其三，刑讯逼供的制度化。

刑讯逼供是魏晋南北朝时期司法审判官员获取犯人口供的主要手段，刑讯即对犯罪嫌疑人施行刑罚，迫使其认罪并招出口供，这在魏晋南北朝时期相当普遍，并逐渐走向制度化。北魏、北齐之时，就有对犯罪嫌疑人施以"重枷"、用车辐粗杠压砸踝部、立于烧犁耳上……乱施刑罚、屈打成招。至南梁、南陈之时，统治者开始在法律上对刑具、刑讯的办法作出具体规定，制定所谓的"测囚之法"、"立测法"等等,使其刑讯开始了规范化与制度化。史载:"断食三日,听家人进粥二升;女及老小,一百五十刻乃与粥,满千刻而止"①,看来这是采取的饥饿方法逼其招供;再者,"立测者,以土为垛,高一尺,上圆劣,容囚两足立。鞭二十,笞三十迄,著两械及枢,上垛。"②通过用肉体上与精神上的折磨,逼其认罪招供。"重械之下,危堕之上,无人不服,诬枉了多。"③

其四,直诉制度。

所谓直诉,就是直接向中央控告。这是在案情比较严重,且又申诉无处之时,直接向皇帝控诉的办法。因此,直诉又叫"告御状"。直诉的渊源可以上溯到《周礼》所载的路石、肺石制,到汉朝也有类似的直诉现象,至魏晋南北朝时期,直诉开始成为一种制度。例如,晋朝已有在堂外设置登闻鼓,以待有冤案者前来击鼓向皇帝直诉。北魏、南梁均沿用此制,直诉已成为一项制度,一直延续到清朝。

其五,死刑奏报制度。

死刑奏报是指对已经判定死刑的案件,最后决定权应属于皇帝,即行刑前必须奏请皇帝再次核准,再下达死刑执行。秦汉以来,地方的司法官员享有专杀大权,南北朝时期,死刑权的定案收归中央,死刑奏报给皇帝最后决定形成为一项重要的制度。死刑奏报制度的形成,是中国古代法制史上的一项重要的改革,为以后隋唐时期的死刑复核制度、死刑三复奏制度的形成奠定了基础。

---

① 《隋书·刑法志》。
② 同上。
③ 《陈书·沈洙传》。

（三）隋唐的诉讼审判制度

隋朝的诉讼审判将魏晋南北朝时期的许多制度继承了下来，并且进一步推向规范化、制度化。其主要表现为：

其一，刑讯逼供的规范化。隋朝时期不仅允许刑讯，而且把刑讯作为一种重要的手段进行取证、审判。因此，隋朝就此对刑讯的数量、刑讯人员以及刑讯的方法都作出规定。例如，"讯囚不得二百，杖柳大小，咸为之程品，行杖者不得易人"①。

其二，倡导揭发、奖励告密。隋朝时期注重揭发告密，并实行奖励政策，以此来惩处犯罪，保持社会秩序的稳定。史载隋文帝之时，曾下诏"有能纠告者，没贼家产业，以赏纠人"②。

其三，延续录囚传统。隋朝时期继承了汉代以来的录囚制度，皇帝也曾亲自录囚，作出榜样，渲染儒家的慎刑与仁政。史载隋朝的大理寺卿杨汪，曾经"视事二日，帝将亲省囚徒。其时系囚二百余人，汪通宵究事，诘朝而奏，曲尽事情，一无遗误，帝甚嘉之"③。

其四，死刑权最终归属中央。这一做法是继承魏晋时期的制度，终使其成为定制。隋朝的制度规定："诸州死罪不得便决，悉移大理按覆，事尽然后上省奏载。"④决定死刑的具体执行问题，隋朝也与以往有所不同。隋朝居然打破了传统的秋冬行刑的格局，竟然在春夏之际仍然执行死刑。"帝尝发怒，六月棒杀人。"⑤打破了秋冬行刑的历代传统，皇帝声称"六月虽曰生长，此时必有雷霆。

---

① 《隋书·刑法志》。
② 同上。
③ 《隋书·杨汪传》。
④ 《隋书·刑法志》。
⑤ 同上。

天道即于炎阳之时,震其威怒,我则天而行,有何不可。"①既然皇帝要杀,哪还管是在什么季节。

唐朝的诉讼审判是封建社会司法制度发展到高峰时期的产物,在诉讼与审判制度上,有着一定的体系,其结构严谨、内容丰富,是以往朝代所无法比拟的。其主要有如下几个方面:

其一,唐朝的诉讼制度。

诉讼是审判的前提,唐朝的诉讼有详尽的制度。

从诉讼方式来看,来自三个方面:第一是来自被害人及其家属的告诉。"诸强盗及杀人贼发,被害之家及同伍即告其主司。"②是说当发生强盗案件或者杀人案件等犯罪案件后,被害人及其家属应该立即告诉官府。第二是来自邻里之间的告诉。"同伍保内,在家有犯,知而不纠者,死罪,徒一年;流罪,杖一百;徒罪,杖七十。"③是说在邻里之间,如果有人犯罪,其他的人应该立刻向官府报案,否则将受到严厉地惩罚:假如邻里中犯罪是该判死罪者,你没有向官府告诉,就应该被判徒刑 1 年;罪犯判流刑,你没有告诉,则将受到杖 100 的刑罚;罪犯是徒刑的话,你则该判杖 70。第三是来自主管官吏的告诉。"诸监临主司知所部有犯法,不举劾者,减罪人三等。纠弹之官,减二等。"④是说当主管官吏的部属官吏犯有罪行之时,必须向官府告诉,一旦发现没有告诉,也同样受到严重的处罚。

从告诉的违禁来看,制定三种禁止告诉的方面:第一是禁止诬告。所谓诬告,是指故意捏造犯罪事实向官府作虚假告发,蓄意陷

---

① 《隋书·刑法志》。
② 《唐律疏议·斗讼》。
③ 同上。
④ 同上。

害他人的行为。唐朝对诬告惩治的基本原则是"反坐",即依照所诬他人犯罪的性质与处刑轻重,反坐诬告者以此罪,并以此量刑。如诬告别人达到死刑的,可减一等,处以流3000里;诬告别人应处杖刑,或可用赎者,诬告者即只依法使用杖刑或赎刑。第二是禁止用匿名书信告诉。唐朝对匿名告诉的认定非常宽泛,凡隐匿自己姓名、假借他人名字,用以逃避自己是匿名信作者的,一律认定为是写匿名信。对于匿名告发的罪行,不论其或轻或重,凡投匿名信者,即处以流3000里之刑;以匿名告祖父母、父母者,处以绞刑;告卑幼远亲者,减等处治;告他人之部曲、奴婢者,依法处以流刑。第三是禁止疑告。唐朝法律要求:告诉人在诉状中要写明确切的年月、事实等,不可有疑,否则要追究告诉人的刑事责任。"诸告人罪,皆须注明年月,指陈实事,不得称疑。"①违反此项规定,要被处以"笞五十"的处罚。

从告诉的限制来看,唐朝法律规定:分为内容上的限制;身份上的限制;年龄与能力上的限制。第一,有关内容上的限制,主要是针对所告事实方面而言。如所告内容在诉状里随意增加或减少、肆意夸大或缩小,经国家赦免后再告内容等,为法律所禁止。如唐朝法律规定:"诸为人作辞牒,加增其状,不如所告者,笞五十;若加增罪重,减诬告一等。"②又"诸以赦前事相告言者,以其罪罪之。官司受而为理者,以故入人罪论。"③第二,有关身份上的限制,主要是针对某些特殊人群特殊利益的保护而制定,限制对其的诉权。唐朝法律规定:禁止或限制子孙卑幼告长辈尊长、禁止亲戚

---

① 《唐律疏议·斗讼》。
② 同上。
③ 同上。

之间的告诉;禁止或限制部曲、奴婢告发主人;禁止或限制狱囚举报告诉他人;等等。如"诸告祖父母、父母者,绞。……诸告期亲尊长、外祖父母、夫、夫之祖父母,虽得实,徒两年;其告事重者,减所告罪一等";"诸部曲、奴婢告主,非谋反、逆、叛者,皆绞"①。唐律规定"诸被囚禁,不得告举他事"。第三,有关年龄、能力上的限制,主要是指在刑事责任年龄和形式责任能力上的规定。在这方面的唐律规定,限于年龄、未成年人、老年人、残疾人等。唐朝的刑事责任年龄规定是 70 岁以下、15 岁以上是完全刑事责任年龄。所以《唐律疏议》曰:"老、小及笃疾之辈,犯法既得勿论,唯知谋反、大逆、谋叛,子孙不孝及阙供养,及同居之内为人侵犯,如此等事,并听告举。自余他事,不得告言。如有告发,不合为受。"②

其二,唐朝的审判制度。

唐朝的审判制度显示出封建社会成熟期的特点,有一系列的制度规定,诸如审判审级、审判管辖、审判期限、审判回避、刑讯、判决、上诉等等。

关于审级,唐朝的诉讼审判在地方分为二级,县是最基层的司法机关,凡诉讼案件全部从县一级最先受理,然后逐级向上。一般案件是三级终审,"凡有犯罪者,皆从所发州县推而断之"。"犯罪者,徒以上县断已定送于州。""在京诸司,则徒以上送大理,杖以下当司断之。若金吾纠获,皆送大理。""在京者行决之司五复奏,在外者刑部三复奏。"③唐律规定:县级只能审理、决定杖刑以下的案件,余案审理后上报州府复审;州府只能审理、决定徒刑以下的

① 《唐律疏议·斗讼》。
② 同上。
③ 《唐六典·刑部郎中员外郎条》。

罪案,余案审理后上报尚书省复核;中央大理寺是全国最高级别的审判机关,负责审理在京徒以上案件,判决后需经刑部复核、批准,方才生效执行;其中对于死刑的判决,必须奏请皇帝批准;刑部复核大理寺以及全国州府上报的流刑以上案件,其中死刑案件要交回大理寺重审,刑部对地方上报的案件复核时,如发现疑、错、冤案,在徒、流以下的案件,驳回原州县重审、复判,如刑部复核无误,徒以下可以立即执行,流刑还需送中书门下审判,而对于死刑案件还是需要报送皇帝。归纳唐朝的审级:县、州府、尚书省、大理寺、中书门下(申诉机关),是五级三审制。

关于管辖,唐朝的司法管辖,从县一级最为基层的范围开始。县的管辖权对于犯罪者来说,无论轻重直至死刑案件在内,都要直接进行审理,这只是审理的权限。但是对于处决而言,县级只有对笞刑、杖刑具有执行权,而对那些徒刑以上的案件,则要上报州府复审。州府的司法管辖权限:由县断后上报的徒罪州府重审;州府一审终审那些直接受理的笞、杖罪案;州府可以二级重审徒罪,即可执行;而对于徒、流以上案件,州府断后送尚书省复审。尚书省的司法管辖仅仅是申诉机关,承担大量的诉讼事务所有上诉案件,经复核后,确认无误,通告下属执行,如有不当,则驳回重审。大理寺是唐朝国家最高一级审判机关,其管辖权限是所有送上的徒刑以上案件的复核,还有就是官吏在九品以上犯除、免、官当,庶人犯流、死罪行的案件,详细审理,上报刑部,还得由中书门下复核。大理寺只能处决杖刑以下的犯罪案件。

如此一来,县为初审机关,笞、杖罪由县级一审终审;州府为二审,复审由县报上的徒刑以上案件,其中徒罪在州府为二审终审,流罪以上报尚书省;尚书省复核由州府上报的流罪以上的案件以及大理寺和两府断定的徒罪,确定无误则交回执行,如果有误则驳回重审;大理寺为最高审级,即三审机关,复审所有上报的流刑以上案件以及京师徒刑以上案件,审核后,交给中书门下复核,对于死刑案件,全部交由皇帝最后批准决定。

关于期限,唐朝对于审判期限作出了明确的规定,以防止拖延案件的审判。特别突出的是对中央司法机构的审判、复核,作出明示:规定大理寺的检断,不得超过 20 天;刑部的复核下达,不得超过 10 天。执行近二十年后,又重新规定:分为大、中、小三种情况,大事,大理寺的期限为 35 天,刑部为 30 天;中事,减 5 天;小事,减 10 天。

关于回避,唐朝的法律明文规定了审判官的回避制度,是我国古代用法律确定的回避制度的开始。"凡鞫狱官与被鞫人有亲属仇嫌者,皆听更之。"所谓的"亲属"系指"五服内亲,及大功以上的人家"①。即在审判官员与被审判人之间,有亲属关系或者相互之间有仇嫌关系者,一律采取回避原则,以保证司法的公正。

关于刑讯,作为封建社会成熟的唐朝法制,把刑讯视为审判过程中使用的合法手段,并使之制度化,如果违背了刑讯的有关规定,同样要受到处罚。唐朝的刑讯制度有以下几个方面:第一,刑讯的前提。唐朝的刑讯不是随意可以使用的,只有当案件的审判出现下列情况方可使用刑讯,即"依狱官令,察狱之官,先备五听,又验诸证信,事状疑似,犹不首实者,然后拷掠。"②唐朝法令规定了刑讯使用的前提条件。第二,刑讯的工具。唐朝的刑讯采用杖讯,法律规定了杖讯的尺寸:长 3.5 尺,大头直径约 3.2 分,小头直径约 2.2 分,要求讯杖要削去节疤。第三,刑讯的禁止。即使存在

---

① 《唐六典·刑部》。
② 《唐令拾遗》。

使用刑讯的前提条件,也不是任何人都可以使用刑讯。符合下列条件者,禁止使用刑讯:享有议、请、减等的特殊人员;老幼废疾之人;孕妇及产后未满 100 天的妇女。如此之人禁止使用刑讯。假如审判过程中谁违背了刑讯的禁止条款,要被追究法律责任,"违者以故失论"①。第四,刑讯的使用。凡达到使用刑讯前提条件者,在使用刑讯之时,拷打不得超过三次;拷打的间隔时间,要隔 20 天;刑讯拷打的部位限于腿及臀部,而且应是分受。唐朝的刑讯使用对象,不仅是被告,有必要的情况甚至要刑讯原告、证人。

关于判决,第一,判决要引用正文。审判后的判决,在唐朝必须是按照唐律、令、格、式的正文进行判决。加入判决没有正文依据,其法官要受到笞刑 30 的处罚。"诸断罪皆须具引律、令、格、式正文,违者笞三十。"②第二,判决要当众宣布。审判官要向被审判人以及家属当面宣读判决书,"各呼囚及其家属,具告罪名"③。

关于上诉　唐朝的上诉制度也是比较完善的,除却一般意义上的上诉以外,还有两种上诉的形式:一种称为"越诉";另一种叫做"直诉"。当审判官向被审人及家属宣读审判书后,如果被审判人和家属不服判决,可以向原审的上级机关提起上诉,上级机关如果坚持维持原判,那么,可以赴京上告。这是上诉的一般原则,上诉如果违背这一般原则与上诉程序,是越级进行上诉的,就是"越诉"。按唐律规定,"诸越诉及受者,各笞四十"④。表明"越诉"是要追究其刑事责任的。所谓"直诉",是说被审判人确实有重大冤案且又不被平反者,可以选择直接向皇帝告诉,要求皇帝裁判,为

① 《唐律疏议·断狱》。
② 同上。
③ 《唐令拾遗》。
④ 《唐律疏议·斗讼》。

之平反,这就是"直诉"。在唐朝,"直诉"的形式有四种方式:邀车驾、挝登闻鼓、立肺石、投匦。邀车驾是指当皇上出行之时,以拦路喊冤的方式向皇帝直接申诉;挝登闻鼓是指在皇宫设有登闻鼓处,含冤者以擂鼓的方式向朝廷直诉;立肺石是指在宫廷门外设置红色大石处,含冤者立于石上,由监门卫受理直诉,再奏报皇帝;投匦是指向朝廷专设的铜匦里投放表章的方式进行申诉。

关于死刑　历代王朝对死刑的审判,一律奏报皇帝批准,这是一贯的制度。唐朝之时,规定在死刑核准以后、在即将行刑之前,还必须再次奏请皇帝批准,这就是被称为死刑复奏制度。唐朝的死刑复奏一般是要"三复奏",就是说要经过三次向皇帝的复奏。特别是在唐太宗时,一度改为死刑要进行"五复奏",具体地讲,死刑决前一日二复奏,还要在决日三次复奏。复奏作为一种制度执行,如果司法官员违反复奏规定,要进行严重的刑事处罚。"诸死罪囚,不待复奏报下而决者,流二千里。"①可见其所负的刑事责任还是非常的严重。

(四)宋朝的诉讼审判制度

宋朝的诉讼审判制度基本沿袭唐朝,其主要特征表现在高度中央集权的体制在诉讼审判方面得到了强烈地反映。有皇帝的"亲决系囚"、"御笔断罪"以及"躬听在京师"之历史记载。

关于诉讼制度　宋朝有关符合民事性质的诉讼方面,主要是采取"自诉",即由当事人及其家属提出诉讼请求,禁止无利害关系的人提出"不干己事"的诉讼,因此这一方面基本上是"自诉"而已。对于有关符合刑事性质的诉讼方面,有"告诉"、"告发"、"举劾"三种方式。所谓"告诉",是最为常见的起诉方式,是由被害人

---

① 《唐律疏议·断狱》。

及其家属直接向官府提出的诉讼。所谓"告发",是指受害人及其家属之外的知情人对犯罪的检举揭发。所谓"举劾",是指设置的专门负有举劾职责的检察机关,通过上下级和官司之间的相互监督举劾。

关于务限制度 宋朝有关于农忙而停止民事诉讼的制度,即设定务限范围从每年二月初一,至九月三十日止,为农忙时期,这一时期称为"务限"期。在此务限时期,州县官府停止受理有关田宅、婚姻、债务、地租等民事性质的案件。规定十月一日起,可以受理上述案件,称为"务开"。这一制度的设立,显然是考虑不能因为诉讼而耽误农业生产。只有"交相侵夺及诸般词讼,但不干田农人户者,所在官司随时受理断遣,不拘上件月日之限。"[1]因此,与农业生产无关的案件不受务限制度的约束,仍然是随时受理。

关于证据制度 宋朝的证据制度基本延续唐制,以口供、证言、物证为主要证据形式,基本证据是口供,即以被告的口供和原告的陈述作为断案的基本依据,而把物证作为口供的重要补充。认为"证以人,或容伪焉,……证以物,必得实焉"[2]。说明就刑事案件而言,偏重口供(证言),物证是重要的补充。但对于民事案件来说,最为受到重视的是"契据之书"。诸如各类契据、遗嘱、宗谱、账籍、税籍、丁籍等等,称为司法审判当中的重要证据,往往在断案当中起到决定性作用,所谓"交易有争,官司定夺,止凭契约"[3]。

关于重审制度 一旦犯人推翻了原来的口供,宋朝制定了更

① 《宋刑统·婚田入务》。
② 《折狱龟鉴》。
③ 《名公书判清明集·物业垂尽卖人故作交加》。

换审判官重新审理的制度,称为"翻异"、"别勘"。所谓"翻异",就是犯人推翻了原有的罪行口供。所谓"别勘",又称为"别鞫"、"移推",是指改换审判官重新审理,可分为两种情况:一种是原审判机关改派同级他司重审,叫做"移司别推";另一种是上级审判机构差官重审,叫做"差官别推"。在宋朝与此相关的法律规定,假如州县死刑犯人或者犯罪品官在结案后,未经路的提刑司录问而推翻原来的口供,或者家属喊冤,那么就是改由路的提刑司审察;假如死刑犯人在临赴刑场时翻供叫冤,则由本路无干碍监司重审,或者移送邻路的提刑司审理。无论哪种情况发生,宋朝的法律作出了限制性规定,即"翻异"不得超过三次,狂妄"翻异"者,重审的时候要加重处罚。

关于理雪制度 理雪的实质是申诉另审而得到理冤雪诬,宋朝规定,当判决生效后,犯人及家属如有不服,可以依照程序逐级进行申诉,具体的做法是:从所属县诉起,到本州、转运司、提刑司、尚书本部、御史台,再登闻鼓院、登闻检院,逐级进行,不得越诉。同时对于理雪,也规定了时效问题,即"命官犯罪经断后,如有理雪者,在三年外更不施行"①。说明胜诉时效定于3年之内。

关于回避制度 宋朝在唐回避制度的基础之上,加入了新的内容,逐步使回避制度趋向完善。宋朝的回避对象主要有如下四种:第一种人是同籍贯者回避。"不得差京朝官往本乡里制勘勾当公事。"②第二种人是同年同科及第的官员回避。"应差推勘、录问官,除同年同科及第依元敕回避外,其同年不同科目者不得更有辞

---

① 《宋会要辑稿·刑法三》。
② 同上。

避。"①第三种人是按发起诉人和缉捕人必须回避。按发人是指监司、郡守;缉捕人是指巡检司、尉司官员。为保证案件审理的正常而不受其他因素影响,按发人与缉捕人必须回避。第四种人是司法官员之间的回避。有两种现象:一是上下级之间的回避;一是同级之间的回避。上下级的范围"诸职事相干或统摄有亲戚者,并回避,其转运司账计官于诸州造账官,提点刑狱司检法官于知州、通判、签判、幕职官、司理、司法参军亦避"②。

(五)元朝的诉讼审判制度

元朝的诉讼审判制度基本沿袭宋制,其主要制度可以通过下列几个方面得到把握。

诉讼管辖 元朝法律规定:"诸杖罪五十七以下,司、县决断;八十七以下,散府、州、军断决;一百七以卜,宣尉司、总管府断决;配、流、死罪,依例勘审完备,申刑部待报。"③一般轻罪在 57 杖以下者,是由录事司和县衙最为基层的官府决定;轻罪在 87 杖以下者,是由府、州、军负责断决;中罪在 107 杖以下者,是由各路的宣尉司、总管府决断;只有重罪在配、流、死罪者,是上报由中央刑部决定。元朝另有特别的诉讼管辖,是根据民族不同、社会地位不同,其司法管辖也不尽相同。规定:"诸蒙古人居官犯法,论罪既定,必择蒙古官断之,行杖亦如之。诸四怯薛及诸王。驸马、蒙古、色目之人,犯奸盗诈伪,从大宗正府治之。"④而对于那些军户、军人的斗讼、婚田、良贱、钱债、财产等等案件,全部归于管军理问、治罪。僧侣犯罪也受到特别保护,应由宣政司及御史台处置。"自今

---

① 《宋会要辑稿·刑法三》。
② 《庆元条法事类·亲嫌》。
③ 《新元史·刑法志》。
④ 《元史·刑法志》。

僧官、僧人犯罪,御史台与内外宣政院同鞫。宣政院官徇情不公者,听御史台治之。"①

诉讼代理　元朝诉讼制度的新变化是代理制度的出现,规定代理只适用于两种人:一是年老及疾病者;二是退休及离任官员。"诸老废笃疾,事须争诉,止令同居亲属深知本末者代之。""诸致仕、得代官,不得已与齐民讼,许其亲属家人代诉,所司毋侵扰之。"②同时也规定了代理的资格与权限,具有代理资格和代理权限的人,只限于是"同居家属"或者"亲属家人",其他人没有代理资格。

诉状代写　一般的诉讼应向官府递交书状,元朝规定在全国普遍设置书铺,设有由官府认定的"书状人",专门负责代写书状,以保证书状格式的规范。因此,对书状规定了基本要求:在内容上告罪不得称疑;一状不得告两事;禁止匿名书状。对于后者,法律将给予严惩,"敢以匿名书告事者,重者处死,轻者流远方"③。此外,法律还规定了书写诉状的程序、书状人的责任等等。

审判回避　元朝扩大了唐宋以来司法回避人员的范围,有两项最为基本的内容:其一,案件涉及亲仇之嫌、师生之间者,必须按法律规定进行回避;其二,凡是职官人员被控告,必须依法回避而不得审理此案。元朝法律规定司法一定要遵守回避制度,如有违反将由法律惩处:"诸职官听讼者,事关有服之亲并婚姻之家,及曾受业之师与所仇嫌之人,应回避而不回避者,各以所犯坐之。"④

---

① 《新元史·刑法志》。
② 《元史·刑法志》。
③ 《元史·世祖本纪》。
④ 《元史·刑法志一》。

"凡言告官吏不公之人所犯,被告官吏理宜回避。"①元朝还规定,如果有官吏应回避而不回避者,当事人可以向该官吏的上级提出回避的请求,或者提出要求监察进行纠察。

正官审理 元朝的审判制度规定,"词讼正官推问"。即让掌管地方行政大权的官吏兼管司法,而其他人员不得审理,以防止一般官吏干预司法而擅自用刑。正官推问制度确立了地方司法人员的权限,如:县以县伊、县丞为正官;府以达鲁花赤、知府、同知、判官、推官、断事官为正官;路以达鲁花赤、总管、同知、治中、推官、断事官为正官。禁止正官以外的人员审理词讼。

勘验证据 元朝比较重视案件的勘验证据,尤其是针对刑事案件,有着较为完善的勘验制度,用以确保证据的充分、可靠、真实。比如刑事案件中的"验尸法式",元朝规定应有以下基本要求:验明尸体的地点、时间;证验人的旁证;主管亲临现场;勘验后写清"尸账"(验尸报告);正官按"尸账"复核尸伤,写出符合尸检。表明元朝的勘验制度比较详尽。元朝法律还对违反勘验要求的官员追究法律责任,予以惩处。比如规定,拖延尸检的时间以致尸变者,正官笞37;违背亲临现场条,"正官随事轻重论罪黜降,首领官吏各笞五十七"②;等等。

判决执行 元朝官府对案件的判决实行的是三审终审制度,一般经初审、再审、三审终审。但是元朝时由于特殊的军事、宗教、民族等各方面司法机构兼理司法的问题,导致其权限的纵横交错,造成审级的难以统一。总体来看,各级官府的行政正官有权按法定的审判程序进行审断其司法管辖范围内的案件,用判决书的形

---

① 《元典章·刑部一五》。
② 《元史·刑法志一》。

式向诉讼双方的当事人以及相关人员宣告。如果不服判决,可以向中书省、刑部、大宗政府提出申诉;还可以到登闻鼓院,击鼓鸣冤;也可以路拦皇帝车驾,直诉御状。元朝判决后的处罚沿用唐宋的制度,但是刑罚的方式有所变化。笞杖刑全部以 7 为尾数分等:笞刑是从 7 到 57,共六等;杖刑是从 67 到 107,共五等。同时对刑具以及击打的部位作出规定:"应决者,并用小头,其决笞及杖者,臀受;拷讯者,臀若股分受,务令均停。"①徒刑分一年、一年半、二年、二年半、三年,共五等,并分别附杖刑 67 到 107;流刑是南人流至辽阳北方,北人流至南方湖广;死刑的方式为斩刑、凌迟,"不待秋分遂旋施行"。

(六)明朝的诉讼审判制度

明朝的诉讼审判制度是在唐宋法制的基础之上,更加具体化、法制化的时期,它彰显了封建社会后期诉讼审判制度的典型特征。

诉讼管辖 主要有地域管辖和级别管辖两种:第一,关于地域管辖。这是根据各自行政辖区和案件的隶属关系,确定的同级司法机构之间受理一审案件的分工与权限。一般原则是"原告就被告",即以被告的户籍所在地为标准来确定受理案件的司法机构;如果一案内有数个被告且分别居住不同州县被捕,其原则是"轻囚依重囚",即由重罪主犯的所在地之衙门审理;如果一案内的罪犯在不同州县被捕,应由被捕数量多的那个州县之衙门审理;如果被捕囚犯的数量相同,那么原则是"后发就先发",即由先开始诉讼程序的州县衙门进行审理。第二,关于级别管辖。这是根据案件的性质和罪行的轻重决定上下级司法机构之间审理第

---

① 《元史·刑法志一》。

一审案件的分工与权限。明朝法律规定:"凡犯罪,(笞刑)六十以下,各县断决;八十以下,各州断决;一百以下各府断决;徒、流以下,申闻区处。"①由皇帝面讯死罪案件。当然,明朝的诉讼管辖除却这两大管辖以外,还有特殊地域管辖、专属管辖和移送管辖,显示出明朝的司法管辖还是非常具体的、复杂的。

诉讼限制　明朝对诉讼的限制问题,虽然说唐宋以来均有限制,但对于违禁的处罚远没有明朝那样严厉。第一,以下告上的限制。明朝法律规定:子孙不得告祖父母、父母;妻、妾不得告夫及夫之祖父母、父母。假如有人违背这一限制,使以下告上成为现实,要受到从杖刑 100 到徒刑 3 年的处罚。如果再属于诬告的话,那更为严厉,规定:诬告视为骂詈,坐以绞刑。可见其处罚是非常严峻的。第二,年龄、性别的限制。明朝法律规定:年满 80 岁以上的老人、年龄在 10 岁以下的儿童以及重病之人、妇女,其诉讼权利受到一定限制。这些人除却准告谋反、谋叛、子孙不孝及本人的人身、财产直接受到侵害的犯罪行为以外,其余受到限制,没有权力提出诉讼。如有违禁者,受到笞 50 的处罚。第三,囚犯的限制。明朝法律规定:所有被囚禁的犯人,不准有诉讼的请求。第四,官吏的限制。明朝法律规定:凡官吏有婚姻、钱财、田土等争议纠纷,听令其家人告官理对,而官吏不得行使公文产生诉讼。有违背此禁者,笞 40。

加等反坐　明朝诉讼的一大特色是诬告要加等反坐制度,唐宋均有诬告反坐的制度,但是明朝对诬告的处罚较之唐宋更为严厉。明朝法律规定:如果诬告别人笞罪者,加所诬告之罪二等处罚;诬告流、徒、杖之罪者,加所诬告之罪的三等处罚;以致后来为

---

① 《大明令·刑令》。

严惩诬告,制定"凡诬告三四人者,杖一百,徒三年;五六人者,杖一百,流千里;……诬告十人以上者,凌迟处死,枭首其乡,家属迁外化"①。

刑事审判　明朝的刑事审判制度比较复杂,除却沿袭唐宋以来的一般刑事审判和特别的厂卫组织的刑事审判活动以外,更有一些特殊的刑事审判制度,即明朝的会官审录制度:第一,会审。明朝的一般重大案件由三法司会审,即由刑部、都察院和大理寺三家会审。当其会审之时,都察院和大理寺拥有与刑部相同的审判权。在明朝三法司会审是经常性的制度,而且会审的范围也逐渐在扩大。三法司之间相互牵制,防止了以往刑部独揽审判大权的专断行为,更有利于皇帝对审判大权的控制。第二,朝审。明朝的重大案件原本由皇帝亲自面讯,朱元璋时曾下令除武臣死罪外,不再亲自审理,改由三法司及五军都督府、六部、通政司等机构的官员会同审录。之后遂成定制。"令每岁霜降后,三法司会同公、侯、伯会审重囚,谓之朝审。"②朝审成为每年秋后复审死刑的一项固定制度,其结果最终奏请皇帝决定。第三,大审。明朝的大审一般都是每隔5年,在全国范围内举行,在京则由司礼太监与三法司长官至大理寺主持,在各省则由布政使与巡按御史主持,主要审理对象是在押囚犯及诉冤者。第四,热审。明朝的热审是每年"小满后十余日,司礼监传旨下刑部,即会同督察院、锦衣卫提请,……自命下之日至六月终止。"③旨在每年暑热来临之前,决遣清理在押未决犯及减等发落现监囚犯的一项制度。热审的执行机关,由司礼

---

① 《明太宗实录》卷十七。
② 《明史·刑法志》。
③ 同上。

监、锦衣卫会同三法司主持在京的热审;由巡按御史等会同地方长官主持地方的热审。第五,圆审。明朝的圆审是指由吏部尚书、大理寺卿、左都御史、通政使等九卿联合会审死刑的翻异案件。死刑囚犯"二次翻异不服,则具奏,会九卿鞫之,谓之圆审"①。

(七)清朝的诉讼审判制度

清朝是我国封建社会的末代王朝,其诉讼审判制度相对完备,显示了诉讼审判制度发展到了一个新的阶段。

诉讼制度　作为封建社会后期比较完备的制度,诉讼有着详尽的规定:第一,关于诉讼管辖。一般普通案件,均由事犯地方管辖,"于事犯地方告理";而特别管辖是针对皇族内部的法律纠纷,由宗人府负责管理皇族事务,并制定了《宗人府则例》,以解决皇族内部各种法律纠纷;少数民族的各种案件,均由理藩院受理;军人内部的案件,"从本管军职衙门自行追问"。第二,关于起诉。要有符合程式要求的诉状,文字上有所限定,"故状刊格眼三行,以一百四十四字为率"②;诉状内容必须包括案发时间、案情梗概、被告姓名住址、告诉人签押等等;民事方面的诉状要随附相关的书证;代书诉状不得任意增减实事。第三,关于受理。案件的受理依照律例以及证据决定,州县衙门分为准理与不准理,反对滥准和轻下批词。清朝法律规定:"每年自四月初一至七月三十日,时正农忙……户婚、田土等细事,一概不准受理。自八月初一以后,方可听断。""其余一切呈诉无妨农业之事,照常办理,不准停止。"③与宋朝的"务限"条款相比,显得既体现了有利于农业生产的精神,

---

① 《明史·刑法志》。
② 《福惠全书》卷十一。
③ 《大清律例·刑律·诉讼·告状不受理(附例)》。

又能够照常办理其他案件,一切依轻重缓急为务。

民事审判制度 第一,关于审理。凡是准理的民事案件,均由州县审理,只有州县长官才有审理权。案件有结案期限,规定:"州县自理户婚、田土等项案件,定限二十日完结。"①其他方面之回避、代理、诬告反坐等制度,基本沿用宋元以来的传统,略有发展。第二,关于证据。民事案件在立案时就要提供证据,审理过程中,一方面要验证证据,另一方面还要勘察、收集证据,以便在审理过程中提供有利的审判依据。此外,证人、证言以及书证在对于判断案情有着重要的意义,而提供伪证者,要"按律治罪"。第三,关于调节。清朝比较重视民事案件中的调节作用,把调节息讼作为一项重要的制度沿袭下来(自宋朝以来调节就是一项重要的制度)。清朝的调节分为州县调节、民间调节两种。所谓州县调节,是在州县长官的主持下进行的诉讼内调节,往往是州县长官以"不准"的办法,迫使双方和解。有时州县调节也通过乡保调节,派遣差役前往协助,这种调节要求乡保要对自己的调节行为及后果负责。所谓民间调节,最为主要的方式是通过宗族及乡邻进行调节。显然这种调节会出现尊卑、长幼、亲疏之间的矛盾,调节将会出现一定程度的强迫性。第四,关于执行。清朝的民事案件实行的是一审终审制度,州县判决以后,即可当堂执行。如果当事人不服州县判决,可以逐级上诉,从府、道、省、京,均可逐级控告,但是不允许越诉。

刑事审判制度 清朝的审判大体沿用从唐朝以来的制度,所有案件先从基层州县衙门开审,州县可以处断笞、杖两刑,称为"自理案件";徒刑以上案件初审后,进入"逐级审转复核"程序,直至

---

① 《六部处分则例》。

有权作出审判的审级方才终止；而对于死刑案件，提奏皇帝批复，其中死刑监候案件还要等待秋审，方能终止。清朝的审判制度除却延续唐明以来的制度外，最为突出的特点是"逐级审转复核"程序与秋审制度。首先，关于逐级审转复核。清朝规定：按刑罚之五刑制度，笞、杖刑是州县"自理案件"，州县有权断决执行；徒刑案件需由州县初审，经府、提刑司报告总督、巡抚批准，形成断决，惟按季上报刑部备案；流刑、充军案件，经过县、府、提刑司、督抚逐级审转复核，由督抚报告刑部批准后，形成断决，但需要在年终之时报告皇帝；死刑案件也是由州县初审，经逐级审转至督抚，由督抚拟定罪、刑，再向皇帝一案一报，皇帝下诏"三法司"核拟，之后再报皇帝。最终判决死刑者，分为两种执行情况："立决"与"监候"。其罪大恶极立即处死者，"决不待时"，称为"立决"（有绞、斩、凌迟）；罪行比立决为轻或者尚有疑问者，暂监押在狱中，留待秋审、朝审时再次复核，称为"监候"。其次，关于秋审制度。秋审是清朝刑事审判比较完善的制度，可追溯到由明朝的朝审制度发展而来。秋审是每年一度的在全国范围内对死刑监候犯进行复核，以决定其生死的特别程序，因为复核案件例于每年八月中下旬举行，故曰"秋审"。秋审制度包括秋审与朝审，秋审是复核各省上报的死刑监候案件，而朝审则是复核京师地区的死刑监候案件。由于秋审的案件之数量与规模远远大于朝审，所以统称为秋审。秋审的程序：首先是地方秋审程序，即规定地方在每年五月中旬前把所有的在押死刑监候案件汇总上报刑部各司。其次是刑部各司的秋审程序，即各司把所管地方上报死刑监候案件写出"看详"，并将看详呈报刑部。再次是秋审大典，由清政府中央高级官员参加在天安门前金水桥西举行的会审大典，在一天之内把各省上千件死刑监候案件审理完毕。秋审大典后，刑部以全体会审官员的名义向皇帝"具题",由皇帝"情实勾决"。关于朝审的程序,清律规定:"刑部现监重犯,每年一次朝审。刑部于霜降前,摘紧要情节刊刷招册,……于霜降后十日,在金水桥西会同详审,拟定情实、缓决、可矜具题,请旨定夺。"①

---

① 《大清律例·刑律·断狱下》。

第九章 向近代转型

　　1840 年是中国历史上的一个重要的划时代的年限,是中国历史由古代而近代的分界线。西方资本主义的船坚炮利打开了中国古老的大门,中断了中国独立发展的历史进程。数千年不变的历史格局开始被动摇、被破坏,数千年思想传承的老调子在欧风美雨之下被震撼、被裂变。就司法制度而言,由于一系列不平等条约的签订迫使中国一步步丧失了治外法权,不得不承认列强在中国的领事裁判权的确立,不得不制定会审公廨制度,中国被迫丧失司法主权。问题的另一方面,以大陆法系为主的西方法律原则、立法体例也不断地渗入,影响着中国以唐朝法制为代表的中华法系,清朝约十年的制宪活动与立法改革,也开始了中国古代司法向近代司法转变的历史时期,中国司法制度在步履蹒跚当中艰难地向近代转型。

第一节　司法原则的变化

　　1840 年以后的清朝在司法制度上,发生对外与对内两大方向上的巨大变化。对外可以说是被迫丧失司法主权,列强在中国设立领事裁判权制度及会审公廨制度;对内可以说是预备立宪后带来的不得不改革的清朝旧有的司法制度。司法制度上的两次巨大变化,根源于 1840 年以后清朝统治集团内部司法指导思想逐步发生变化。这些法律思想的变化,在不同时期、不同阶段,反映出具有不同的特点。大致可以分成下列比较典型的代表思想:按时间的先后次序,有洋务派、早期改良派、资产阶级改良派、资产阶级立宪派、十年修律时期的礼教派与法理派思想。

一、"采西法以补中法之不足"

洋务派"采西法以补中法之不足"的司法原则。在第二次鸦片战争期间形成的洋务派,提出最具代表的口号:"中学为体,西学为用"。希图在维护孔孟之道,不触动"三纲五常"原则的前提下,"采西法以补中法",试图把整顿中法与采用西法结合起来。所谓的"整顿中法",其主要的手段是改革刑狱,具体措施是:除讼累——实行警察制度,革除差役,消除讼累;省文法——减轻诉讼当中的烦琐仪式;恤相验——勘验命案要体恤民情,不得扰民;省刑责——除去命案外,不得使用刑讯;重众证——重众证确凿而轻口供;改刑锾——轻微案件以缴银赎罪;修监羁——修葺改善监狱条件;派专官——监狱管理与监察的专门人员负责等。所谓"采用西法",其主要建议聘请西方各国的知名律师,广博地采用各国的法律,编制诸如矿律、路律、商律等。而"中学为体,西学为用"的口号,是主张维护中国封建社会的正统、延续封建的道统、继承封建的法统,用张之洞的话说:要体现"亲亲也、尊尊也、长长也,此其不可与民变革者也。圣人所以为圣人,中国之所以为中国。实在于此。故知君臣之纲,则民权之说不可行也;知父子之纲,则父子同罪、免丧、废祀之说不可行也;知夫妇之纲,则男女平权之说不可行也。"①这

---

① 张之洞:《劝学篇》。

既是洋务派"中学为体"的实质,也是"西学为用"的界限。

二、"君民共主"与"权不相侵"

早期改良派"君民共主"、"权不相侵"的司法原则。在第二次鸦片战争期间,与洋务派产生同时,出现了资产阶级早期改良派。改良派不仅在经济上为新生的民族资产阶级呐喊,倡导"商战固本",强烈主张改变"有困商之虐政,无护商之良法"的局面,而且在政治上也为革新奔走呼号。改良派认为,中国封建法制大大落后于西方资产阶级法制,进而赞美西方的法制现象,欣赏"三权分立"的格局,"各国吏治异同,或为君主,或为民主,或君民共主之国。其定法(即立法)、执行、审议之权,分而任之,不责于一身,权不相侵。故其政事纲举目张,灿然可观。"①他们分析各国的法制,认为"美国议院则民权过重,固其本民主也。法国议院不免叫嚣之风,其人习气使然。斟酌损益,适中经文者,则莫如英、德两议院之制。""君主者权偏于上,民主者权偏于下,君民共主者权得其平。"②主张"君民共主",认为这正是中西的结合,"主以中学,辅以西学",建立"君民共主"制度。

三、"开国会"、"设议院"与"立宪法"

资产阶级改良派"开国会"、"设议院"、"立宪法"的原则。资产阶级改良派是19世纪末期出现的代表民族资产阶级上层,企图通过改良在中国发展资本主义,建立资产阶级君主立宪政体的一个派别。戊戌年间,发动了著名的维新运动,变法维持了103天,

---

① 马建忠:《适可斋纪言》。
② 郑观应:《盛世危言》。

被称做"百日维新",标志着中国资产阶级已正式登上政治舞台。资产阶级改良派的主要代表是康有为、梁启超、严复等,他们企图通过变法,用资本主义的法律制度代替封建主义的法律制度,以西方的进化论、天赋人权论、社会契约论、三权分立等思想作为变法理论,附会中国历史上的某些思想,论证资产阶级法律制度的合理性、必要性、优越性。资产阶级改良派的主要思想有如下几个方面:第一,"法律因时而变"。中国历史上凡是要坚持变法者,一定崇尚变化、主张进化。康有为认为,"法久则弊","无百年不变之法"①;梁启超也指出,凡在天地之间莫不变,"变者,古今之公理"②。康有为还进一步主张,不仅要变法,而且要"全变",要"变本"。就是说,要变封建君主专制为资产阶级君主立宪制度,"变法者,须自制度法律先为改定……请先开制度局而变法律"。"今宜采用罗马及英、美、德、法、日本之律,重定施行。"③资产阶级改良派主张法律和制度都应该因时变革。第二,"开国会"、"设议院"、"立宪法"。资产阶级改良派认为,封建专制之国、封建专制之法,是落后于其他强国的主要原因。中国的社会上自天子下至知县,"皆以身而兼刑、宪、政三权也"④。立法、行政、司法三权于一身,"有法亦适成专制而已","乱则作威,喜则作福"。而"东西各国之强,皆以立宪法开国会之故。国会者,君与民共议一国之政法也……东西各国皆行此政体,故人君与千百万之国民合为一体,国安得不强?吾国行专制政体,一君与大臣数人共治其国,国安得

---

① 《康有为政论集·上清帝第六书》。
② 《饮冰室合集·文集·变法通议》。
③ 《康南海自编年谱》。
④ 《严复集·法意》。

不弱?"①说到底,就是要"变本"、"全变",改变专制政体。按康有为"公平三世"说,由"专制"进到"立宪",再由"立宪"过渡到"共和",一切都要循序渐进。针对洋务派的"中学为体,西学为用",提出要"以群为体,以变为用",不外乎立宪法、设议院、开国会以及实行三权分立。"以君主之法,行民主之意。"第三,"以公意立法"。资产阶级改良派要求全面改革封建法律制度,强调"非变通旧法无以为治"。主张废除旧法,学习西法,而"废"与"学"建立在中西法律制度的比较之上。中国的法律来源于皇帝的谕旨和诏书,西方的法律出自议会或君民共定;中国仅有治民之法而无治君之法,西方则对于君与民同有约束力量;中国法律之权是皇帝集立法、行政、司法于一身,西法则遵循"三权分立";中国法律倡导"纲常"原则,西方法律主张"首明平等";中国法律公私混淆、民刑不分,西方法律或公或私、公私两律。因此,改良派提出,法律应由多数人共同制定,这才符合或者体现"公器","法者,天下之公器也"②。

四、"仿行宪政"与"择善而从"

资产阶级立宪派"仿行宪政"原则。资产阶级立宪派是 20 世纪初期,代表民族资产阶级上层、大资产阶级以及部分官僚地主阶级利益,主张不损害清朝统治的前提下,实行君主立宪的政治派别。其代表人物之五大臣,"分赴东西洋各国考求一切政治,以期择善而从③。回国后,提出实行君主立宪的三大好处:一则"皇权永固"。有如日本,行政职务由大臣承当,政府可以更换,但是君主

① 《康有为政论集·请定立宪开国会折》。
② 《梁启超选集·变法通议》。
③ 《清末筹备立宪档案史料》上册。

的统治地位永世不变。二则"外患渐轻"。设想实行宪政以后,列强对清朝政府的态度将会改变。三则"内乱可弥"。幻想实行宪政,就会瓦解革命党人的活动。在如此利益之下,清代朝廷颁布《宣示预备立宪谕》:首先,认为"各国之所以富强者,实由于实行宪法,取决公论,君民一体,呼吸相通,博采众长。明定权限,……无不公之于黎庶。"似乎要想强盛,非仿效宪政不可。其次,确定基本原则,"大权统于朝廷,庶政公诸舆论"。大权统于朝廷,就是指"国之内政外交,军备财政,赏罚黜陟,生杀予夺,以及操纵国会,君主皆有权统治之"。庶政公诸舆论,就是指"博采众长"之类的权限,没有不向公众庶民开放的。再次,宪政的实施必须循序渐进。认为"但目前规制未备,民智未开",必须"次第更张","视进步之迟速,定期限之远近"。于是乎,清朝廷宣布预备立宪,先后设立了考察政治馆、宪政编查馆等作为专门立宪的办事机构,改革官制,颁布《钦定宪法大纲》,设立咨议局、资政院,并宣布将召开国会。(辛亥革命爆发,预备立宪终止。)

五、"中外通行,有裨治理"

10 年修律"中外通行,有裨治理"的指导思想。早在预备立宪之前,即 1902 年 5 月,清朝廷就准备修律一事专门发出一道上谕,宣布"现在通商交涉事宜繁多,着派沈家本、伍廷芳将现行一切律例,按照交涉情形,参酌各国法律。悉心考订,妥为拟议,务期中外通行,有裨治理"①。于是设置修订法律馆、开设法律学堂,组织人力以"中外通行,有裨治理"为指导思想,开始对刑法、民法、商法、诉讼法以及法院编制法等进行修订。在 10 年修律过程当中,围绕

---

① 《大清法规大全·法律部》。

"中外通行,有裨治理"的指导思想,如何变法修律也出现了思想上的交锋,即以张之洞、劳乃宣为代表的"礼教派"与以沈家本为代表的"法理派"在理论上的争执,反映出这一时期的法律思想原则。"法理派"主张中国应该大幅度地引进西方近代和现代的法律观念与法律制度,理应运用"国家主义"等政治法律理论来改革中国旧有的法律制度,尽其所能地采用西方国家的"通行法理",偏重于"中外通行";而"礼教派"则竭力反对西方"通行法理",要求修订新律要"浑道德与法律与一体",切不应偏离数千年中国传承之"礼教民情",突出"有裨治理"。争执结果是清朝廷偏袒"礼教派"一边,下谕:"凡我旧律义关伦常诸条,不可率行变革,庶以维天理民彝于不弊。该大臣务本此意,以为修律宗旨,是为至要。"①于是,又颁布《暂行章程》,以符合"凡我义关伦常诸条不可率行变革"的宗旨,非常显著地表现出在西方近代、现代法系面前,中华法系之顽固的惰性与传统的固执。

第二节　司法主权的变异

1840 年的鸦片战争爆发以后,清朝先后被迫与列强签订了一系列丧权辱国的不平等条约,通过这些条约,列强在中国取得了领事裁判权,使列强的在华侨民获得了治外法权的保护。领事裁判权是一种国际政治特权,它表明一个国家的公民在别国领土之内居住,不受居住国法律管辖,而由驻在该国的本国领事按其法律对其行使裁判权。西方列强在中国取得了领事裁判权,是中国半封建半殖民地化日益加深的反映,是近代中国司法主权丧失的重要

---

① 《大清法规大全·法律部》卷首,第 1—2 页。

标志。它的存在意味着：凡是在中国享有领事裁判权国家，其在中国的侨民如果成为民事、刑事诉讼的被告，中国法庭无权审判，而只能由本国的领事按自己国家的法律进行裁判。就是说，外国人在中国遇有民事或刑事案件，我们无权干涉，中国成了法律的义务国，而享有领事裁判权的国家却成了法律的权力国，这就是丧权辱国的实质所在。

一、领事裁判权的确立

中国古代封建社会一向以天朝老大而自居，至清朝之时，虽然依旧奉行的是闭关锁国政策，但是对外的往来还是时有发生，也会出现外国人在华发生诉讼案件的事情，中国一直拥有独立的司法主权。无论是发生华人与洋人的诉讼案件，还是案件出现在洋人与洋人之间，一律由清朝官员按照《大清律例》解决问题。例如早在乾隆45年(1780年)间，当时停泊在中国广东的英国轮船，其上的俩水手发生争斗，一法国人打死一葡萄牙水手，凶手藏匿于法国领事馆中，时广东巡抚勒令法国领事馆交人，最终公开处以凶手死刑。又道光元年(1821年)，美国"爱米利"船上一美籍船员投掷瓦罐，误中邻船一中国妇女头部，因其落水而死。美国船只拒不交出凶手，清朝即停止所有美国船只贸易，直至将凶手交至中国正法，由清朝官员处死抵罪。当时的美国政府只有告诫"在中国水面犯罪，吾等应遵守中国法律，即令不公，亦不得反抗"①。只要船只在中国领海，应当服从中国法律的制裁。

鸦片战争以后，中国的司法主权开始发生变异，西方列强通过一系列的不平等条约，先后在中国取得了领事裁判权，中国开始了

---

① 《领事裁判权问题》。

殖民地化的进程,司法主权逐步丧失。

所谓"领事裁判权",是清末英美等外国列强通过一系列的不平等条约,进而掠取的一种司法特权。按不平等条约的规定,凡是享有领事裁判权的外国人在中国不受中国法权的制约,而受其本国法律的制裁。清朝末期,行使领事裁判权者不一定非是领事不可,如英、美等国就设有特别的法庭,或者由国内的特别法官审理案件,但是通常大部分裁判权还是在领事的手中。

英国最早在中国获得了领事裁判权。道光 23 年(1843 年),英国强迫清朝政府签订了《中英五口通商章程》,以此作为先前签订的《南京条约》的补充条款。《中英五口通商章程》第 13 款规定:"倘遇有交涉词讼,管理官不能劝息,又不能将就,即移请华官共同查明其事,既得实情,即为秉公定断,免滋讼端。其英人如何科罪,由英国议定章程、法律,发给管事官照办。华民如何科罪,应治以中国之法,均应照前在江南原定善后条款办理。"①所谓"善后条款"规定:"凡系水手及船上人等,俟管事官与地方官先行立定禁约之后,方准上岸。倘有英人违背此条禁约,擅到内地远游者,不论系何品级,即听该地方民人捉拿,交英人管事官依情处罪,但该民人等不得擅自殴打伤害,致伤和好。"②按规定:英国人在中国领土犯罪,中国政府无权干涉,无权按中国法律进行制裁,而应当由英国领事根据英国法律定罪。《中英五口通商章程》的签订,使英国最早在中国获得了领事裁判权,它标志着领事裁判权制度在中国的正式确立,中国开始丧失了司法主权。

美、法等国紧随其后,也先后取得了在中国的领事裁判权。道

---

① 《中外旧约章汇编》。
② 《中外旧约章汇编》。

光 24 年(1844 年),清朝政府被迫与美国签订了《中美五口贸易章程》,即《望厦条约》;时隔仅四个月,法国也迫使清朝政府签订了《中法五口贸易章程》,即《黄埔条约》。清朝政府被迫扩大了领事裁判权。《望厦条约》第 21 款规定:"嗣后中国民人与合众国民人,有争斗、词讼、交涉事件,中国民人由中国地方官捉拿审讯,照中国例治罪;合众国民人由领事等官捉拿审讯,照本国例治罪;但需两得其平,秉公断结,不得各存偏护,致启争端。"第 25 款规定:"合众国民在中国各港口,自因财产涉讼,由本国领事等官讯明办理;若合众国民人在中国与别国贸易之人因事争论者,应听两造查照各本国所立条约办理,中国官员不得过问。"《黄埔条约》第 28 款规定:"法兰西人在五口地方,如有不协争执事件,均归法兰西官办理。遇有法兰西人与外国人有争执情事,中国官不必过问。至法兰西船在五口地方,中国官亦不为经理,均归法兰西官及该船主自行料理。"这两个条约对审判机构、适用法律的属国作出明确的认定,清朝政府完全丧失了对外国侨民的司法管辖权力,领事裁判权由英国扩展到美国、法国,领事裁判权的范围从通商五口逐步扩大到其他各港口。

此后,西方列强纷纷相继取得了在中国的领事裁判权。1847年瑞典、挪威获得在中国的领事裁判权;1862 年的葡萄牙;1863 年的荷兰、丹麦;1865 年的比利时;1866 年的意大利;1874 年的秘鲁;1881 年的巴西;1896 年的日本;1899 年的墨西哥;1918 年的瑞士等国。有的是通过签订条约,有的是援引最惠国待遇条款,先先后后地相继获得了在中国的领事裁判权。

各国为了行使其获得的领事裁判权,纷纷在中国设置正式的法院,或者在领事馆内设置法院。如英国在华的领事法院为两级,各通商口岸为区领事法院,另外在上海还设有英王驻华最高法院。

两级法院以案件的标的和轻重分别管辖范围,由领事独任审判或者实行合议制。而美国的领事法院,是设置在各领事区,先后共有18处法院,由领事担任推事,受理所有以美国人为被告的民事、刑事诉讼案件。1906年美国又在中国设置驻华高级法院,既受理区领事法院不能受理的案件,又是区法院的上诉法院。法国在华的领事裁判法院有17处,由领事会同会审员审判,只受理民商诉讼和轻微的刑事案件,而其他的重要案件移送越南西贡或河内的上诉法院受理。各国的领事法院基本上都使用其本国的法律,如英国使用普通法,美国使用判例和普通法等等。

领事裁判权的核心内容,就是凡与中国缔约的外国民人,只要与中国公民发生争讼,无论是刑事案件,还是民事案件,均由控告所属的国家法庭处理,其使用的法律条文也是被告人本国的法律。领事裁判权的确立,已经是对中国司法主权的侵犯,清朝政府完全失去了对外国侨民的司法管辖和法律制裁,是丧权辱国的标志。

二、观审制度的出现

西方列强在中国获取的领事裁判权,采取的是被告主义原则,其实质是仅仅可以审理外国人成为被告的案件。显然对于那些华人与洋人混合案件中以中国人为被告时,西方列强也期盼能够竭力干涉其中。目的是扩大领事裁判的权限与范围,而观审制度的出现,正是西方列强积极追求的结果。

早在1858年分别与法国、英国、美国签订的《天津条约》中,就露出了观审制度的端倪。《天津条约》中规定,当发生华人与洋人混合案件时,双方均可会同查明、联合办理。但是条约里的有关语句表述得非常模糊,特别是没有明确规定其审判的范围及规范审判的程序,因此其观审的结果常常带来无休止的争议。为明确华人与洋人混合案件当中的审判权限以及审判程序,英国在 1876 年迫使清朝政府与之签订的《烟台条约》中,就观审问题作出了明确的规定:"凡遇内地各省地方或通商口岸,有关英人命盗案件,议由英国大臣派员前往该处观审。""至中国各口审断交涉案件,两国法律既有不同,只能视被告者为何国之人,即赴何国官员处控告。原告为何国之人,其本国官员只可赴承审官员处观审。倘观审之员以为办理未妥,可以逐细辩论,庶保各无向隅,各按本国法律审断。"在如此观审制度的明确之下,英国人在领事裁判权的被告主义原则基础上,又解决了以中国人为被告案件的观审权,并最终达到对审办的干预,从而扩大了领事裁判权的范围。在英国取得观审权之后,1880 年美国与清朝政府签订的《中美北京条约》,也明确了观审制度的设立。原本观审制度是中外双方相互的权利,凡是洋人为原告、华人为被告的混合案件,外国官员可以到中国官府进行观审;反之,凡是华人为原告、洋人为被告的案件,中国官员也可以到外国的审判之处进行观审。但后来的历史事实是,由于清朝官员的吏治腐败,甚至官员的无能,常常是主动放弃了进行观审的权利,其结果是外国人肆意利用观审权,以至贸然滥用观审权。中国的司法主权进一步受到更为严重的伤害。

三、会审公廨制度的设立

会审公廨是清朝地方政府设置在租界里专门审理华人与洋人混合案件的审判机关,是西方列强在中国领事裁判权的进一步延伸与扩大。

会审公廨制度的设置,也有一个具体的过程。一则是租界的不断扩大带来的一系列问题所致。《南京条约》讲"大皇帝恩准英国人民带同所属家眷,寄居大清沿海的广州、福州、厦门、宁波、上海等五处港口,贸易通商无碍"。英国商人获得了带同眷属在中国通商口岸旅居的权利。之后《上海租界章程》的签订,使上海黄浦江以西、边路(今河南路)以东、李家庄(今北京路)以南、洋泾浜(今延安路)以北地区,大约 830 亩,成为英国外侨租界地区,后又扩大到 1080 亩。随后美、法两国也先后在上海强行占领一块地区作为租界,进行居留、经商,甚至在通商口岸建立医院、设置礼拜堂、划定殡葬之处等等。其后,西方列强不断要求拓展租界。更为严重的是西方列强进一步在租界内获得了管理权,实行独立于清朝政府之外的行政与法律的统治制度。二则借故小刀会起义,以保护租界为由,设立工部局及巡捕房,取得了审理租界内华人违警事件、民事案件以及轻微刑事案件的权力。又把这项权力延续到小刀会起义被镇压以后,长期持有。以此相类,俄国依据《中俄天津条约》,获得了其领事官员可以与中国官员"会同处理"俄华诉讼案件的权力;英国也参照《中英天津条约》,取得了与俄国同样的权力。尤其在 1864 年,上海道的官员与英国副领事在其租界内成立了一个司法机构——"洋泾浜北首理事衙门",共同处理租界内的一切案件,仅仅把具有领事裁判权国家侨民成为被告人的案件除外,出现了最为初步的"会审公廨机构"。至 1868 年,上海道与英、美领事共同订立《洋泾浜设官会审章程》,于是,原"洋泾浜北首理事衙门",遂改成"上海公共租界会审公廨",会审公廨进入了制度化。从此以后,在汉口、哈尔滨、厦门等地也都先后成立了会审公廨。

按照《洋泾浜设官会审章程》,会审公廨的管辖范围是民事案件、轻微刑事案件。根据当事人的国籍分为三种情形:第一,华洋诉讼案件,凡是享有领事裁判权的国家之侨民为原告,华人为被告人的民事案件;或者享有领事裁判权的国家之侨民为被害人,华人为加害人的刑事案件,归会审公廨管辖。第二,纯粹的华人诉讼案件,归会审公廨管辖。第三,不享有领事裁判权的国家,即无约国人的案件。无约国人民之间的刑事、民事案件,如华人和有约国人为原告,无约国人为被告的民事案件;或华人和有约国人为被害人,无约国人为加害人的案件,也由会审公廨管辖。

据《清史稿·刑法志》记载,会审公廨审理的案件,出现了"外人不受中国之刑章,而华人反就外国之裁判"的现象。究其缘由,按有关章程规定,凡涉及外国人案件,甚至涉及外国人雇佣华人案件,外国领事均有权参加会审。但事实上,由于清朝政府官员的昏庸无能,会审公廨的司法权实际上是掌握在外国人领事的手中。说是会审公廨,而实际上英、美、法等国领事并未遵守规定,而是不断扩大其会审权限,再加上清朝政府的地方官员拱手把审理的权力让给了外国领事,使其在租界内的司法主权逐渐被蚕食。甲午战争以后,外国领事团通过各种方式,在公廨中不断扩大自己的权力,或干涉中国政府对公廨官员的人事管辖权,或屡屡突破《洋泾浜设官会审章程》规定的案件受理权限,甚至直接插手租界外的华人案件。会审公廨意味着中国司法主权受到了严重的侵犯,也是外国列强强加给中华民族的耻辱。

大凡所有的事物都具有双重属性,清朝末年的司法主权问题也是如此。一方面,西方列强通过领事裁判权的获得,通过观审制度以及会审制度的设立,逐步分割了中国的司法主权,使中国完整、独立的司法主权成为了过去,中国沦为西方列强的殖民地。另一方面,西方较之清朝为先进的司法制度也在这一过程中得以渗透、影响到中国,客观上形成对司法制度改革的一定促进作用。比如:西方的领事官员反对清朝地方政府行政兼理司法,反对民刑不分,也反对施以刑讯等等。使得在会审公廨审理案件之时,注重人

证、物证,而不是传统的以口供为证据之王的做法;使得在一般刑
事案件当中被告很少受到刑讯;使得在民事案件当中当事人不再
有刑讯的担忧。再比如:西方领事允诺律师出庭辩护,一改中国讼
师不被官府承认的传统。律师进入审理程序,改变了过去只判不
审、只审无辩的历来做法。在会审公廨当中,外国领事强迫清朝地
方政府官员的某些做法,无疑有着重要的客观意义。

第三节 司法制度的变革

鸦片战争以后,对外,清朝政府被迫与西方列强签订了一系列
的不平等条约,其中最为重要的一项内容,即是西方列强通过领事
裁判权使在华侨民获得了治外法权的保护。近代历史上领事裁判
权的存废,便成为西方列强迫使清朝政府实行立法与司法改革的
一件法宝。对内,清朝政府的统治危机日益加深,原有的立法、司
法体制已经越来越不适应维护其统治的需要。因此,清朝政府不
得不在官制改革后,启动司法制度的改革,逐步建立一套适应需要
的近代司法组织,以与社会的发展需要相符合。

1900 年,清朝廷发布诏书,要求上下官员"参酌中西政要",各
抒己见,以求变法官制、改革法制。当时的两江、湖广总督刘坤一
和张之洞有"江楚会奏变法三折",具有一定的代表性。他们建议
清廷改革固有的官制,修订具体的法律,变法司法制度,受到清廷
的充分肯定,下诏"择西法之善者,不难舍己从人;救中法之弊者,
统归实事求是"①。于是,任命刑部左侍郎沈家本和伍廷芳为修律
馆总纂,主持修律。三年以后,沈家本等人上奏皇帝《删除律例内

---

① 《清德宗实录》卷486。

重法折》,主张废除死刑当中的凌迟、枭首、戮尸、缘坐以及刺字等重刑。

一、刑讯改革与限制

有关司法审判过程的改革,主要是刑讯的改革与限制。刘坤一、张之洞曾极言刑讯的弊端,认为刑讯"敲扑呼号、血肉横飞,最为伤和害理,有悖民牧之义。夫民虽犯法当存哀矜,供情未定,有罪与否,尚不可知,理宜详慎。况轻罪一訾,日后仍望其勉为良民,更宜存其廉耻。拟请以后除盗案、命案证据已确,而不肯认供者准其刑讯外,凡初次讯供时及牵连人证,断不准轻加刑责。"①奏折转至修律大臣处,赢得一致的首肯,并制定具体地采纳措施:鉴于刑讯是采用笞杖为刑具,如果仅仅废止刑讯,而仍然有笞刑与杖刑的存在,便免不了日后刑讯复生。由于要废止刑讯而不得不连同刑具使用之笞杖刑一同废止,才能从根本上解决刑讯问题。伍廷芳指出:"居今日而欲救其弊,若仅宣言禁用刑讯,而笞杖之名因循不去,必至日久仍复弊生,断无实效。……臣等公同酌议,拟请嗣后除罪犯应死,证据已确,而不肯供认者准其刑讯外,凡初次讯供时,及徒流以下罪名,盖不准刑讯,以免冤滥。其笞杖等罪,仿照外国罚金之法,凡律例内笞五十以下者,改为罚银五钱以上二两五钱以下,杖六十者,改为罚五两,每一等加二两五钱,依次递加。至杖一百,改为罚十五两而止。如无力完纳者,折为作工,应罚一两折作工四日,依次递加至十五两折作工六十日而止。旗人有犯,照民人一律科断。"②因此,刑讯的废止,导致刑罚的改革。修律大臣从禁

① 《伍廷芳集·奏核议恤刑狱各条折》。
② 《伍廷芳集》上册。

止刑讯入手,依照西方罚金的办法,改革轻罪之笞杖刑为罚金。时有某些非议,提出中国刑罚的改革与外国大不相同,外国不用刑讯,还有其他裁判诉讼各法,而中国则过于太早,条件不备。于是要求广泛论证,详采西方经验,逐步改革。其结果认为:"惟泰西各国无论格法是否具备,无论刑事、民事大小各案,均不用刑讯。此次修订法律原为收回治外法权起见,故齐一法制,取彼之长,补我之短,实为开办第一要义。惟中外法制之最不相同者,莫如刑讯一端。是以臣等核议刘坤一等恤刑狱折内,于省刑责一条,议如所奏办理,然犹必限以徒流以下罪名,不准刑讯。而于命盗死罪案件,未尝概行停止者,亦因此时小民教养为孚,问官程度为逮,出此补救目前之策,已属不得已之办法。"①如此,清朝此时在修律的过程当中,方才有保留地废除了中国古代的刑讯,也在实质上推动了传统司法审判制度的进步。

刑讯制度改革与限制,带来了刑事诉讼证据制度的改革。第一,限制刑讯逼供,产生了据众证定罪的原则。除命盗死罪案件在证据确实的情况之下,被告仍不认罪,准许使用刑讯外,其他案犯均不得刑讯逼供。假如犯人不招,可以凭众证定罪。第二,采取自由心证原则。《大清刑事民事诉讼法》规定,审判官"认定事实应以证据,证据之证明力任推事自由判断"。第三,明确举证责任原则。针对举证责任问题,在清末的几部法典中略有不同的规定:《大清刑事民事诉讼法》要求由原、被告双方共同承担举证责任;《各级审判厅试办章程》规定"凡证人除原被两造所举外,审判官亦得指定之"。表明审判官也有举证责任;《大清刑事诉讼法》草案认为,举证责任主要由负责起诉的检察官承担,审判官在必要

---

① 《伍廷芳集·奏核议恤刑狱各条折》。

时,也可以调查特定证据,而被告人原则上不负举证责任。第四,证据种类的确定原则。由于禁止刑讯逼供,口供已不再是最为重要的证据,仅仅是证据的一种。其他证据为:检验笔录、证人证言、鉴定结论、文件证据、物证等。

二、司法分立与改革

1906 年,清廷宣布"筹备立宪",表明传统两千年之久的政治制度将发生巨大的变化。其具体过程,是"从官制入手","将各项法律详慎厘订"。所谓"从官制入手",即要求按照立宪国制,以立法、行政、司法三权分立为原则,对中央官制进行改革。清廷迫于内外各种压力,采纳接受了官制编纂大臣的建议:"立法、行政、司法三者,除立法当属议院,今日尚难实行,拟暂设资政院以为预备外,行政之事则专属之内阁各部大臣";"司法之权则专属法部,以大理院任审判,而法部监督之,均与行政官相对峙,而不为所节制,此三权分立之梗概也"①。

改刑部为法部 清廷颁布上谕,一则将"刑部着改为法部,专任司法",新的法部,显然就是以往的刑部,是清朝的最高司法审判机关,以司法审判为主,同时兼理部分司法行政,如管理狱政、考核司法官吏等等。而改革以后的法部,则成为专门的司法行政机构,管理监狱、执行刑罚,监督各级审判机构和监察厅的工作。如果与西方国家的司法机构相为比较,清朝末年设置的法部,其职权范围还是更宽一些,因为还要有部分司法审判功能,那就是复核大理院以及高级审判厅判决的死刑案件,还要复核秋审以及朝审的案件等等。新的法部之机构,设承政、参议两厅,以总理各种部务;设审录、

---

① 《清末筹备立宪档案史料》上。

制堪、编置、宥恤、举叙、典狱、会计、都事,用以掌管各项具体事务。

　　改大理寺为大理院　"大理寺着改为大理院,专掌审判。"①新的大理院前身是大理寺,按清朝原有的规定,清承明制"刑部受天下刑名,大理寺驳正"。说明原来的大理寺本无独立的司法审判权,而改革以后的大理院,却正式升为全国的最高审判机关。大理院的出现,表明中国几千年传统的官审制度的终结。按照《法院编制法》规定,边远地区省份的高等审判厅还可以内设大理院分院,用以方便上控以及复核。大理院除审判事务之外,有权统一解释法令,而它的解释对全国各级审判厅均有约束力。大理院设卿为院长,下设民刑庭,置推事与庭长。具体事务由推事和庭长组成合议庭进行审判。大理院及其分院各庭审理上告案件时,若解释法令的意见与本庭或他庭的成案出现矛盾,大理院卿有权决定组成临时的"总会",进行审判。"总会"与现在的审判委员会类似,其组成人员均不固定,可以由民事科或者刑事科的推事单独组成,也可以由两个不同科的推事推荐组成,而"总会"的会长要由大理院卿任命。

　　虽然,清廷的政务中心依然是内阁、军机处,而法部、大理院隶属其下,资政院也并非立法机构,还谈不上什么"三权分立",但是其资政院的设置、司法与审判的分离,还不能不说与专制体制当中的权限隶属有所不同,标志着中国古代政治体制开始向近代政治体制转化、过渡。

三、四级三审制的新意

　　清廷批准大理院正卿沈家本的上奏,借鉴西方法院体制,设置全国最高审判机构,提出"东西各国皆以大审院为全国最高之裁判

---

　　①　《清末筹备立宪档案史料》上。

所,而另立高等裁判所、地方裁判所,层累递上,以为辅翼,条理完密,秩序整齐。……今欲仿而行之。"①于是,仿照英、美、德、法等国的体制,确定全国审判的四级三审制,即大理院下,京师、各省设高等审判厅,在省会及商埠等地各设地方审判厅和初级审判厅。

大理院的司法权限 大理院是全国最高的裁判所,沈家本在上《审判权限厘定办法折》中讲道:"凡宗室官犯及抗拒官府并特交案件,应归其主管,高等审判厅以下不得审理;其地方审判厅初审之案又不服高等审判厅审判者,亦准上控至院为终审,即由院审结;至京外一切大辟重案,均分报法部及大理院,由大理院先行审定,再送法部复核。"

高等审判厅的司法权限 高等审判厅不收审初审案件,沈家本认为:"凡轻罪案犯,不服乡谳局,并不服地方审判厅审判者,得控至该厅为终审。凡重罪案犯,不服地方审判厅之判断者,得控至该厅为第二审。其由该厅判审之案,内则分报法部及大理院,外则咨提法司以达法部,至死罪案件并分报大理院。"②

地方审判厅的司法权限 地方审判厅"自流徒以至死罪及民事讼案银价值二百两以上者,皆得收审,审后拟定罪名;徒流案件,在内则径达法部并分报大理院,在外则详由提法司以达法部;死罪案件,在内在外,俱分报法部及大理院"③。

乡谳局的司法权限 乡谳局审理"笞杖罪名及无关人命之徒罪,并民事讼案银二百两以下"案件,"讯实以后,径自拟结,按月造册报告。在内则分报法部及大理院,在外则提法

① 朱寿朋编:《光绪朝东华录》中华书局 1984 年版,第 5586 页。
② 沈家本:《审判权限厘定办法折》。
③ 同上。

司以备考核。"①

改制的另一重要之处是：在各审判厅之内，全部设置各级监察机关。其监察职能主要表现在：于刑事诉讼当中，"遵照刑事诉讼律及其他法令所定，实行搜查处分，提起公诉，实行公诉，并监察判断之执行"；在民事案件当中，"遵照民事诉讼律及其他法令所定，为诉讼当事人或公益代表人，实行特定事宜"②。如此在司法制度之诉讼审判程序上突破了封建专制主义的法制体系。

为确定和巩固司法体制改革的结果，清廷通过一系列的文件再三确认四级三审的制度。1906 年清廷公布了《大理院审判编制法》，进一步明确了各级审判机构的设置与权限；而第二年（1907年）颁行的《各级审判厅试办章程》，又就各级审判厅的管辖、回避、预审、公判执行、诉讼程序作出了更为具体的规定；1909 年又制订和颁行了《法院编制法》，再次明确规定：审判机构为四级三审，有初级审判厅、地方审判厅、高等审判厅及大理院，实行三审终审制度。具体地说，初级审判厅和地方审判厅所进行的一审案件，采取的是独任审判，而其他的审判厅所进行的审判，则采取合议制。仿照西方的审判制度，实行辩护、陪审、回避、公开审判以及复判制。废除传统的三法司会审、九卿会审、秋审、朝审、热审等清朝固有的封建审判制度，采用西方广泛使用的司法审判体制，从实质意义上突破了封建专制主义的审判体制，在中国法律制度史上实现了跨越的一步，具有深远的历史意义。

事实上，清廷的《各级审判厅试办章程》以及《法院编制法》，仅仅在京师、奉天、直隶省、天津府等地予以试行，还没有在全国范

---

① 沈家本：《审判权限厘定办法折》。
② 《法院编制法》。

围进行普遍推广。但是,清末的司法制度改革,本质上还是对封建的司法制度予以重大的冲击,形式上也废除了最为基本的司法制度,数以千年的刑讯逼供制度被取消,延续千年的司法从属于行政的制度得到很大的改变,不能不说是中国历史的一大进步。清末颁布的《法院编制法》等诸多法律文件,后来被北洋政府所沿用,这也一再表明其清末改制所具有的历史与时代之重大意义。

四、民刑分别与诉讼

法律之民刑不分,是中国古代法律制度的一大特点,直至清朝末年的修律方才得以打破。清朝光绪年间,已有人上奏议论中国民刑不分的法律漏洞,并希望通过划分民事与刑事来完备中国的法律制度,以希望凭此收回治外法权。他们指出:"东西各国裁判所,原系民事、刑事分设,民事即户婚、田产、钱债等是也。刑事即人命、贼盗、斗殴等是也。中国民事刑事不分,至有钱债细故、田产分争亦复妄加刑吓。问刑之法似应酌核情节,以示区别。别有户婚、田产、钱债等事,立时不准刑讯,无待游移。至于人命、贼盗以及情节较重之案,似未便遽免刑讯,相应请旨饬下修律大臣体察时势,再加详慎,并饬于刑事诉讼法告成后,即将民法及民事诉讼法赶期纂订,以成完备法律,则治外法权可以收回。"①鉴于当时清朝廷主观上希望通过修正、完善法律制度,迎合西方法制,以收回治外法权。沈家本等人便在制度上区分民事与刑事的案件,规定"凡因诉讼而审理之曲直者"作为民事案件加以审理;而"凡因诉讼而定罪之有无者"②属于刑事案件的审理范围。自然根据其案件的

---

① 《伍廷芳集》上册,中华书局1993年版,第269页。
② 《各级审判厅试办章程》。

性质分属刑事诉讼与民事诉讼。

在《各级审判厅试办章程》中，就民事案件在诉讼方面的几个程序上作出了比较明确的规定：在审理权限上，即所有的民事案件"除属大理院及初级审判厅管辖者外，皆由地方审判厅起诉"。在诉讼费用上，民事诉讼所发生的费用，"责令输服者缴纳"，即由败诉一方承当费用。在诉讼代理上，"职官、妇女、老幼、废疾为原告时，得委托他人代诉，但审判时有必须本人到庭者，仍可传令到庭"。在诉讼程序上，民事上诉人包括原告人、被告人或代诉人，允许上诉，其期限不得超过 10 日，并且不准越级上诉。关于检察官的监督方面，规定检察官在审理婚姻事件、亲族事件、嗣继事件时，必须莅临监督。如果审判官不待检察官莅临而进行宣判，则判决无效。

在清末刑事诉讼制度的改革中，仿效西方国家的法制，确立了不少的前所未有的诉讼原则：第一，职权原则。在所进行的追究罪犯、惩罚罪犯的过程当中，司法机关要各行其职、各有所司，不得相互干涉。中国古代实行的是司法与行政不分的传统，没有独立的审判机构，也没有专门的控诉机构。清末改制，设立了大理院与各级审判厅负责的司法审判，同时也设立了监察厅专管刑事案件的侦察与起诉。"凡刑事案件因被害者之告诉、他人之告发、司法警察之移送或自行发觉者，皆由检察官提起公诉。但必须亲告之事件，如胁迫、诽毁、通奸等罪不在此限。"①强调检察官不得干涉审判机关独立行使审判权，尽其可能地做到控审分离。第二，审判公开原则。将审判机关的活动置于公众的监督之下，公开审判，这与中国古代"刑不可知，则威不可测"的法律神秘大不相同。规定要

① 《各级审判厅试办章程》。

"开堂审讯"、"公开法堂"。第三,不告不理原则。《大清刑事诉讼律草案》第257条规定:"公诉的效力不得及与检察官所指被告人以外的人",如果审判官在审判过程中发现被告人有别的未受公诉之犯罪,或有别的未受公诉之共犯,不得直接审理,应及时通知监察厅,但若情况紧急,需要急速审理者,可以不待检察官的处分而径直审理。第四,直接原则。这是指凡是该案件关系的人与物,必须直接询问调查,不凭他人申报之言辞及文书辄予断定。在法庭上询问被告人和调查证据时,只能由审判长执行。作为判决根据的各种证据材料,也只能以审判衙门当堂以直接调查核对者为准。第五,不间断原则。法律要求推事在审理案件中,必须自始至终地参加法庭调查和辩论,中途不得更换。假如"刑事案件有延长至四日以上者,审判衙门长官得另派推事一员莅视为补充推事,补充推事与庭员有疾病及他事不能继续审判时,有代其审问及完结之权"①。用以防止因某个推事的中途退出而导致诉讼程序的重新进行。第六,一事不再理原则。法律规定:凡是经过裁判的案件,不得再行公诉。如果有被公诉的情况,要经由法庭查明以后,应宣判为免于诉讼;如果有发现已被判决案件确有错误,可以通过"再审"以及"非常上告"的程序加以补救。

针对民事刑事分设的"试办"建议,清廷下令地方广为研讨。最终在1910年,即宣统二年,沈家本等人将起草好的《大清刑事诉讼法草案》和《大清民事诉讼法草案》进献给朝廷,成为中国第一次明确地将民事诉讼与刑事诉讼分开成文的法律文件。由于辛亥革命爆发,清朝灭亡而未及颁布执行上述民事与刑事分别诉讼的制度,但是它的分列给后来的民国时期之司法审判制度带来了重

----

① 《法院编制法》。

要而深刻的影响,凸显了清末改制的时代意义。

五、近代律师之雏形

中国古代魏晋南北朝时期始有"律师"一词,原本是从梵文音译而来,是佛教的称谓。指那些善于背诵、讲解佛教的律藏,并能向别人解说者即为"律师"。有如慧光、怀素等皆称为"律师",以明《四分律》见称。近代"律师"一词,显然是从佛教的"律师"之本义引申而来,其律已由佛教的律藏变成为法律而已,成为熟知法律条文、善于解说法律,并且能够为当事人和社会提供法律帮助的专业人员。

在中国古代能够与律师职业相近的只有"讼师"一词,古代打官司首先要向官府递交状子,陈述案情,因识字者有限而社会上出现专门为他人代写诉状之人。由于"讼师"通晓法律,既能保护当事人的利益,又能有要挟官衙之举。从历史上看,至少唐朝时期"讼师"已是较为普遍的事情,但也仅仅是代写诉状而已。中国古代只有官府才有司法审判权,"讼师"的介入是在禁止当中,因为在统治者看来,"讼师"将导致官府司法权的分享。所以法律上根本不会允许"讼师"作为辩护人或代理人的存在,更不能参与辩护或者庭审。"讼师"仅限于在法庭之外代写诉状而已,他没有合法的资格与诉讼地位。因此,"讼师"在本质上与律师不同。

时至鸦片战争以后,随着西方殖民者东来,其法律文化也先后进入中国,冲击着中国古老的封建法制。显然最早出现的律师一定是外国的律师,大概应是在"租界"法庭执行法律职务的洋人,他们在中国法院担当法律的辩护人或者代理人。在清末修律当中,有关律师的提出是在《大清刑事民事诉讼法草案》的制定中。该草案写道:"按律师一名代言人,日本谓之辩护士。盖人因讼对簿公庭,惶惊之下,言词每多失措,故用律师代理一切质问、对诘、复问各事宜。各国具以法律学堂毕业者,给予文凭,充补是职。若遇重大案件,即由国家拨与律师,贫民或由救助会派律师代伸权利,不去报酬补助,于公私之交,实非浅鲜。中国近来通商各埠,已准外国律师办案,甚至公署间亦引诸顾问之例。夫以华人诉案,借外人辩护,已觉捍格不通,即使遇有交涉事件,请其申诉,成为断无助他人而抑同类之理。且领事治外之权因之更形滋蔓,后患何堪设想。拟请嗣后凡各省法律学堂,俱培养律师人才,择其节操端严,法学渊深,额定律师若干员,卒业后考验合格,给予文凭。然后分拨各省,以备办案之用。如各学堂骤难选就,即遴选各该省刑幕之合格者,拨入学堂,专精斯业。俟考取后,酌量录用,并给予官阶,以资鼓励。总之,国家多一公正律师,即异日多一习练之承审官也。"①《大清光绪新法令》经修订完成后,沈家本曾就律师一事再次作出说明:认为"民事诉讼非俟人民起诉不能成立。既有起诉人,则必有相对人。起诉人一曰原告,相对人一曰被告,其受委任而从事诉讼者,则有诉讼代理人。其偕同而就审判者,则有诉讼辅佐人。命名既殊,地位各异,惟讼廷责无旁贷,案牍绝少牵连。庶两造有平等之观,而局外免波及之虑。"由上述可见,中国近代意义上的律师以及律师制度的雏形已经具备。

清末始创的近代律师制度之雏形,主要内容如下:第一,关于律师的资格。一是各省法律学堂培养的法律专门人员,其合格者给予文凭,作为律师储备人选,分拨各省以备办案之用;二是选派"刑幕之合格者",送入法律学堂进行培训,用以补充专门人员培养的不足。第二,关于律师的手续。申请从事律师者需将律师文

---

① 《大清光绪新法令》。

凭交省高等公堂核验,同时要宣誓声明没有假冒情节;并且需要有两人立誓担保;一经批准方才可以在公堂办理案件。如欲去外省办案,还需要重新办理申请手续。从事律师者在每次办案前必须在公堂宣誓:不得作伪或不得允许别人作伪;不得故意唆讼或者帮助别人进行诬控;不得因私利倾陷他人;应尽其职责代理辩护,遵守法律。第三,关于律师的职责。分为原告律师与被告律师职责,原告律师的职责是:代写控诉词;准备各种法律文书;陪同原告参与公堂调查;代为原告陈述;对被告一方的"对诘"进行复问;进行针对性申辩、批驳;等等。被告律师的职责是:为被告代写答辩状;收集有利被告的各种证据;为被告进行辩护;代被告对原告一方进行对诘;被告一方作证后,对辩护词及其例案情况进行论说。"尽分内之责,代受托人辩护,然仍恪守法律。"①对于那些不能秉公办案、语言行为不端的律师,审判官有权禁止其出任代理或辩护,并可按其情节轻重移请惩戒处分直至刑事处罚,甚至永远开除出律师队伍。

　　清朝末年对律师制度的引进,从另一个角度显示出司法制度在由古代向近代转型,虽然这些制度由于清朝的灭亡而没有执行,但是它的变革具有重大的历史意义。

---

① 《大清刑事民事诉讼法》。

第 三 编
中国近代司法制度

第十章 孙中山的司法制度理论
与民国司法制度

　　孙中山是中国近代历史上伟大的资产阶级革命家,也是中国司法近代化的积极倡导者和践行者,他的司法制度思想对民国时期的司法制度近代化建设具有重要影响,后来成为南京国民政府司法制度建设的指导思想。南京临时政府是第一个在中国建立的全国性的资产阶级民主政权,它成立后按照西方民主国家的模式建立了三权分立的政权体制,在司法制度方面确立了司法独立、审判公开等一系列资产阶级的司法原则,确立了民国近代化司法制度的基础,而在司法体制建构方面则由于形势所迫未能全面展开。北洋军阀政府统治时期中国司法制度建设取得了一定进展,主要表现为各级审判机关开始逐渐成立,但由于军阀混战接连不断,司法制度的建设和运行受到军阀势力的严重影响。值得注意的是,在这一时期发动的联省自治运动中,各省在相继颁布的几部省宪法中,对中国司法制度的近代化提出了颇具新意的构想。武汉和广州国民政府时期,进行了建立革命司法体制的初步试验。南京国民政府建立后,根据孙中山的构想建立了以司法院为中心的司法制度,同时采纳了大陆法系国家的一些做法。南京国民政府的司法体制比起前一时期得到进一步完善,但由于经费、人才、以党治国体制等因素的影响,还存在着诸多问题。

第一节 孙中山的司法制度理论

孙中山(1866—1925),广东香山(今中山)人,号逸仙,是中国资产阶级民主革命的先行者,真诚的民主革命家和思想家。在一生的革命生涯中,孙中山不仅亲自参与和领导了无数次的革命运动,而且对中国的革命与建设方案进行了较为系统的设计。其中,他极为重视司法制度变革,是中国最早提倡司法近代化的先见者之一。他为此发表了大量言论,并在南京临时政府短暂的大总统任期内进行了司法制度改革的初步实践,大大推动了中国司法制度近代化的进程。整体来看,孙中山前期的司法制度思想倾向于学习西方国家的司法制度,后期思想则转而效法苏俄,提出了以党治国构想,司法制度方案被置于这一原则之下,前期司法制度思想的西方色彩渐趋淡化。

一、对封建司法制度的批判

孙中山身处已是中国封建社会末世的晚清王朝,旧制度的种种弊端已尽显无遗,其中已沿袭数千年的封建司法制度更是腐朽不堪。他指出在当时中国的各项制度中,没有什么部门比司法制度更需要彻底改革①。在中国封建司法制度中,存在着地方政府兼理司法、民刑不分、刑罚残酷等诸多问题,而孙中山认为最严重的问题是在司法活动中缺乏一套严格、公正的诉讼审判程序,导致

---

① 参见孙中山:《中国之司法改革》,陈旭麓、郝盛潮主编:《孙中山集外集》,上海人民出版社1990年版,第7页。

在司法审判中毫无制约,滥用刑讯逼供,腐败横行,冤狱丛生。他痛切指出:"在中国任何社会阶层都无司法可言;……地方行政官和法官的存在只是为了自己发财致富和养肥他们的顶头上司、直至皇室自身。民事诉讼是公开的受贿竞赛;刑事诉讼程序只不过是受刑的代名词——没有任何预审——对被告进行不可名状的、难以忍受的严刑拷打"①。在此情况下,司法活动根本无法真正地惩罚犯罪,却使得贫穷无告的人受尽苦难,正如孙中山所指出的:"一个无钱无势的人被控有轻度违法,不管这项指控如何毫无根据,他的命运比臭名昭著的罪犯可怕得多,只要那罪犯有万贯家财,或者他的亲属显赫得势,罪犯可以逍遥法外,而被控有罪者却难逃法网"②。面对如此严重的司法腐败甚至无司法可言的状况,老百姓却无从申诉,只能忍气吞声,因为"无论为朝廷之事,为国民之事,甚至为地方之事,百姓均无发言或与闻之权;其身为民牧者,操有审判之全权,人民身受冤抑,无所吁诉。且官场一语等于法律,上下相蒙相结,有利则各保其私囊,有害则各委其责任"③。

在刑罚制度方面,中国封建社会的刑罚极为严酷,普遍采用残害人的肢体的肉刑。孙中山认为,百姓触犯法律的根源在于个人利益与社会利益的冲突,因此刑罚轻重应以调剂个人利益与社会利益的平衡为标准,达到维持国权、保护公共安全就可以了,"苛暴

---

① 参见孙中山:《中国之司法改革》,陈旭麓、郝盛潮主编:《孙中山集外集》,上海人民出版社 1990 年版,第 7 页。

② 孙中山:《中国之司法改革》,陈旭麓、郝盛潮主编:《孙中山集外集》,上海人民出版社 1990 年版,第 8 页。

③ 孙中山:《伦敦被难记》,《孙中山全集》第 1 卷,中华书局 1981 年版(下同),第 51 页。

残酷,义无取焉"①。而清政府却是"严刑取供,狱多瘐毙,宁枉勿纵,多杀示威,是谓尚残刑"②,这明显有悖公理。除此以外,中国封建社会的刑罚不仅施及本人,还牵连到家庭或家族成员,对于政治犯,不仅全家甚至相隔好几代的远亲也要为家族某一成员的罪过而遭屠杀③。孙中山指出,这些不合理的刑罚制度违背了近代世界各国刑罚制度的基本原则,"近世各国刑罚,对于罪人或夺其自由,或绝其生命,从未有滥加刑威,虐及身体,如体罚之甚者",已为"万国所摈弃,中外所讥评",主张尽快废除④。

二、对新型司法体制的初步设计

孙中山在对中国封建社会的司法制度进行激烈批判的同时,对他理想中的司法制度进行了初步设计。他首先明确主张司法独立原则,曾多次表达"司法为独立机关"⑤,"律师制度与司法独立相辅为用,为文明各国所通行"⑥等观点。孙中山坚决反对过去残酷的刑罚制度,提出要加以废除,将一些肉刑改为"罚金、拘留"等⑦。

---

① 孙中山:《令内务司法两部通饬所属禁止刑讯文》,《孙中山全集》第 2 卷,中华书局 1982 年版(下同),第 157 页。

② 孙中山:《致港督卜力书》,《孙中山全集》第 1 卷,第 192 页。

③ 参见孙中山:《中国之司法改革》,陈旭麓、郝盛潮主编:《孙中山集外集》,上海人民出版社 1990 年版。

④ 孙中山:《令内务司法部通饬所属禁止体罚令》,《孙中山全集》第 2 卷,第 225 页。

⑤ 孙中山:《咨参议院请核议法官考试委员官制令草案文》,《孙中山全集》第 2 卷,第 281 页。

⑥ 孙中山:《令法制局审核呈复律师法草案文》,《孙中山全集》第 2 卷,第 274 页。

⑦ 孙中山:《令内务司法部通饬所属禁止体罚令》,《孙中山全集》第 2 卷,第 225 页。

在诉讼审判方面,孙中山对过去的刑讯逼供深恶痛绝,主张加以革绝,他在担任南京临时政府大总统后,即下令禁止刑讯;他还主张"仿欧美之法,立陪审人员,许律师代理,务为平允。不以残刑致死,不以拷打取供"①,通过陪审制度和律师制度保障当事人的权利。孙中山对律师制度极为重视,曾下令起草《律师法》并交参议院议决,主张建立规范的律师制度②。孙中山非常重视法官素质,主张司法人员"必须经法官考试合格人员,方能任用"③,目的是建立现代的法官队伍,保障司法的公正。关于具体的司法机构,孙中山曾在其五权宪法思想中提出在中央设立司法院,作为全国的最高审判机关,司法院与其他行政、立法四院并立,独立行使职权,至于审级制度、地方司法机构的设置等问题则未见详细论及。从上述内容可以看出,孙中山热切希望在中国建立一套近代化的司法制度,他关于新型司法制度的设计虽然主要是框架性的,但已经包括了近代司法制度的主要原则,为中国的司法近代化提供了理论指导和精神资源。

三、孙中山对司法独立与权能分治、以党治国关系的探讨

如前文所述,孙中山曾明确表示主张司法独立,但将这一原则与他的权能分治和以党治国思想联系在一起时,会发现它们之间存在着内在冲突,这是孙中山司法制度思想中的尚待完善的地方。

---

① 孙中山:《致港督卜力书》,《孙中山全集》第 1 卷,第 194 页。
② 孙中山:《令法制局审核呈复律师法草案文》,《孙中山全集》第 2 卷,第 274 页。
③ 孙中山:《咨参议院请核议法官考试委员官制令草案文》,《孙中山全集》第 2 卷,第 281 页。

　　在政权框架设计上,孙中山主张权能分开。所谓权能分开就是将国家权力分为政权和治权两大部分,政权是统治国家的权力,为人民所有,治权是治理国家的权力,由政府掌握,这样政权与治权各有分工,既保证人民有权,又使政府有能,更好地为国民服务。按照这种设想,孙中山主张设立由各县民众选出的国民大会作为代表人民行使国家政权的机关,设立五院作为行使中央治权的机关,其中司法院是全国最高司法机关,司法院院长由国民大会选举产生。在这种政权模式下,司法院虽然在中央政府内部是相对独立的,但作为治权机关还要受国民大会的领导和制约。在这种情况下,司法独立难免会受到来自国民大会的影响。那么,如何在司法独立与国民大会的领导之间找到一种平衡? 对此问题孙中山没有作出明确回答。

　　孙中山在其革命生涯的后期还提出了以党治国思想。他总结辛亥革命失败的教训,并受到了俄国十月革命胜利的启示,认为要领导中国获得革命和建设的胜利,必须效法苏俄,实行以党治国。所谓以党治国,就是在国家的革命和建设时期,由一个革命政党对国家的党政军各方面实行强有力的领导,在具体形式上,主要效仿苏俄,"把党放在国之上","握权更进一步"①。这种以党治国体制在当时的确有其合理性,但从司法制度而言,在这一体制下的司法活动显然应接受革命政党的领导,因而司法独立与党权之间也存在着内在冲突,如何处理二者关系又是一个难题。而后来的历史表明,国民党在南京国民政府时期的政治实践中,的确以党权严重制约了司法体制的独立运行。

---

　　① 《关于组织国民政府案之说明》(1924 年 1 月 20 日),《孙中山全集》第 9 卷,中华书局 1986 年版,第 103—104 页。

第二节　南京临时政府时期的司法制度

1911 年 10 月,辛亥革命在武昌爆发,此后迅速席卷全国。辛亥革命胜利的主要标志,是建立了三权分立的资产阶级民主共和政体——南京临时政府,这是中国社会首次出现的近代化的国家政权形态。在司法制度方面,南京临时政府以西方资产阶级民主国家为蓝本,创设了一系列新的司法原则和诉讼审判制度,将清末开始的中国司法近代化的进程由理论推向实践,奠定了中国近代司法制度的基础。在南京临时政府成立之前,各地革命党人先后建立了一些革命地方政权,在建立近代化的司法制度方面进行了有益的尝试,为新型司法制度的确立积累了经验。

一、南京临时政府成立前地方革命政权的司法制度变革

武昌起义爆发后,各地革命党人相继起事,先后建立了一些地方政权。湖北军政府是较早建立的一个。1911 年 10 月 11 日,湖北革命党人宣布中国为"共和的中华民国",将湖北革命领导机关定名为中华民国军政府湖北都督府。在司法制度方面,湖北军政府宣布设立江夏临时审判所和临时上诉审判所作为临时的审判机构,在《江夏临时审判所暂行条例》中确定了"司法独立"、"用合议制组织"和公开的原则①,率先进行了建立近代化司法体制的尝试。江苏省革命党人取得革命胜利后,建立了江苏军政府,规定设立提法司,主管司法行政,各州县按照旧的法院编制法审判厅与检

---

① 王永祥著:《戊戌以来的中国政治制度》,南开大学出版社 1991 年版,第 34 页。

察厅①。浙江军政府成立后,颁布了《浙江军政府临时约法》,规定军政府由行政、司法、立法三部分构成,"法官独立审判,不受上级官厅之干涉","法官非依法律受刑罚宣告,及应免职之惩戒宣告,不得免职,并不得任意更调之",法院"依法律审判民事诉讼,及刑事诉讼,其他特别诉讼不在此限",将行政诉讼独立,"法院之审判,须公开之"②。可以看出,浙江军政府比较全面地规定了近代司法制度的一些基本原则,诸如司法独立、审判公开等,为后来南京临时政府司法制度的创设奠定了基础。

二、南京临时政府的司法体制

(一)司法原则

南京临时政府围绕着民主共和政体下对司法审判的要求,确立了一系列新的司法原则:

1. 司法独立。首先司法权独立于行政权和立法权。《中华民国临时约法》规定南京临时政府实行三权分立原则,"以参议院,临时大总统,国务员,法院,行使其统治权"③。其次是司法审判独立,"法官独立审判,不受上级官厅之干涉"④。其三通过规定法官权利来保障司法独立,即"法官在任中不得减俸或转职,非依法律受刑罚宣告,或应免职之惩戒处分,不得解职"⑤。

---

① 中国史学会主编:中国近代史资料丛刊《辛亥革命》,上海人民出版社1957年版,第26—27页。
② 同上书,第143—146页。
③ 《中华民国临时约法》第4条,杨松、邓力群原编,荣孟源重编,《中国近代史料选辑》,三联书店1954年版(下同),第677—685页。
④ 《中华民国临时约法》第51条。
⑤ 《中华民国临时约法》第52条。

2. 审判公开。规定"法院之审判,须公开之"①。

(二)司法机关与组织

1. 司法机关。南京临时政府存在时间较短,对法院组织体系未及作全面、详细的规定,各级司法机关也残缺不全,很多没有按规定设置,因此只能从相关资料中窥探当时法院组织的大体框架。在1911年12月公布的《中华民国临时政府组织大纲》中曾规定"临时大总统得参议院之同意,有设立临时中央审判所之权"②,表明以中央审判所为行使中央司法权的机关,但对中央审判所的职能、权限及工作程序等均没有具体规定。1912年3月8日,孙中山曾以临时大总统身份发布《令法制局审定临时中央裁判所草案文》,提出:"据司法部呈拟《临时中央裁判所草案》一册,应由该局审定,呈候咨交参议院议决施行。仰即遵照审定,克日可复也。"③说明南京临时政府成立之时,并没有同时成立中央裁判所,直到3月才呈报临时中央裁判所草案,可见其晚。在1912年3月11日公布的《中华民国临时约法》又规定:"临时大总统受参议院弹劾后,由最高法院全院审判官互选九人,组织特别法庭审判之"④。表明此时南京临时政府以最高法院作为全国最高司法机关,但对其组织与权限同样没有作详细规定。此外,南京临时政府实行行政诉讼与普通诉讼分开的制度,规定"人民对于官吏违法损害权利之行为,有陈诉于平政院之权"⑤,即以平政院作为全国最高行政诉讼机关。

---

① 《中华民国临时约法》第50条。
② 《中华民国临时政府组织大纲》第6条。
③ 《孙中山全集》第2卷,第195页。
④ 《中华民国临时约法》第41条。
⑤ 《中华民国临时约法》第10条。

关于各级审判机关及检察机关。1913 年 3 月 10 日,南京临时政府发布《暂行援用前清法律令》规定:现在民国法律未经议定颁布,所有从前施行之法律及新刑律,除与民国国体抵触各条应失效力外,余均暂行援用①。根据这项规定,清末所颁布的《法院编制法》在民初仍然适用,各级审判机关应据此建立。根据《法院编制法》,全国审判机关分四级,地方设初级审判厅、地方审判厅、高等审判厅,中央设大理院;各级审判机关分别配置检察厅,即初级检察厅、地方检察厅、高等检察厅和总检察厅②。而从当时实际情况来看,"自筹办司法独立以来,……各省均设有高等审判厅、检察厅,而地方厅、初级厅尚未普遍设立,后又相继裁撤"③,反映出地方政府兼理司法的情况应该还是普遍存在的;有的地方新的司法机关尚未成立,旧的司法机关也无法发挥作用,处于虚悬状态,如在贵州省,"法院暂未成立……而原有之提法公所、高等审检、地方审检、看守所、监狱各种机关,竟至无人过问"④。

2. 法官任用。《中华民国临时约法》规定:"法院以临时大总统及司法总长任别任命之法官组织之"⑤。关于法官的任职资格,孙中山曾以临时大总统身份提出所有司法人员必须经过法官考试合格后才能任用,并且还令法制局草拟了"法官考试委员会官职

---

① 张晋藩主编:《中国百年法制大事纵览》,法律出版社 2001 年版,第 36 页。
② 参见钱端升等著:《民国政制史》上册,商务印书馆 1944 年增订版(下同),第 56—57 页。
③ 谢振民编著:《中华民国立法史》下册,中国政法大学出版社 2000 年版,第 990 页。
④ 黄济舟:《辛亥贵州革命纪略》,全国政协文史资料委员会编:《辛亥革命亲历记》,中国文史出版社 2001 年版,第 454 页。
⑤ 《中华民国临时约法》第 48 条。

令"和"法官考试令"①。

(三)诉讼与审判制度

1. 行政诉讼独立

在英美法系国家,行政诉讼一般由普通法院受理,而在大陆法系国家则由专门的行政法院受理,南京临时政府采用的是后者。《中华民国临时约法》规定:"法院以法律审判民事诉讼及刑事诉讼;但关于行政诉讼及其他特别诉讼,别以法律定之"②,将行政诉讼与普通诉讼分开。《中华民国临时约法》规定设平政院作为受理行政诉讼最高机关,孙中山曾致电各省都督,指出光复以来各地地方行政长官及带兵将领经常骚扰民众,为此要晓谕民众,"有受前项疾苦者,须其按照临时约法来中央平政院陈述……一经查实,立于尽法惩治"③,但平政院一直到1914年才宣告成立④。

2. 审级制度

在审级制度方面,南京临时政府沿袭了清末确立的四级三审制。孙中山担任临时大总统期间,针对当时对审级制度比较随意的做法,曾宣布:"四级三审之制,较为完备,不能以前清曾经采用,遂而鄙弃"⑤,表明可以暂时沿用过去的审级制度。四级三审制的具体内容为:(1)初级审判厅管辖第一审民事刑事诉讼案件,并登记其他非诉讼案件。(2)地方审判厅管辖:①不属于初级审判厅权限及不属于大理院特别权限内的初审案件;②不服初级审判厅

---

① 孙中山:《咨参议院请核议法官考试委员官制令草案文》。
② 《中华民国临时约法》第49条。
③ 孙中山:《致各省都督电》,《孙中山全集》第2卷,第291页。
④ 参见钱端升等著:《民国政制史》上册,第54页。
⑤ 《命司法部将各省审检厅暂行大纲留部参考令》,《孙中山全集》第2卷,第217页。

的判决而控诉的案件;③不服初级审判厅的决定或命令,按照法令抗告的案件。(3)高等审判厅审判:①不服地方审判厅的一审判决而控诉的案件;②不服地方审判厅第二审判决而上诉的案件;③不服地方审判厅的决定或命令,按照法令而抗告的案件。(4)大理院管辖:①依法令属于大理院特别权限的案件的初审与终审;②不服高等审判厅第二审判决而上诉的案件的终审,不服高等审判厅的决定或命令而抗告案件的终审。简而言之,上述制度是将第一审分为初级审判厅与地方审判厅两种,而以高等审判厅与大理院分别担任终审机关。这种审级制度一直沿用到 1932 年 10 月,才被南京国民政府的三级三审制取代①。

3. 诉讼程序

(1)取消刑讯。刑讯是中国古代司法诉讼中惯用的手段,缺乏人道和公正。孙中山任临时大总统期间明令禁止刑讯,"不论行政、司法官署,及何种案件,一概不准刑讯",宣布重证据而不偏重口供,为确保这些措施得以推行,命令"不时派员巡视,如有不肖官司,日久故智复萌,重煽亡清遗毒者,除褫夺官职外,付所司治以应得之罪"②。

(2)实行陪审与辩护制度。孙中山很早就提倡建立陪审制度,南京临时政府成立后对此未及作明确规定,但在民国元年司法总长曾就审理山阴县令擅杀案一事致电孙中山,提出设立陪审员,并准两造聘请辩护士到庭辩护,进行了建立陪审制度的尝试③。关于辩护制度,在孙中山任临时大总统期间,内务部警务局局长孙

---

① 参见钱端升等著:《民国政制史》上册,第 54—55 页。

② 孙中山:《令内务司法两部通饬所属禁止刑讯文》,《孙中山全集》第 2 卷,第 157 页。

③ 参见郭成伟主编:《中国法制史》,中国法制出版社 1999 年版,第 391 页。

润宇曾草拟《律师法草案》,呈请孙中山批示,孙润宇在呈文中指出,辛亥以后苏沪各地渐有律师组织,"出庭辩护,人民称便",希望制定法律以确定律师的合法地位,孙中山对此极为重视,对尽快制定相关法律深表赞同①,表明了建立现代律师辩护制度的决心。

第三节　北洋政府时期的司法制度

1912 年 2 月 15 日,南京临时参议院推举袁世凯为第二任临时大总统,3 月 8 日袁世凯在北京宣誓就任临时大总统,4 月 1 日孙中山正式宣布解除临时大总统职务,南京临时政府停止行使职权。自此,中华民国开始了一段长达二十多年的由北洋军阀控制中央政府的时期。北洋时期大量沿用了清末确定的法律制度,如《法院编制法》以及在《大清新刑律》基础上简单修订而成的《暂行新刑律》等,在司法制度方面基本继承了清末和南京临时政府确立的体制。整体而言,这一时期司法制度的特点主要体现为两个方面:一是采用大陆法系的司法制度,将行政诉讼与普通民事、刑事诉讼分开,成立平政院专门负责行政诉讼;二是实行四级三审制度,审判机关分四级设立。

一、司法原则

北洋政府统治的特点可以概括为以民主共和之名行军阀专制之实。这一时期的司法制度受到军阀割据的影响,司法体系残缺混乱,司法权受到军权的严重制约,但北洋军阀毕竟不愿抛弃"民

---

① 胡绳武、金冲及著:《辛亥革命史稿》第 4 卷,上海人民出版社 1991 年版,第 34 页。

国"这一聚集民心的金字招牌,因此先后颁布了几部从形式上看颇为民主的宪草、约法和宪法,对司法原则也作了一些装潢门面的规定。其内容如下:

1. 司法独立。北洋政府时期的几部宪法性文件对此都予以确认。1913年国会宪法起草委员会拟定的"天坛宪法草案"规定,司法权由法院行使,"法官独立审判,无论何人,不得干涉之"(第88条),为保障司法独立,规定法官在任期间非依法律规定不得减俸、停职和转职,非受刑罚宣告或惩戒处分不得免职等(第89条)。袁世凯时期颁布的《中华民国约法》也规定法院依法律独立审判民刑诉讼(第45条)。"贿选总统"曹锟在任时颁布的《中华民国宪法》在司法独立方面作了与"天坛宪草"基本相同的规定。

2. 审判公开。上述几部宪法性文件都规定,"法院之审判,须公开之"①。

二、司法行政机关

中央司法行政机关为司法部,主要权限为:法院的设置、废止,管辖区域的划分、变更;司法官和其他职员的考试和任免;律师事务;司法经费;稽核罚金与赃物;民事与刑事事务;监狱事务;等等。下设总务厅、民事司、刑事司、监狱司分管各项事务。

省级司法行政机关在民国初年有的设司法司主管其事,有的未设。1913年1月裁撤司法司而在各省设立司法筹备处,办理省内司法行政,主要事务为筹设法院、监狱。1913年9月,袁世凯因财政困难,各省无力扩充法院,于是命令取消各省司法筹备处,其

---

① 《中华民国宪法》第100条;参见夏新华等整理:《近代中国宪政历程史料荟萃》,中国政法大学出版社2004年版,第528页。

所管理的事务由司法部就高等审判厅或高等检察厅遴选人员兼任。后又将司法筹备处管理事务按其性质分别归高等审判厅或高等检察厅办理,或两厅会同办理。1914 年 6 月,又令各省巡按使监督司法行政事务①。可见,在北洋政府统治的一段时期内,省级司法行政机关与省级司法机关是合一的。

三、审判机关与审判制度

(一)中央审判机关

1. 大理院。大理院是最高审判机关。设院长 1 人,总管全院事务,并监督本院行政。下设民事科与刑事科,各科设推丞 1 人,监督本科事务,并决定案件分配。其下因事务繁简不同设立民事与刑事若干庭,各庭设庭长 1 人,由推丞或推事兼任,设推事若干人,庭长监督本庭事务并决定案件的分配。庭长、推丞、推事统称审判官。

大理院实行合议制,审判权以推事 5 人组成的合议庭实行。合议审判时,以庭长为审判长,庭长因故未到,由资深庭员代理。大理院各庭审理上诉案件,如果遇到解释法令的意见与本庭或他庭的成案不同,应由大理院长依法令的类别分别召开民事科或刑事科或民刑两科的大理院总会审判。

大理院的管辖权为:其一,终审,不服高等审判厅第二审的判决而上诉的案件,或不服高等审判厅的决定或命令而抗告的案件;其二,第一审并终审,依法属于大理院特别权限的案件。

各省距离京城较远或交通不便的,可以在省高等审判厅内设

---

① 　参见钱端升等著:《民国政制史》下册,第 484 页;钱实甫著:《北洋政府时期的政治制度》上册,中华书局 1984 年版(下同),第 132 页。

大理分院,设民事与刑事各一庭,各庭推事除了由大理院选任外,也可由分庭所在的高等审判厅的推事兼任。分院各庭审理地方上诉案件,如对法令的解释意见与本庭或他庭的成案不同,应呈请大理院开总会审判。大理院及分院交付下级审判厅的案件,下级审判厅对于案件不得违背上级法院法令上的意见。

2. 平政院。平政院是办理行政诉讼的最高机关,1914 年成立,同年颁布《纠弹条例》、《行政诉讼条例》、《诉愿条例》,后又改为《纠弹法》、《行政诉讼法》、《诉愿法》,初步确立了行政诉讼的体制。

平政院的构成如下:设院长 1 人,指挥监督全院事务;设评事15 人,其下分设三庭,执行审理权,由评事 5 人组织;设肃政厅,主要执行对官员的弹劾,但肃政厅对于平政院独立行使职权,肃政厅的设置使得平政院兼具行政诉讼和弹劾两种职权;平政院总会议,由院长及评事组成,议决事项除法令规定外,由院长决定议事范围;此外还有惩戒委员会、书记处等机构。

平政院的职权主要有两项:其一,中央或地方最高级行政机关的违法措施或行为,损害了人民权利,由人民陈诉的;其二,中央或地方行政官署的违法措施或行为,损害了人民权利,人民依诉讼法规定向最高行政长官提出诉愿而不服其判决提出陈诉的。

（二）省级审判机关

北洋政府时期省审判机关的主要机构为高等审判厅,当时各省除新疆外都设有此类机关。各省因为地方辽阔或交通不便,可以在高等审判厅管辖的地方审判厅内设立高等审判分庭作为派出机关,因必要情形还可以在省县之间的道署所在地设立高等分庭。此外在热河、察哈尔等当时几个行政特区内也设立了特区司法审判机关。上述机构都是省级审判机关的组成部分。

1. 高等审判厅。省设高等审判厅,置厅长 1 人,总管厅内事务并监督厅行政事务。下设若干庭,庭的数目根据事务繁简而定。审判案件采取合议制,由推事 3 人组织合议庭进行,审理上诉案件时厅长可以根据所审理案件情形将合议庭人数增加为 5 人,合议庭以庭长为审判长。

高等审判厅的管辖权为:其一,不服地方审判厅的第一审判决而上诉的;其二,不服地方审判厅第二审判决而上诉的,不服地方审判庭的审判或命令而抗告的。除上述职权外,高等审判庭在各省司法筹备处裁撤后,还兼管省司法行政事务。1914 年 6 月颁布的《高等审判厅办事权限条例》规定,高等审判厅厅长负责管辖本省司法官吏,考核地方兼理司法的县知事,管理全省司法经费等①。

2. 高等审判分厅。根据《法院编制法规定》,各省因为地方辽阔或交通不便,可以在高等审判厅管辖的地方审判厅内设立高等审判分庭。高等审判分庭设民事一庭和刑事一庭,审判采取合议制,因案件不同可分别采用 3 人合议或 5 人合议制。

3. 高等分庭。根据 1914 年 9 月公布的《高等分庭暂行条例》规定,凡距离省会较远或交通不便的地方,除设立高等审判分厅外,还可根据必要在道署所在地暂时设立高等分庭。高等分庭设推事 3 人,用合议制审理案件,辖区与道的辖区相同。

高等分庭的管辖权为:其一,不服兼理司法县知事所作的初级审判管辖的决定而上告的;其二,不服兼理司法县知事所作的初级审判范围内刑事三等以下有期徒刑、500 元以下罚金、民事诉讼标的额 1000 元以下和非财产权方面请求的判决而上诉的。此外应

①　参见钱端升等著:《民国政制史》下册,第 486 页。

复审的案件除死刑、无期徒刑、一等有期徒刑、罚金 500 元以上外，高等分庭有权复判。

4. 道官署内所设司法人员。高等审判厅的分厅、分庭由于财政困难，无法在各地普遍设立，因此不便于百姓上诉。为补救这一缺失，北洋政府曾指定若干县可以受理邻县的上诉案件，但各县地位相差无几，这一措施很难顺利推行。在此情形下只好改而在道的公署内设立司法人员办理上诉案件①。道官署内司法人员的设置比较严格，需要满足几个条件：其一，只有距离省府较远而附近有无上诉机关的道才能设置；其二，管辖权的限制，道官署内司法人员有权直接判决执行的仅限于刑事三等徒刑以下、民事标的额 1000 元以下的案件，超过限度的应由高等审判厅复查；其三，时间上的限制，在各地高等分庭设置后，道官署内司法人员应立即撤销。道官署内司法人员的名额一般为 2—3 人，由道尹遴选，司法经费由道尹公署负责开支，显然这种做法比较容易导致地方行政对地方司法的干涉和控制。

5. 特别行政区司法机关。北洋政府时期，承袭清末旧制，设置了一些特别行政区。其中有些区域如热河、察哈尔、绥远、东省特别区等，其性质与省相当，但这些地区的审判机关与一般省区有所不同。

（1）热察绥审判处。热河、察哈尔、绥远均属内蒙古区域，1914 年北洋政府在这里实行都统制，热察绥三处均设立都统府作为地方最高行政机关。在都统府内设立审判处作为区内审判机

① 道是清末旧有的行政区域，是省和县之间的地方行政建制，道所辖 3 到 4 个县不等。北洋政府沿袭了这一制度，只是各道名称有所改变。道设公署作为行政机构，行政长官称为观察使或道尹。1924 年 6 月下令裁撤，但各省仍有保留，1930 年正式裁撤。

关,审判处设处长 1 人,负责指挥监督本处事务。处内分设民事和刑事两庭,每庭设审理员 1 人执行审判职务。审判处的管辖范围为以下两类民刑案件:其一,不服该区域内县知事的判决而上诉的;其二,各蒙旗及蒙民的诉讼案件。

(2)东省特别区的审判机关。东省特别行政区为当时曾由中俄合办的中东铁路的附属区域,开始主要为便于诉讼而设立。其区域以哈尔滨为中心,南至长春,东至绥芬河,西抵满洲里,包括中东铁路两侧各 30 公里的土地。东省特别区在哈尔滨设置高等审判厅和地方审判厅(附设简易庭),并在铁路沿线各处设置地方分庭。在高等审判厅、地方审判厅及分庭内,设置检察所,配置检察官 1—3 人,对于审判独立行使其职务。在东省特别区域高等及地方审判厅,可以由司法部根据情况委任外国人为咨议、调查员,地方分庭也可由司法部根据情况暂时委任外国人为咨议、调查员。地方审判厅附设简易庭,审理初级管辖第一审案件,地方分庭的事务管辖与简易庭相同。地方审判厅对于铁路沿线管辖的地方案件,可以采用巡回审判制度。不服地方分庭或简易庭判决的,可以上诉于地方审判厅,不服地方审判厅判决的,可以上诉于高等审判厅。东省特别区域法院内,关于外国人的诉讼案件,可以允许外国律师出庭①。

(3)外蒙古。北洋政府时期在外蒙古的库伦、乌里雅苏台、科布多、唐努乌梁海设立镇抚使管理当地事务。在库、乌、科、唐镇抚使公署设立审判处,相当于高等厅。镇抚使公署审判处设民事庭

---

① 《东省特别区法院编制条例》(1910 年公布,1911 年修正),参见《国民党政府政治制度档案史料选编》上册,安徽教育出版社 1994 年版,第 379—380 页。

和刑事庭,设首席审理员 1 人,审理员 3—5 人。

(三)县级审判机关

北洋政府时期的县级审判机关可分为普通法院与兼理司法法院,普通法院为独立的审判机关,兼理司法法院分为两种,或附设于县行政机关之下,或由县行政长官兼理。

1. 普通法院。县级普通审判机关包括地方审判厅、初级审判厅、地方分庭、地方刑事简易庭。

(1)地方审判厅。地方审判厅设立于繁盛之处即较大的商埠或中心县。地方审判厅设厅长 1 人,管理和监督本厅事务。下设民事和刑事若干庭,庭的数目根据事务繁简而定。每庭设推事 2 人以上,由推事 1 人任庭长。第一审的诉讼案件由推事 1 人独任办理,第二审案件由推事 3 人组织合议庭审判。第一审的繁杂案件,并经当事人要求的,应由推事 3 人组织合议庭审判。

地方审判厅的管辖范围为:其一,第一审属于初级管辖及不属于大理院特别权限内的案件;其二,第二审不服初级管辖法院的判决而提出上诉的,以及不服初级管辖法庭的决定或命令而抗告的案件。

(2)初级审判厅。初级审判厅因事务繁简不同设推事 1 人或 2 人以上,诉讼案件则由推事 1 人独任办理。初级审判厅的行政事务由地方审判厅监督。初级审判厅的管辖范围为第一审民事、刑事诉讼案件。

(3)地方分庭。地方分庭为初级审判厅裁撤后设立的基层法院。1914 年袁世凯政府以人力和财力不足为由决定废除初级审判厅,在地方审判厅附近各县设立地方分庭,也可在县知事公署内设置,称为"某处地方审判厅某县分庭",其管辖区域与所在县区域相同。地方分庭设推事 1 人或 2 人,下设民事一庭和刑事一庭。

审判时采取独任制,由推事 1 人办理。地方分庭审理案件受地方审判厅监督。其管辖范围为属于初级或地方审判厅第一审管辖的民事、刑事案件。犯人不服地方分庭审判的,属于初级管辖的案件向地方审判厅上诉,属于地方管辖的案件向高等审判厅上诉。

(4)地方刑事简易庭。设立于地方审判厅,专门审理刑事简易案件。设独立推事 1 人,并配置检察官。其管辖范围为:其一,犯罪事实现存证据明确的;其二,对于犯罪处四等以下有期徒刑、拘役或罚金等刑的;其三,刑事案件属于第一审的。

2. 兼理司法法院的司法事项由县行政长官兼理,不另设普通法院。县行政长官有的兼理检察事务,有的兼理检察和审判事务。现具体分述如下:

(1)审检所。民国成立时各县所设的司法机关名称混乱,职权不一。1913 年 3 月规定凡是没有设立法院的县份在县公署内附设审检所,其成员除县知事外,根据事务繁简设帮审员 1—3 人。帮审员的职务为审理其管辖区内民刑诉讼的初审案件及邻县审检所的上诉案件。县知事负责检察事务。1914 年 4 月《县知事兼理司法事务暂行条例》公布后,审检所被废止。

(2)县司法公署。各县审检所于 1914 年废止后,未设法院的县则在县行政公署内设立司法公署。县司法公署除县知事外,设审判官 1—2 人。审判官办理审判事务,并负全部责任,不受县知事干涉。县知事办理关于检举、缉捕、递解、刑事执行及其他检察事务。县司法公署的职权为审理关于地方所有的初审民事、刑事案件。

(3)县知事兼理司法。县审检所于 1914 年废止后,未设法院或司法公署的县则由县知事兼理司法。可设承审员 1 人至 3 人为其助理,承审员受县知事监督。县知事负责审判属于初级厅或地方厅管辖的第一审民事、刑事诉讼。县知事公署所设法庭一般公开审判。不服知事判决的,可按案件性质向高等审判厅或分厅、地方审判厅或分厅上诉。

(四)特别审判机关

北洋政府还设有多种特别审判机关,我们以陆军军事审判机关为例加以说明。北洋政府的陆军审判机关分为高等军法会审、军法会审和临时军法会审三类,其职权除审判军人触犯陆军刑律及其他刑事法律外,还可审判非军人触犯陆军刑事条例的案件。各类军法会审机关在审理案件时,一般秘密进行,不准旁听和辩护,不准上诉,是北洋军阀实行军事独裁的重要手段和体现。

四、检察机关与检察制度

1. 中央检察机关。中央检察机关为总检察厅,与大理院相配设置,独立行使职权。设检察长1人,监督总检察厅事务,设检察官2人以上。检察官的主要职权为:其一,遵照刑事诉讼法律或其他法令规定,实行搜查,提起公诉,监督判决的执行;其二,遵照民事诉讼法律或其他法令规定,为诉讼当事人或公益代表人,实行特定事项。

2. 省级检察机关。省级检察机关一般与省审判机关并置,分为以下几种类型:

(1)高等检察厅。与高等审判厅相配设置,独立行使职权,不受高等审判厅制约。由检察长1人和检察官2人以上组成,管辖范围与审判庭相同。检察官的主要职权为:其一,对于刑事案件,依法进行搜查、提起公诉,监督判决的执行;其二,对于民事及其他案件,依法代表诉讼当事人或社会公益,实行特定事项。

(2)高等检察分厅。与高等审判分厅相配设置,其管辖范围与高等检察厅相同。

（3）高等分庭检察官。高等审判厅分庭配置检察官 1 人,执行检察事务,不另设分庭。

3. 县检察机关。地方检察厅与地方审判厅配套设置,设检察长 1 人、检察官 2 人以上。初级检察厅设检察官 1 人或 2 人以上。地方分庭配置检察官 1 人或 2 人。兼理司法法院一般由县知事办理检察事项。

五、律师制度

清末新政过程中,曾就律师制度颁布过一系列法律,但未能实行。北洋政府时期,曾先后颁布《律师暂行章程》、《律师登记暂行章程》、《律师惩戒会暂行章程》、《律师甄别章程》等相关法律,初步建立了一套律师制度。

六、北洋政府时期出现的各种宪草及联省自治运动中各省宪法规定的司法制度

北洋政府时期,除前文提及的"天坛宪草"外,国会及社会团体曾制定并发表过多部宪法草案。这些宪法草案有关司法制度的规定反映了当时中国社会各界对司法制度的思考和看法,现在看来还有一定的思想价值,值得认真考察。1920 年,湖南省发起自治运动,此后各省相继宣布自治和联省自治,掀起了一场轰轰烈烈的联省自治运动。在这场运动中,许多省份颁布了自己的省宪法,其中对本省的司法制度也作了各具特色的规定,值得我们重视。

1. 各种宪草对司法制度的规定。1922 年 5 月,在联省自治运动开展得如火如荼之时,由各省及各特别行政区议会、商会、工会

等八大团体各派代表 3 人组成的国是会议在上海召开,会议通过了由张君劢主稿的"国是会议宪法草案"。该宪草规定,司法权由联省所设大理院及各省所设法院行之,除普通法院外,在联省及各省设行政诉讼法院,专门受理行政诉讼。在上述法院机构之外,宪草特别规定设"联省国是法院",其职权为:其一,宪法之解释;其二,甲省与乙省在宪法上之争议;其三,联省官厅与各省官厅权限上之争议;其四,人民宪法上之权利受侵害时所提出的诉愿①。1925 年 8 月,汪馥炎与李祚辉发表两人共同起草的《中华民国联省宪法草案》,其最有特色之处是关于宪法法院的设置。该宪草规定,设立宪法平衡法院,其职权如下:其一,宪法异议之解释;其二,联省与各省公法上之争议;其三,联省官厅与各省官厅权限上之争议;其四,弹劾大总统、副总统、国务员之诉讼②。

2. 联省自治运动中各省宪法对司法制度的规定。在联省自治运动中,许多省颁布了自己的宪法和宪法草案,有的省甚至颁布了多部宪法草案。在这些省宪中,一般都列有司法或法院专章,对本省的司法制度作了规定,其中比较有特色的是浙江省、湖南省、广东省与四川省的省宪。

1921 年 9 月 9 日,浙江公布《中华民国浙江省宪法》,第六章"法院"规定:省法院为本省最高法院,对于本省民事、刑事诉讼、刑事诉讼及其他一切诉讼为最终之审判;省法院之下设控诉审法院、初审法院;省法院院长及省法院审判员由全省选民分区组织选举会选举,省法院院长处理本省司法行政事务;法院应设陪审会

---

① 《中华民国宪法草案》第五章(1922 年国是会议拟定),参见缪全吉编著:《中国制宪史资料汇编》,台湾"国史馆"1991 年版(下同),第 264 页。
② 同上书,第281—282 页。

议;等等①。《中华民国湖南省宪法》规定法院实行三级制,分别设高等、地方、初级法院,审判厅与检察厅相配设置。高等审判厅和高等检察厅的厅长都由省议会选举,任期 8 年。《中华民国广东省宪法》的规定与浙江省近似,只是规定省法院的院长由省长经议会同意后任命。《中华民国四川省宪法》规定在省法院之下设控诉法院与初级法院。省法院法官由省议会就有法官资格的人员中分次选举产生,以得票过半数的当选,终身任职②。上述省份的宪法中对近代司法的一些基本原则如司法独立、公开审判等都作了明确规定,特别引人注意的是规定了省法院法官由民选或议会选举,这种规定虽然值得商榷,但反映了当时各省人士追求彻底民主的精神,值得我们珍视。

第四节　广州、武汉国民政府时期的政治制度

广州、武汉国民政府是中国政治制度史上一种崭新的政权形态。从基本模式来说,它不是三权分立的南京临时政府体制的继承和演变,也不是北洋军阀时期军阀专制体制的延续。

一、广州国民政府的司法制度

广州国民政府正式成立于 1925 年 7 月 1 日,其前身是广州大元帅府。1923 年春,孙中山在广州建立"中华民国陆海军大元帅大本营",孙中山任大元帅。这一时期,由于政治军事形势极不稳

---

① 《中华民国浙江省宪法》第六章,参见缪全吉编著:《中国制宪史资料汇编》,第 704 页。

② 参见钱实甫著:《北洋政府时期的政治制度》上册,第 148—149 页。

定,无暇对司法制度进行根本改革,因此基本上沿用了北洋政府的司法制度,采取审检合一,司法行政与审判工作合一的原则。中央设大理院,为最高审判机关,同时在大理院内设司法行政事务处管理司法行政。审级制度采取四级三审制,地方设立高等、地方、初等三级审判厅。

1925年7月1日,广州国民政府成立。这一时期的中央司法机关仍是在中央设立的大理院,受国民党中央执行委员会的指导和监督,行使最高审判权。大理院在执行审判时由该院设立民事庭和刑事庭,分别进行审判工作。在大理院内还设有总检察厅,负责检察工作,但与大理院处于平等地位,独立行使职权。在地方设立高等、地方、初等三级审判厅,实行四级三审的审判制度。1926年1月,国民政府颁布法令,决定将司法行政权与审判权分开,裁撤大理院下属的司法行政事务处,司法行政事务不再由大理院兼管,组织司法行政委员会管理司法行政事务①。1926年11月,成立司法部,同月司法行政委员会合并于司法部,由司法部管理全国司法行政事务。

广州国民政府奉行司法独立的原则,为此于1926年3月颁布法令,指出:"司法关系人民生命财产,尤不容他人妄加干涉,……嗣后各级党部、各团体对于民刑案件,概不许干预。以维法权,而保公平。"②

广州国民政府为了提高法官素质,建立了法官考试制度。根

---

① 《国民政府为划分行政司法两权组设司法行政委员会令》(1926年1月),《国民党政府政治制度档案史料选编》上册,安徽教育出版社1994年版(下同),第372页。

② 《国民政府通告各级党部各团体不许干预民刑案件以维法权令》,《国民党政府政治制度档案史料选编》上册,第372—373页。

据 1926 年 5 月颁布的《法官考试条例》,法官考试包括考试资格、考试方式和科目、考试组织等内容。关于法官考试资格,一般分为考试和免试两种。参加考试的必须是中华民国年满 20 岁以上的公民,具备下列条件之一,才可以参加考试:其一,在本国国立大学或专门学校修法政学科 3 年以上毕业;其二,在国外大学或专门学校修法政学科 3 年以上毕业;其三,经政府认可在本国公私立大学或专门学校修法政学科 3 年以上毕业;其四,国内外大学或专门学校学习速成法政学科 1 年以上毕业,曾担任过推事、检察官 1 年以上,或者在本国国立大学、专门学校或政府认可的公私立大学、专门学校教授法政学科 2 年以上,经报政府有案者。前三项还必须具有正式毕业证书才能报考。免试必须经过法官考试、考试机构审查认可,具备下列条件之一:其一,在国内外大学或专门学校修法律学 3 年以上毕业,并在国立大学或专门学校任职教授主要科目 3 年以上;其二,具备上述资格之一,曾任司法官或办理司法行政事务连续 3 年,经主管机关出具证明并有成绩的;其三,曾在法官学校高等研究部修业期满,并有毕业证书的。关于考试方式和科目。法官考试方式一般分为笔试和口试两种,只有笔试合格后才能参加口试。笔试科目主要有:三民主义、五权宪法、宪法史、行政史、刑法、民法、国际公法、商法、民事诉讼法、刑事诉讼法、国际私法、拟公判请求书、民事刑事判决书、公文程式等 14 门课程。口试科目主要有民法、商法、刑法、民事刑事诉讼法 4 门课程及普通社会状况。法官考试组织由司法行政委员会临时设立法官考试典试委员会进行。从上述法官考试制度可以看出,广州国民政府对法官的学历和实际知识极为重视,这有利于提高法官素质,为贯彻执行广州国民政府的法律创造了良好条件。

二、武汉国民政府的司法制度

武汉国民政府建立后,将各级司法审判机关改称法院,即大理院改为最高法院,省设控诉院,市设市法院,县设县法院,镇和乡设人民法院。原则上采用两级两审制,但死刑案件以三审为终审。中央法院分最高法院和控诉法院两级,地方法院分县市法院和人民法院两级。民事诉讼在 300 元以下,刑事诉讼主刑为五等有期徒刑及拘役、罚金犯罪或户外窃盗、赃物罪,由人民法院审判;民事诉讼超过 300 元以上及人事纠纷,刑事诉讼主刑为四等有期徒刑以上,由县市法院审判。上述两种均为第一审对于不服县市法院判决的民事、刑事案件,除死刑不在此限外,控诉法院为第二审即终审。对于反革命内乱、外患罪及妨害国交罪,控诉法院为第一审。对于不服县市法院第一审的关于法律问题的民事、刑事案件判决及不服控诉法院的一审判决的,最高法院为第二审即终审。对于不服控诉法院第二审判决的死刑案件,则最高法院为第三审,即终审。

检察官设在法院内,行使纪律检查任务。其主要职权为:其一,对直接侵害国家法益的犯罪,及刑事被害人或其亲属放弃诉权的非亲告罪,向法院提起公诉;其二,对处死刑的犯罪,向刑事法庭陈述意见;其三,指挥军警逮捕刑事犯,并执行刑事判决等。

武汉国民政府还实行了参审、陪审制。其具体情况如下:其一,党员诉讼,由人民法院所在党部所选参审员参审或县市法院及中央法院所在党部所选陪审员陪审;其二,农民诉讼,由人民法院所在地农民协会所选参审员参审或县市法院和中央法院所在地农民协会所选陪审员陪审;其三,工人诉讼,由人民法院所在地工会所选参审员参审或县市法院和中央法院所在地工会所选陪审员陪审;其四,商人诉讼,由人民法院所在的商民协会所选参审员参审或县市法院和中央法院所在地商民协会所选陪审员陪审;其五,妇女诉讼,由党部妇女部所选参审员参审或陪审员陪审;其六,不属于上列各团体人民诉讼,则由党和院所选参审员参审或陪审员陪审。

第五节 南京国民政府的司法制度

1927 年,蒋介石国民党统治集团将国民政府由武汉迁往南京,开始了长达二十余年的南京国民政府统治时期。南京国民政府初期,各地新旧军阀割据一方,中央政府控制的区域非常有限,各地政治制度极不统一,在司法制度方面也很难进行统一规划,因此初期主要是沿袭了北洋政府时期的各项制度,只是在司法机构的名称上有所改变。随着国民党政权统治的稳固,南京国民政府于 1932 年 10 月颁布了新的《法院组织法》,并于 1935 年 7 月实行,自此南京国民政府的司法制度有了较大调整。综合而言,南京国民政府的司法制度有以下特点:其一,普通诉讼与行政诉讼分开,仿照大陆法系的制度设立专门的行政法院审理行政诉讼案件;其二,实行三级三审制的审判制度,法院组织为地方法院、高等法院及最高法院三级;其三,"司法党化",司法活动受到国民党党权的严重影响和有力制约。

一、司法机关
(一)中央司法机关

司法院是国民政府的最高司法机关,开始由司法行政部、最高法院、行政法院、官吏惩戒委员会组成,1947 年国民政府颁布新的

《司法院组织法》,在司法院之下增设大法官会议。其中司法行政部承司法院长之命,管理司法行政事务;最高法院对于民、刑诉讼事件,依法律行使最高审判权;行政法院掌理行政诉讼审判事项;官吏惩戒委员会掌理文官、法官的惩戒。司法院长经最高法院及所属各庭庭长会议议决后,行使统一解释法令及变更判例之权。

1. 最高法院。最高法院成立于 1927 年,为全国最高审判机关,审理不服高等法院第一审与第二审判决上诉的案件,以及不服高等法院裁决按照法令抗告的案件。设院长 1 人,由司法院长提请国民政府任命,总理全院事务并监督其行政,但不能指挥审判。下设若干民事庭与刑事庭,可根据事务繁简有所增减,每庭设推事 5 人,以 1 人为庭长,监督该庭事务及分配案件。最高法院各庭审判实行合议制,审判是由推事 5 人组织合议庭进行①。最高法院内配置检察署,设检察长 1 人,检察官 7—9 人,处理关于检察的一切事务。

2. 行政法院于 1933 年成立,为全国行政诉讼审判机关。设院长 1 人,负责全院行政事务,并兼任评事和庭长。下设审判庭二庭或三庭,每庭设庭长 1 人,评事 5 人,负责审判事务。审判时实行评事合议制,由评事 5 人组织合议庭,以庭长为审判长②。行政诉讼之前,必须经过向行政机关提出诉愿及再诉愿的程序。若中央或地方行政机关因不当处分侵害了人民权利,经按照诉愿法提起再诉愿而不服其决定的,或提起再诉愿 30 日内仍未见决定的,

① 参见《最高法院组织法》(国民政府 1929 年 8 月修正公布),《国民党政府政治制度档案史料选编》上册,第 286—287 页。

② 参见《行政法院组织法》(国民政府 1932 年 11 月公布),《国民党政府政治制度档案史料选编》上册,第 296—297 页。

可以书状提起行政诉讼。其判决由行政法院转呈国民政府以训令的形式执行。自 1933 年 6 月行政法院成立至 1935 年 9 月,行政法院共受理案件 404 件,结案 309 件;自 1937 年 1 月至 1942 年 9 月,受理案件 641 件,结案的 542 件①。

3. 公务员惩戒委员会。分为中央与地方两种。中央公务员惩戒委员会设委员 9—11 人,负责处理全国荐任职以上公务员及中央政府中委任职公务员的惩戒②。审议惩戒事件时应有委员 5 人出席,由委员长指定 1 人为主席。中央惩戒委员会自 1932 年 6 月成立至 1935 年 9 月,共议决惩戒案 349 件;自 1937 年 1 月至 1942 年 10 月,议决惩戒案 677 件③。地方公务员惩戒委员会分设于各省及院辖市,设委员 7—9 人,负责处理该省市委任职公务员的惩戒事项。

4. 大法官会议。1947 年底以前,一直是由司法院院长及最高法院负责进行司法解释。当时规定,凡司法院请求解释法令的,由司法院院长发交最高法院分为刑事类和民事类,然后分配给民事庭或刑事庭长拟具答案。各庭长拟具答案后,应征求各庭庭长的意见。相关庭的庭长拟具答案后,要经过最高法院院长赞同,再由最高法院院长呈请司法院院长核准,司法院院长赞同后即可以作为统一解释法令的议决案。如果最高法院院长或过半数以上庭长对于相关庭长的解释有异议时,由最高法院院长呈请司法院院长召开统一解释法令会议。司法院院长对前项解释有异议时也可以召开这一会议。统一解释法令会议由最高法院及所属各庭庭长组

---

① 参见钱端升等著:《民国政制史》上册,第 253 页。
② 南京国民政府的公务员分为选任、特任、简任、荐任、委任五个级别。
③ 参见钱端升等著:《民国政制史》上册,第 250 页。

成,司法院院长任主席①。1947年12月,国民政府颁布新的《司法院组织法》,规定设立大法官会议负责解释宪法并统一解释法律命令,由大法官17人组成,以司法院长为主席。大法官应具备下述资格:其一,曾任最高法院推事十年以上的;其二,曾任立法委员9年以上的;其三,曾任大学法律学主要科目教授10年以上的;其四,曾任国际法庭法官,或有公法学或比较法学的权威著作的;其五,研究法学,富有政治经验,声誉卓著的②。台湾地区目前仍实行这一制度。

5. 司法行政部。掌管司法行政,南京国民政府成立初期隶属于司法院,1931年12月修订颁布的《国民政府组织法》将其改为隶属于行政院,1934年国民党中央政治会议修改《国民政府组织法》,将司法行政部归司法院管辖,1942年国民党五届十中全会决议又将司法行政部隶属于行政院之下。

(二)地方司法机关

1. 省司法机关。根据《法院组织法》规定,省或特别区域设立高等法院,省或特别区域地域辽阔的,应设立高等法院分院。

(1)高等法院。省设高等法院,为省内最高司法机关。设院长1人,由推事兼任。下设民事及刑事数庭,具体庭数根据事务繁简而定。审判案件采取合议制,合议庭由3人组成。高等法院的管辖案件为:其一,关于内乱、外患及妨害国际交往之刑事第一审诉讼案件;其二,不服地方法院及其分院的一审判决而上诉的民事刑事诉讼案件;其三,不服地方法院及其分院裁定而抗告的案件。

---

① 《国民政府司法院统一解释法令及变更判例规则》(1929年1月公布施行),《国民党政府政治制度档案史料选编》上册,第282页。

② 参见《司法院组织法》(国民政府1947年12月公布),《国民党政府政治制度档案史料选编》上册,第302页。

(2)高等法院检察官。《法院组织法》规定，除最高法院设立检察署外，高等法院及其他法院仅配置检察官，与北洋政府时期高等审判厅配置高等检察厅不同。其职权如下：其一，实施侦查，提起公诉，协助自诉，担当自诉，指挥刑事裁判之执行；其二，其他法定职务。

(3)高等法院分院。根据《法院组织法》规定，省区地域辽阔的应设高等法院分院。设院长1人，如由推事6人以上应分别设立民事庭与刑事庭。其管辖范围与高等法院相同。

(4)高等法院分院检察官。检察官的名额不定，若有2人以上，应设立一名首席检察官。

2. 县司法机关

(1)地方法院。地方法院设在繁盛之县，地域狭小的县则由几个县合并设立一个地方法院，地方辽阔的县可以设立地方法院分院。地方法院设院长1人，推事若干人，如果推事人数超过6人，可以分别设立民事庭和刑事庭。推事负责地方法院的审判事务，对于一般诉讼案件由推事1人独立行使审判权，对于重大案件，由推事3人组成合议庭审判。地方法院的管辖范围为民事、刑事第一审诉讼案件及其他非讼案件，但关于内乱、外患及妨害国际交往的刑事第一审诉讼案件仍然属于高等法院或分院的管辖范围，不由地方法院管理。

在检察制度方面，县级司法机关不设立检察官署，而是在法院中配置若干名检察官。检察官对于法院独立行使职权，其职责为实行侦查、提起公诉、协助自诉、担当自诉及指挥刑事判决的执行。

(2)地方法院分院。设立于地域辽阔的县份，设推事及检察官若干人，院长由推事兼任，推事人数在6人以上的可以分设民事

及刑事庭,在审判时采取独任制,但也可以采取合议制。管辖范围
与地方法院相同。

(3)县政府兼理司法制度。当时由于人力、财力匮乏等因素,
全国各地设立地方法院的县份并不多。据统计,1936 年全国仅有
210 个地方法院,1938 年也只有 280 个,到了 20 世纪 40 年代全国
尚有 1354 县没有设立地方法院①。在此情况下,国民政府不得不
将县的司法事务交给行政机关代为办理。开始的做法是将司法事
务委托县长办理,并设置承审员协助其审理案件。在审判时,属于
初级管辖的案件由承审员独立审判,由其本人负责;属于地方管辖
的案件,须由县长交给承审员审理,但县长与承审员要共同负担责
任。在当时情况下,县政府兼理司法只是权宜之计,其在运行中存
在着下述问题:其一,司法人员不足。根据国民政府的规定,县政
府设承审处,无论大小县份承审员只有 1 人,而实际上大县和小县
往往相差悬殊,诉讼案件多少不同,在此情况下不管实际情况而硬
性规定只设一名承审员,显然不能适应实际需要。其二,承审员的
薪水和司法经费极少,客观上加重了县司法活动中的舞弊现象,而
且也无法罗致合适的人才。其三,书吏勒索问题。国民党建立南
京国民政府后,对地方政治没有进行根本革新,旧的腐朽不堪的政
治习惯和风气仍大行其道。体现在司法诉讼中,就是在诉讼的各
个环节都充斥着各种各样的非法活动。当时学者指出,"每一讼案
自始至终,承办差役,收发以下传达堂差,看堂夫役门丁,无不从中
勒索小费",这些费用包括"差带费"、"勘验费"、"领状费"、"保状
费"、"限状费"、"结状费"、"挂号费"、"雇送费"、"囚犯铺席费"、

---

① 参见陈之迈:《中国政府》第四编第二十九章,商务印书馆 1946 年版,第
177 页。

"监犯囚衣费"、"铺堂费"、"探监费"、"出入费"、"上下串费"、"看状费"、"开庭费"等,几乎每经过一个环节都要出费,导致许多乡民因诉讼而破产①。其四,侦查制度问题。一般县份的司法活动都没有严格的侦查程序,即使偶尔进行侦查,也都是由乡长、区长或法警进行,这些人因为道德及乡土的关系,其侦查结果很难符合事实,因此往往导致因案情不明而使案件拖延积压,或颠倒是非造成冤狱。其五,司法无法独立。在县政府兼理司法的制度下,由于县长的特殊地位,使得县长可以左右承审员的审判活动而破坏司法独立精神。许多县的承审员在判决前要请示县长,甚至以县长的意见为意见②。

1933 年,国民政府鉴于承审员制度不够完善,而地方法院在短期内又不能普遍设立,于是决定在县政府内设立兼理司法法院——县司法处,设审判官 1 人或 2 人以上。审判官独立行使审判权,受高等法院院长或高等分院院长的监督,主要管辖范围为民事刑事第一审诉讼案件及非讼案件。县长兼理司法处的检察职务及行政事务。这一制度由于抗日战争全面爆发而未能普遍推行,承审员制度仍然在很多地方存在,直到 1946 年全国才基本结束承审员制度,实行半独立的司法处制度。

3. 地方各级司法机关设立的实际情况。由于经费不足、人才短缺等原因,上述各级法院实际上并没有普遍建立。司法院长居正曾于 1935 年元旦发表《一年来司法之回顾与前瞻》一文,提到根据 1929 年的训政时期司法工作六年计划,原定最初两年应设县法

---

① 诸君:《县政改革的理论与实际》,《县政问题》,政治通讯月刊社 1935 年版(下同),第 36—37 页。

② 参见诸君:《县政改革的理论与实际》,《县政问题》,第 36—37 页。

院 1367 所,第三年改为地方法院,六年间应增设地方法院 1773 所、高等法院 1 所、高等分院 42 所、最高法院分院 4 所,但到 1934 年年底,全国仅有县法院 37 所,地方法院 129 所,高等法院 24 所,高等分院 38 所,这与原来计划"相差甚巨"①,远不敷所需。到 1936 年,全国仍有 1400 余县尚未设立地方法院,处于"审判检察不分,行政司法混合之下"②。

(三)特别法院

南京国民政府在各级普通法院之外,还设有特别法院,主要目的是镇压共产党及其领导的革命活动。抗战以前,南京国民政府的特别法院主要有以下几种类型:其一,陆海空军军法会审,是根据《陆军审判条例》等军事法规设立的专门法院,分为简易军法会审、普通军法会审、高等军法会审三个等级,前两种设在军部及独立的师、旅,后一种设在总司令部;其二,临时法庭,主要是国民党"围剿"革命根据地期间,在所进攻的革命根据地由县长和司法官两人组织的一种临时法庭;其三,特种刑事临时法庭,分中央与地方两级,专门审判"反革命"的诉讼及上诉案件。特种刑事地方临时法庭设庭长 1 人,审判员 3 人至 6 人,特种刑事中央临时法庭设庭长 1 人,审判员 5 人至 10 人。地方临时法庭审判关于"反革命"及"土豪劣绅"的刑事诉讼案件。中央临时法庭审判关于"反革命"及"土豪劣绅"的上诉案件。特种刑事地方临时法庭在行使审判权时,对于最高主刑为三等以下有期徒刑的,由独任审判员 1 人行使审判权,最高主刑为二等以上有期徒刑时,由审判员 3 人以上

---

① 引自阮毅成:《所企望于全国司法会议者》,《东方杂志》第 39 卷 8 号,1943 年 6 月出版。

② 王用宾:《过去一年之司法行政概要》,《中央周报》第 394、395、396 期合刊,1936 年 1 月 6 日出版。

组织合议庭行使审判权。特种刑事中央临时法庭以审判员 5 人组成的合议庭行使审判权①。1928 年 11 月，国民党中央为平息社会舆论，决定裁撤特种刑事法庭，将其审判权交军法机关行使。但 1948 年 11 月，国民政府又恢复设立特种刑事法庭，直接隶属于司法院，其地位与最高法院相等，并在司法行政部指定的省、市设立高等特种刑事法庭，地位与高等法院相等。并且明确规定，凡是特种刑事法庭审理的案件一律不准上诉，只是对于处 5 年以上有期徒刑的判决，可以申请中央特种刑事法庭复判。其四，各省的临时军法会审。国民政府为镇压中国共产党领导的革命运动，曾密令各地组织军法会审机关，据此许多省份都先后设立了这类机构。其中，《浙江省临时军法会审组织大纲》规定：浙江临时军法会审由省党部、高等法院、省政府共同组织，主要审判共产党案件；军法会审审判员由省党部 1 人、高等法院检察官 1 人、推事 1 人、省政府秘书长 1 人、保安处 1 人充当；本会审判处死刑案件，送由高等法院审核后，转送省政府核准执行②。

　　海上捕获法院是另外一类比较特殊的司法机关。适用于在与敌国作战期间，对于商船进行临时检查并对其中的违禁品、违禁人进行拿获和审讯。南京国民政府规定设立地方捕获法院和高等捕获法院，前者设于沿海口岸，后者设立于中央。其司法程序是：由中国军舰的舰长将应予拿捕的船舶引进至设有地方捕获法院的口岸。地方捕获法院院长指定主任推事对此进行调查，完毕后移送本法院中的检察官，由检察官提出应予释放或拿捕的意见。如

① 参见《特种刑事临时法庭组织条例》(国民党中政会 1928 年 7 月通过)，《国民党政府政治制度档案史料选编》下册，第 609—610 页。
② 参见《浙江临时军法会审组织大纲》，《国民党政府政治制度档案史料选编》下册，第 639—640 页。

应予拿捕,地方捕获法院应立即通知关系人在 10 天内提出申述书,到期由地方捕获法庭开庭审理。判决后,关系人可以上诉于高等捕获法院,由其作出最终判决。由于中国在当时是个弱国,上述规定并无太多实际意义①。

二、法官制度

南京国民政府时期在法官任用方面实行法官考试和培训制度。要成为正式法官,先要通过法官考试,法官考试通过后还要进入法官训练所培训,培训期满后再进行考试,考试及格后才具备了法官资格,其中只有优秀者才能正式任用,大部分都是作为候补法官。南京国民政府还对现有法官定期进行统一培训,主要目的是"养成一般人士共守准则之风气"②,为此在司法院之下专门成立了训练委员会。1936 年 11 月南京国民政府举办第一届法官训练班,受训法官来自全国各省,共 109 人。

三、诉讼审判制度

(一)审判原则

南京国民政府形式上也确定了审判独立的原则。如"五五宪草"第 80 条规定,"法官依法律独立审判";1947 年公布的《中华民国宪法》第 80 条规定,"法官须超出党派之外,依法律独立审判,不受任何干涉"。但如下文所述,由于浓厚的司法党化色彩,审判独立很难完全付诸实现。

---

① 《捕获法院条例》(国民政府 1932 年 12 月公布),转引自徐矛著:《中华民国政治制度史》,上海人民出版社 1992 年版,第 261—262 页。
② 《中央周报》第 440 期,1936 年 11 月 9 日出版。

(二)审级制度

南京国民政府完成形式上的全国统一后,沿袭了北洋政府时期的四级三审制。1914 年北洋政府裁撤初级审判厅后,四级之名名存实亡,后来在地方审判厅内添设简易庭,行使过去初级审判厅的职权,对所作判决不服可以上诉于地方审判厅,这样一来,"同一法院之判决强名之曰两审,诉讼转滋纠纷,人民实受苦累"[1]。鉴于此,1932 年 7 月国民党中央政治会议正式通过决议,决定实行三级三审制,三级审判机构分别为地方法院、高等法院、最高法院。

四、民事调解制度

调解制度在中国有悠久历史。秦汉时代,一般由乡官负责调解乡村的民事纠纷,明代在各州设"申明亭",专门负责调解民事纠纷,清代的调节方式有邻里调解、亲族调解、基层保甲调解、州县官府调解等几种形式。南京国民政府时期根据民间传统习惯将民事调解法制化。1930 年 1 月国民政府颁布施行《民事调解法》,规定民事调解作为对初级管辖案件和人民诉讼事件的处理方式,为法定必经程序,不经调解程序不得提起诉讼和其他诉讼事项,当事人也可请求履行调解程序。对于一方当事人提出的调解要求,另一方当事人必须按规定时间到场,无正当理由不到场的要接受罚款。调解一旦达成,即具有约束力,其效力与法院判决相同[2]。

五、律师制度

南京国民政府基本上沿袭了北洋政府时期的律师制度。南京

---

[1] 《法院组织法立法原则》(国民党中央政治会议 1930 年 6 月通过),《国民党政府政治制度档案史料选编》上册,第 290 页。

[2] 参见《中华民国现行法规大全》,商务印书馆 1934 年版,第 1129 页。

国民政府时期颁布了《律师章程》,进一步规范了律师制度。这一时期的律师数目呈逐年增加趋势。据统计,1930 年上海有律师659 人,1932 年有 828 人,1934 年有 1120 人,4 年之内增加 500 余人①。当时律师主要集中于上海、南京等大城市。

六、监狱制度

南京国民政府的监狱系统分为司法部直辖监狱、高等及高等分院直辖的中间监狱以及由各县的旧监狱改造而成的看守所。除此以外,在全国的重要地区设立大监狱,如直辖首都第一监狱,直辖上海浦淞区第二监狱,直辖武汉、北平的第三、第四监狱等,每监狱可容纳犯人 5000 人,监禁判处 7 年以上徒刑的犯人。监狱还承担对案犯进行改造的任务,只是教师不敷所需。此外,南京国民政府还设立反省院,目的是用来"感化反革命分子"②,实际上主要是为了关押中共党员,一般设立在各省高等法院所在地。

七、司法制度的实际运行情况

前文所述的是南京国民政府司法制度的概貌。这一制度在实际运行中存在着下述问题:

1. 司法党化问题。南京国民政府实行以党治国,国民党掌握了全国的最高权力,操纵着行政、司法等各项事务的运行。在司法方面奉行司法党化政策,使司法活动为国民党的统治服务。实行

---

① 参见茅彭年、李必达主编:《中国律师制度研究》,法律出版社 1992 年版,第 38 页。

② 《司法院最近施政概况》,见《中央党务月刊》第 26 期,1935 年 9 月 30 日出版。

司法党化,一方面体现法官党化,对司法官员进行党义教育,优先从党员中选任法官;另一方面在司法活动中贯彻党义原则。国民政府司法院长居正曾指出,法官在办案过程中应通过下述途径运用党义:其一,法律没有明确规定之处,应当运用党义来补充;其二,法律过于抽象而不能解决实际问题的,应当用党义来充实其内容;其三,法律的僵化之处,应当用党义将其活用起来;其四,法律与现实生活存在明显矛盾而无法适用时,可以根据党义宣布该法律无效①。

除以上原则规定外,在实际的司法活动中,司法权在许多方面受到了党权的强有力的制约。如国民党地方党部对地方司法有一定的监督权,这表现在以下方面:地方党部对法院处理的共产党案件不服时,检察官接到申明书后应立即提起上诉;在反革命案件陪审制度实行前,如党部对于共产党嫌疑之判决有疑义时,不得释放②。此后颁布的《反革命案件陪审暂行法》进一步明确规定:各地最高级党部对于反革命案件之第一审判决有不服者,得于上诉期间内申请检察官提起上诉于最高法院,检察官接到申请书应立即提起上诉③。还规定各高等法院或分院审理反革命案件时,应从所在地国民党党员中选任陪审员,有关共产党嫌疑案的判决书应送达当地的最高党部④。上述规定显然是为了充分发挥国民党的政治统治功能,加强对共产党革命活动的镇压。对于地方党部

① 参见居正:《司法党化问题》,《东方杂志》第 32 卷第 10 号,1935 年 5 月 16 日出版。

② 参见《函国民政府》(中执会 1929 年 7 月 23 日),《中央党务月刊》第 13 期。

③ 参见《中华民国法规大全》(九),商务印书馆 1937 年版,第 5547 页。

④ 参见《中央党务月刊》第 18 期,1930 年 1 月出版。

与司法行政的关系,国民党中央曾决议"对党务以外之行政司法诸权,应避免一切之冲突与干涉"①,这一精神有其合理之处,但在镇压革命的统治需要面前却被抛之一边。

2. 地方官署兼理司法现象严重。由于经费和人员匮乏等原因,国民政府无力在各地普遍设置地方法院,只好在县市政府内设承审员或司法处办理诉讼。根据国民政府内政部的一组统计数字,20 世纪 30 年代中期全国各县市兼理司法者占总数的 2/3 以上。如河北省呈报的 116 县中,兼理司法者 105 县,湖北省呈报的 43 县中,兼理司法者 36 县②。因县政府兼理司法,地方司法很难独立,"承审管狱虽属法界,其实权主力,仍由县长操纵焉,故诉讼亦附诸政治"③。此外,陆军审判机关及警察机关代行普通审判权的也屡有所见。上述非司法系统的机构和人员在办理审判时,往往不明法理,不懂程序,造成混乱,如曾有某省主席"欲模仿包公案施公案小说上之包公施公,自行审判,不分民事刑事,动下枪决之判决"④。

3. 滥行羁押。刑事被告不管是否有确凿犯罪证据和必要,往往被先行羁押,羁押时间多超出规定时限。一般在押日期,两个月内案件得告一段落者已算迅速,慢者往往押至 100 日以上,案尚未结。如 1934 年镇江地方法院统计,在押男刑事被告 250 人中,已押两个月以上者 53 人,其中又有 27 人已在押 100 日以上,在各县

① 《革命文献》第 76 辑,国民党中央党史会 1978 年编辑出版,第 69 页。
② 参见《内政调查统计表》各期所载《县政调查统计》,行政院内政部编,第 4—23 期,1933 年 12 月—1935 年 7 月出版。
③ 《重修正阳县志》卷 2《政治》。
④ 吴昆吾:《中国今日司法不良之最大原因》,《东方杂志》第 32 卷第 10 号,1935 年 5 月出版。

甚至有羁押若干年,案经若干县长、承审员审理却从未曾宣判的①。

4. 诉讼延迟,案件积压。由于法律手续繁琐,案件数量多而司法人员少等原因,各级法院拖延诉讼已成普遍现象。案件进入法院便不知要拖延多少时候才能结案,往往案甚轻微,却需经重重程序,以至犯数月之罪,羁押经年,处 10 元之罚,开庭十次。如有一件殴伤旁系尊亲属的案件,自 1932 年 7 月 21 日告诉,到 1934 年 5 月 21 日方三审终结,结果处罚金 10 元,全案却拖延了两年零十个月②。最高法院的积案现象也非常严重,按司法院公布的统计,从 1928 年到 1937 年的 10 年间,除 1930 和 1933 年外,每年案件的收案和结案数都不能相抵,到 1937 年达到 12381 件③。

5. 司法经费不能保障。南京国民政府成立后,财政部最初将各地司法经费划归地方支出,因各地财政状况不同,司法经费也盈绌悬殊。1935 年举行全国司法会议时,各地代表纷纷提出由国库负担地方司法经费,最后仍没有结果。

---

① 参见阮毅成:《所企望于全国司法会议者》,《东方杂志》第 39 卷 8 号,1943 年 6 月出版。

② 同上。

③ 参见陈之迈:《中国政府》,第四编第二十九章,商务印书馆 1946 年版,第 183 页。

第十一章 毛泽东的司法制度思想与
革命根据地的司法制度

新民主主义革命时期,中国共产党领导的革命根据地建立了一套与国民党统治区完全不同的司法制度,是中国历史上真正代表无产阶级和广大人民群众的意志,维护人民基本权益的人民司法制度。第二次国内革命战争时期,中国共产党在各革命根据地建立了苏维埃政权,开始了人民司法制度的初创阶段。这一时期的司法制度一方面适应了当时的战争形势,另一方面在一定程度上移植了苏联司法制度中的某些内容。抗日战争时期,各个抗日革命根据地的司法制度根据抗战需要进行了一定的调整,从制度上进一步完善,并且创造出了马克思主义法律思想与中国司法实践相结合的司法审判模式——马锡五审判方式。解放战争时期,各个解放区的司法制度进一步发展和完善,同时为新中国司法制度的建设奠定了基础。

第一节 毛泽东的司法制度思想

民主革命时期,毛泽东形成了丰富的法律思想,其中在司法制度方面也有很多论述和见解。

一、废除肉刑,重证据不轻信口供

在第二次国内革命战争初期,毛泽东就提出废止肉刑。1929年,毛泽东在为中国共产党领导下的中国工农红军第四军第九次代表大会写的决议中,明确提出要在军队中废止肉刑。他分析了肉刑的来源,认为肉刑是封建时代的产物,是封建阶级为了维持其封建剥削,不得不用残酷的刑罚作工具,以镇压被剥削者的反抗和叛乱。而资本主义国家为了发展人的个性,为资本主义发展创造条件,一般地废除了肉刑。苏维埃政权作为最进步阶级的政权,不应有一切封建制度的残余存在,因此应在法律上严禁肉刑的使用。由此他提出"坚决地废止肉刑","举行废止肉刑的运动",通过宣传、颁布废止肉刑的法律程序等办法达到废止肉刑的目的①。抗日战争时期,毛泽东在阐述中国共产党在新形势下的政策时,又提出"对任何犯人,应坚决废止肉刑,重证据而不轻信口供"②的原则。解放战争时期,毛泽东再次强调这一原则,提出"在人民法庭和民主政府进行对于犯罪分子的审讯工作时,必须禁止使用肉刑"③,要纠正过去在这方面曾经发生的偏向。

二、镇压与宽大相结合,区分首恶与胁从,禁止滥捕滥杀

抗日战争时期,毛泽东在谈及锄奸政策时提出,应坚决地镇压

---

① 参见毛泽东:《中国共产党红军第四军第九次代表大会决议案》,《毛泽东文集》第一卷,人民出版社 1993 年版,第108—109 页。
② 毛泽东:《论政策》,《毛泽东选集》第二卷,人民出版社 1991 年版(下同),第 767 页。
③ 毛泽东:《在晋绥干部会议上的讲话》,《毛泽东选集》第四卷,人民出版社1991 年版(下同),第 1307 页。

那些坚决的汉奸分子和坚决的反共分子，非此不足以保卫抗日的革命势力，但是决不可多杀人，决不可牵涉到任何无辜的分子。对于反动派中的动摇分子和胁从分子，应有宽大的处理。对敌军、伪军、反共军的俘虏，除为群众所痛恶、非杀不可而又经过上级批准的人以外，应一律采取释放的政策，这有利于孤立反动营垒。不要将国民党一般情报人员和日探汉奸混为一谈，应将二者分清性质，分别处理。毛泽东还提出要消灭任何机关团体都能捉人的混乱现象，规定除军队在战斗的时间以外，只有政府司法机关和治安机关才有逮捕犯人的权力，以建立抗日的革命秩序①。解放战争时期，毛泽东提出，要纠正党的工作中一些"左"的偏向，在司法工作中，人民法庭和人民政府对于那些积极并严重地反对人民民主革命和破坏土地改革工作的重要的犯罪分子判处死刑，是完全正当的，这是建立民主秩序的需要。但对于一切站在国民党方面的普通人员，一般的地主富农分子，或犯罪较轻的分子，则必须禁止滥杀②。

毛泽东主张对于死刑要慎重，不仅要材料证据确凿经过核实，而且要经过上级批准。第二次国内革命战争时期，在他签署的《中华苏维埃共和国裁判部暂行组织及裁判条例》中规定，凡判决死刑的案件，虽被告不提起上诉，审理案件的裁判部也应把裁判书及案件的全部案卷送给上级裁判部批准，要到裁判书上所规定的上诉期满，或上级裁判部已经批准，该案件的裁判书才能执行。解放战争时期，毛泽东又提出"死刑案件应由县一级组织委员会审查批

---

① 参见毛泽东：《论政策》，《毛泽东选集》第二卷，人民出版社1991年第2版，第767—768页。
② 参见毛泽东：《在晋绥干部会议上的讲话》，《毛泽东选集》第四卷，第1307页。

准。政治嫌疑案件的审判处理权,属于区党委一级的委员会"①。

第二节 第二次国内革命战争时期
红色政权地区的司法制度

红色政权地区是指在中国共产党领导下实行武装割据,与国民党统治的白色政权相对立的革命根据地。这些地区革命政权的形成,开始于第二次国内革命战争初期的工农兵武装暴动,此后逐渐形成各级地方的工农民主政权。从 1927 年年底到 1930 年中,红色政权地区已包括十几块较大的根据地,遍及十几省 300 个县。1931 年 11 月 7 日,各地红色政权的代表在江西瑞金召开了第一次全国工农兵代表大会,产生了统一的全国红色政权的中央领导机构——中华苏维埃共和国中央工农民主政府,颁布了包括《中华苏维埃共和国宪法大纲》在内的一系列重要法律,标志着红色政权的建设达到了新的阶段。在中华苏维埃共和国的区域内,实行了与国民党统治区截然不同的司法制度。

红色政权地区的司法制度以工农民主专政的理论为指导思想,坚决依靠人民群众的参与和支持,服务于工农民主政权的巩固和革命战争的需要。这一时期司法制度的特点有以下几个方面:其一,司法机关多样化。这一时期,大部分革命根据地尚未与中央苏区打成一片,因此各个革命根据地只能结合本地区的实际情况和革命斗争的需要,灵活地确定本地区的司法体制。当时在根据地行使审判权的司法机关有革命法庭、裁判部和部队中的军事裁判所,此外肃反委员会和政治保卫局在一定程度上也拥有审判权。

---

① 毛泽东:《新解放区土地改革要点》,《毛泽东选集》第四卷,第 1284 页。

其二,政治保卫局在红色政权区域的司法体制中占有重要地位。根据当时规定,政治保卫局在法律上是同反革命和其他重大刑事犯罪作斗争的预审机关,但在许多场合单独审理案件,其对案件提出的处理意见往往成为裁判部进行判决的依据。其三,实行政审合一制度。彻底否定了资产阶级的三权分立原则,实行党和政府对司法工作的统一领导,在这一体制下,裁判部和革命法庭是同级政府的组成部分,如最高法院隶属于中央苏区的最高政权机关——中央执行委员会之下。

红色政权地区司法制度的发展大体经历了如下三个阶段:第一阶段,从1927年井冈山革命根据地的创立到1931年11月中华苏维埃共和国中央工农民主政府成立。这一阶段根据地的司法制度处于草创时期,没有形成严密、统一的司法体制,大部分革命根据地都初步建立了本地区的司法制度。第二阶段,从1931年中华苏维埃共和国中央工农民主政府成立到1934年10月撤离中央苏区、实行战略转移、北上抗日。第三阶段,从1935年底中央工农民主政府到达陕北至1937年抗日战争全面爆发,这一阶段中国共产党在一系列政策上进行了相当大的调整。

一、司法机关

(一)红色政权建立初期的司法机关

第二次国内革命战争初期,各地相继发动工农兵武装暴动,逐渐形成了各级地方的工农民主政权。各地红色政权都相应建立了执行审判职能的机关,但从名称到组织体系上各不相同。

1. 裁判肃反委员会和裁判部

当时的闽西工农民主政府设立了裁判肃反委员会,又在裁判肃反委员会之下设裁判部为具体行使审判权的机关。闽西工农民主政府所辖各县的裁判肃反委员会具体设有裁判科行使审判权，区乡工农民主政府只设裁判委员。

2. 革命法庭与革命军事法庭

在鄂豫皖苏区工农民主政府及所属各县，普遍设立了革命法庭，区、乡、村基层政权不设专门的审判机关，审判权由县以上革命法庭行使。革命法庭下设审判委员、国家公诉处、申诉登记处和执法管理处。审判委员会由各地群众选举 25 人至 29 人组成，不脱离生产，有事临时召集。重要案件由革命法庭主席亲自主持，一般案件则交审判委员会处理。国家公诉处行使检察机关的职权，负责案件的侦查、预审和提起公诉。申诉登记处负责接待群众登记控诉案件，由革命法庭确定审判日期，通知原被告到庭审判。执法管理处负责管理看守所、监狱和劳动实习所。

鄂豫皖苏区还设有革命军事法庭，作为革命武装组织的军事执法机关。有权受理所有革命武装人员破坏红军纪律与违背军事管理的犯罪案件；对于军队中的反革命案件则必须经过军事委员会主席、政治部主任的许可才能受理。革命军事法庭设立于红军师以上单位、地方各县军区指挥部和军委分会，受政治委员的领导和指挥。对于不涉及军事的地方犯罪案件，革命军事法庭无权处理，应移送地方法庭审理或与地方法庭会审。对于反革命案件，革命法庭初审后应移送政治保卫局审理或通知政治保卫局会审。革命法庭对案犯的判决须经直属上级军事委员会主席或直属上级军事首长与政治委员批准才能执行。

3. 惩治反革命委员会和裁判委员会

在江西省苏维埃政府及其各县市辖区内，设立惩治反革命委员会为司法机关，区只设惩治反革命委员，乡则直接由苏维埃执行委员会办理惩治反革命案件，不设专门机构。

可以看出,在中华苏维埃共和国中央工农民主政府建立以前,各个红色政权地区没有建立统一的司法机关,不仅在司法机关的名称、组织体系上不尽相同,在职权规定上也不完全一致。如在闽西苏区,区和乡都有判决死刑之权,而在鄂豫皖苏区,区裁判委员会只能判决苦工和警告的案件,其他案件须移交上级审判机关处理①。

(二)中华苏维埃共和国时期的司法机关

1. 肃反委员会

肃反委员会是红色政权地区临时性的司法机关。根据规定,凡是在暴动时期和红军占领后建立临时革命政权的地区均设置肃反委员会,其任务是团结工农群众消灭当地的反革命势力,镇压剥削阶级的反抗,打击反革命组织和反革命分子的阴谋破坏活动和其他形式的犯罪活动。肃反委员会一般分四个层级,分别隶属于省、县、区、市的革命委员会,接受同级革命委员会的领导,同时服从上级肃反委员会的命令和指挥。从当时情况看,肃反委员会本来是在革命政权没有正式成立前的临时性的司法机关,但在一些地区正式的苏维埃政权虽已建立,但肃反委员会依然存在,与其他的司法机关如各级裁判部、政治保卫局等同时并存,造成机构重叠、职权分割的问题。

各苏区肃反委员会一般由该地区的党委书记、革命委员会主席和各革命群众团体的代表组成。下设侦查和执行两组,侦查组负责所属地区一切反革命活动的侦查检察事宜,执行组负责预审和执行一切反革命案犯事宜。

---

① 参见张希坡、韩延龙主编:《中国革命法制史》上册,中国社会科学出版社1987年版(下同),第387—390页。

从职权来看,肃反委员会主要是镇压反革命的专政机关,同时负有同其他重大刑事犯罪作斗争的任务。在红色政权初建的地区、县和特别指定的区的肃反委员会在取得同级政府同意后,有权决定逮捕和审讯反革命分子。后来肃反委员会的权力不断扩大,如根据 1933 年中华苏维埃共和国中央执行委员会的决议,县肃反委员会对于反革命案犯及其他重大刑事案犯,有权直接进行逮捕、审讯、判决和执行判决。

2. 临时最高法庭和各级裁判部

临时最高法庭是中华苏维埃共和国最高法院成立前的最高审判机关,代行最高法院的职权。临时最高法庭设主席 1 人,副主席 2 人,由中央执行委员会任命。下设刑事、民事、军事法庭,各庭设庭长 1 人,分别处理不同性质的案件。临时最高法庭内还设有委员会,讨论和决定临时最高法庭职权范围内的一切重大问题和重要案件。临时最高法庭的职权为:解释一般法律;审查省裁判部及高级军事裁判所的判决书和决议,审判不服省裁判部及高级军事裁判所判决的上诉案件或抗议案件;审理重大政治案件及高级机关职员在执行职务期间的犯罪案件①。

在红色政权地区的各个地方设立裁判部或裁判科,作为法院正式成立前的临时审判机关。在地方设省、县、区,市(集镇)设裁判科。各级裁判部和裁判科实行双重领导,既是同级政府的组成部分,受同级政府主席团领导,又在审判业务上受临时最高法庭和上级裁判部的节制,上级裁判部有任命或撤销下级裁判部部长之

---

① 《中华苏维埃共和国中央苏维埃组织法》,韩延龙、常兆儒主编:《中国新民主主义革命时期根据地法制文献选编》第 2 卷,中国社会科学出版社 1981 年版(下同),第 92—93 页。

权。各级裁判部由部长、副部长、裁判员、检察员、文书等人员组成,省、县裁判部还可设秘书和巡视员。裁判部下设民事、刑事法庭,市裁判部还可设劳动法庭,并可组织巡回法庭到案发地点审理具有重要意义的案件。各庭均由 3 人组成,裁判部长或裁判员为主审,其余 2 人为陪审员,对于情节简单的案件,由裁判部长或裁判员单独审理。省、县裁判部一般设裁判委员会,由裁判部正副部长、裁判员、检察员、国家政治保卫局分局长或特派员、民警局(厅、所)长、工农检察委员会、劳动部和职工会代表等组成,负责讨论和建议司法行政、审判、检察问题。各级裁判部均设有看守所,省、县裁判部还设有劳动感化院。

各级裁判部根据犯罪分子罪恶的大小,可以分别判处警告、罚款、没收财产、强迫劳动、监禁、枪决等处罚。一般情况下,县以上裁判部可以判处死刑,但没有执行死刑的权力,须报省裁判部批准后才能执行。没有与省联成一片的县或未与中央联成一片的省,都有处决犯罪分子之权。新区、边区、战区或反革命猖狂的地方,区裁判部或肃反委员会有对反革命分子、豪绅地主直接执行死刑之权。

3. 军事裁判所

在红军中还设有军事裁判所,他们是红色政权区域司法体系的重要组成部分。军事裁判所分为初级军事裁判所、高级军事裁判所和最高军事裁判会议三级,初级军事裁判所又分为部队初级军事裁判所和阵地初级军事裁判所。部队初级军事裁判所设在红军的军部、师部、军区指挥部和独立师部内,其所长和裁判员由所在部队的士兵代表大会推举产生,报高级军事裁判所核准。阵地初级军事裁判所设于作战阵地的最高指挥部内,其所长和裁判员由该战区内的部队士兵推选,报上级军事裁判所批准。高级军事裁判所设于中央革命军事委员会,最高军事裁判会议设于中华苏维埃临时最高法庭。

军事裁判所的管辖范围既包括军队士兵及工作人员的违法行为,也包括在作战地发生的案件。初级军事裁判所是初审机关,部队初级军事裁判所审理军以下指挥员、战斗员及在红军中工作人员的案件,阵地初级军事裁判所则审理作战地区的一切案件。高级军事裁判所是审理军以上指挥员和革命军事委员会直属部队工作人员案件的初审机关,也是审判经过初级军事裁判所判决而上诉案件的终审机关。最高军事裁判会议是审判军团以上重要军事人员案件的初审机关,也是设立经过高级军事裁判所判决而上诉的案件的终审机关。

4. 革命法庭

在与中央苏区没有打成一片的革命根据地,审判机关主要采用了革命法庭的组织形式。革命法庭负责审理一切民刑案件,其组织分为三级,即省革命法庭、县革命法庭和区裁判委员会。各级革命法庭都由选举产生,其中省革命法庭设裁判委员会,由省苏维埃代表大会选举产生,劳动群众团体也有权派代表参加;县革命法庭不设裁判委员会,其成员由县苏维埃代表大会选举产生,须经省革命法庭批准;区裁判委员会由区苏维埃代表大会选举若干人组成。省和县革命法庭之下设公诉处和申诉处。公诉处是附属于革命法庭的检察机关,由省、县革命法庭指定专人组成,负责对一切反革命案件和其他刑事案件提起公诉。申诉处负责接纳群众申诉,不收任何费用。

区裁判委员会主要受理一般民事案件和轻微刑事案件,其判决具有调解性质,必须得到原告与被告同意才能发生效力。县革命法庭有判处劳役、监禁和死刑的权力,但其判决须得到省革命法庭批准才能执行。省革命法庭拥有死刑判决的确定权,但其判决还要得到临时最高法庭与省工农民主政府的批准。

5. 司法行政机关与检察机关

审判权与司法行政在地方采取合一制,在中央实行分立制。中华苏维埃人民委员会所属的司法人民委员部负责全苏区司法行政事宜,临时最高法庭专门负责审判工作。各级裁判部则兼有司法行政的职能,在司法行政和审判业务方面分别受司法人民委员部和临时最高法庭的领导。红色政权在检察工作方面采取审检合一制,将检察机关附设在审判机关之内,但检察人员独立行使职权。

二、诉讼审判制度

(一)基本原则

1. 严禁刑讯逼供

在革命根据地的开创阶段,各地工农民主政权基本上都宣布了废除刑讯,但也保留了施用刑讯的特殊情况和特殊条件,如有的根据地保留了政治保卫局施用刑讯的权力①。当时规定,非司法机关严禁刑讯,"未经审讯以前,拿获人犯,赤卫队、少先队等不得施行肉刑"②。但办案机关为了获得敌特等的实供,可以进行刑讯,"为取得犯人实供,如敌特等有时得用肉刑讯问"③。中华苏维埃临时中央政府成立后,明确宣布绝对废止一切刑讯,不附加任何

---

① 参见张希坡、韩延龙主编:《中国革命法制史》上册,第467页。
② 《闽西苏维埃政府布告第12号》,江西档案馆、江西省委党校党史教研室选编:《中央革命根据地史料选编》下册,江西人民出版社1982年版,第84页。
③ 同上书,第85页。

条件。中华苏维埃共和国中央执行委员会规定,"在审讯方法上,为彻底肃清反革命组织及正确的判决反革命案件,必须坚决废除肉刑,而采取收集确实证据及各种有效方法"[①]。但在具体的司法实践中,滥用刑讯的现象仍时有发生,为此中央苏维埃司法人民委员部和各地苏维埃政权先后重申严禁刑讯的原则。

2. 公开审判

革命根据地各级司法机关审判一切案件,必须公开进行。具体体现为:在审判前由法庭公开张贴审判日程,通知群众参加旁听;审判以后张贴判决书,宣布案由和判决内容。对涉及机密的案件可采取秘密审判的方式,但宣布判决必须公开。

3. 陪审制度

陪审员由职工会、雇农工会、贫农团及其他群众团体选举产生,是各级法庭的法定陪审人员。陪审员在执行职务期间,暂时解除其原先工作,保留原有的中等工资,陪审工作结束后仍回原单位。陪审员参加陪审采取轮换制,每审判一个案件轮换一次。法庭在裁决时采取民主集中制原则,以多数意见为标准,少数服从多数。如果主审在定罪量刑上与陪审员发生分歧,以主审的意见决定判决书的内容。

4. 贯彻阶级路线

《中华苏维埃共和国司法人民委员部对裁判机关工作的指示》规定,解决任何案件,要注意多数群众对于该案件的意见。裁判部应经常派代表到各种群众会议上去做报告,引起群众对于裁

[①] 《中华苏维埃共和国中央执行委员会训令》第 6 号,韩延龙、常兆儒主编:《中国新民主主义革命时期根据地法制文献选编》第 3 卷,中国社会科学出版社 1981 年版(下同),第 288 页。

判工作的注意,多组织巡回法庭到出事地点去审判,以教育群众。《中华苏维埃共和国政治保卫局组织纲要》规定,工农民主政权对于反革命犯的惩罚原则,是依据阶级路线来规定的。凡属剥削阶级的地主、豪绅、旧官吏、资本家、老板、富农犯了积极反革命的罪状,须给以严厉的惩罚;一般工人、红军战斗员、雇农、贫农、中农与独立劳动者,只要不是坚决投降于反革命的领袖分子,而被反革命胁迫欺骗去加入或附和反革命行动和组织的,在原则上应一律给以自新的出路。阶级路线原则在上诉权的规定上也体现出来。当时规定汉奸、卖国贼与一切反革命分子没有上诉权;一切苏维埃公民则有上诉权,上诉期限为7天;遵守苏维埃法令的商人、富农,可以上诉,但上诉期限为3天①。

(二)诉讼程序

1. 侦查和预审

国家政治保卫局及其分局和特派员负责一切反革命案件的侦查、逮捕和预审,然后移交裁判部审理。各级裁判部的检察员负责审查国家政治保卫局系统移送裁判部的反革命案件,同时负责预审其他刑事案件。凡与案件有关的人,检察员有权随时传讯。检察员经过审查和预审,认为确有犯罪事实和证据的,转交裁判部的刑事审判庭审理。

2. 起诉

检察员对于一般刑事案件代表国家作为公诉人,开庭时代表国家出庭告发。除此以外,同群众团体有关系的案件,该群众团体也可出庭作原告人。

---

① 《革命法庭的工作大纲》,韩延龙、常兆儒主编:《中国新民主主义革命时期根据地法制文献选编》第3卷,第355页。

3. 审判

关于审判庭的组织,各级裁判部由刑事法庭审理反革命案件和其他刑事案件。刑事法庭由裁判部长和裁判员任主审,其余2人为陪审员。复杂而重要的案件由主审和陪审员组成合议庭审理,采取民主集中制的原则。简单而不重要的案件采取独任制,由主审1人审理。省和县裁判部均设有裁判委员会,裁判委员会不干涉审判庭的具体业务,但可在案件开始审理前对案件进行讨论,确定判决原则,使审理案件的负责人更好地掌握定罪量刑的标准。

关于审判程序,裁判部对于公开审判的案件,在开庭审理前要先公布审判日期,告知群众来旁听。裁判员要对案件材料进行详细研究,拟出审理提纲。法庭审理有作为主审的裁判部长或裁判员主持,由书记1人或2人担任记录,与被告人有关系的审判员要实行回避。在法庭审理阶段,被告人可以委托辩护人出庭辩护,但必须得到法庭许可。判决由法庭主审和陪审以苏维埃国家的名义作出,同时公开宣布。判决书要写明审判的时间、主审、陪审及其他参加审判人员的姓名、被告人的履历及罪状。判决书均需制作副本,送达被告人。

对于各级裁判部刑事法庭判决的案件,被告人在判决书规定的上诉期间内有上诉权。上诉期限开始规定为14天,1934年缩短为7天。特别规定在新开辟的革命根据地、边区及敌人进攻地区或遇有紧急情况时,对于反革命案件及豪绅地主中的犯罪者,可以剥夺其上诉权。对于在法定期限内提起上诉的案件,下级裁判部应将犯人连同全部案卷及案件的物证,一并移送上级裁判部进行再审。案件一般以两审为终审,如果检察员不同意二审判决,可向司法机关提出抗议,要求再审一次。对于死刑判决,即使被告人不提起上诉,审理该案的裁判部也应把判决书及该案件的全部案卷送上级裁判部批准。

三、调解制度

我国的人民调解制度萌芽于第一次国内革命战争时期的农民运动中,第二次国内革命战争时期人民调解制度逐步开始法律化。1931年11月,中华苏维埃共和国颁布法规,规定乡苏维埃有权解决没有涉及犯法行为的各种争执问题。整体来看,在这一时期红色政权地区实行的调解制度中,调解内容以不涉及犯罪的民间纠纷为限;调解方式以政府调解为主,具体由基层苏维埃政府或其专设人员负责;实行逐级调解制度;在调解中遇到重大问题,基层苏维埃有权向司法机关提出控告。

第三节　抗日战争时期抗日民主政权的司法制度

抗日战争时期,中国共产党在各地创建了多个抗日民主根据地,领导中国民众反抗日本帝国主义的侵略。各抗日民主政权依据党的人民共和国的理论和抗日民族统一战线的政策,继承苏维埃政权时期人民司法的优良传统,建立了一套区别于一切剥削阶级的新民主主义的司法制度。

一、司法工作的基本原则

1. 司法机关的设置遵循因地制宜、便民简政和政府领导司法的原则

抗日战争时期党中央所在地的陕甘宁边区与其他各抗日革命根据地没有连成一体,各地情况不完全相同。在此情形下,各抗日根据地的司法机关并没有强求一律,而是遵循了因地制宜、因时制

宜的原则,因此各地的司法机关在组织及职能上虽基本相同,但也存在不少差异。如在陕甘宁边区,边区高等法院设有检察处,高等法院分庭和县司法处则不设检察机构和检察人员,而由公安机关对一切刑事案件进行侦查和起诉。晋察冀边区的各级法院则普遍设首席检察官 1 人和检察员若干人。在陕甘宁边区,所有刑事案件均由检察机关或公安局提起公诉。而在其他抗日根据地,刑事案件被划分为普通刑事案件和特种刑事案件两大类,普通刑事案件由检察官侦查和提起公诉,特种刑事案件则由公安机关行使检察权。

各级司法机关还遵循便民简政的原则。在司法机关内部,组织简明,人员精干。为方便民众诉讼,各级司法机关设有临时性的巡回法庭,根据实际需要不定期深入基层,审理各种民刑案件。

各抗日根据地的司法机关实行司法与行政合一的原则,接受同级政府的集中统一领导。在一些抗日根据地,边区高等法院由边区政府直接领导,有些抗日根据地的最高司法机关则直接设于政府之内。各根据地的地方各级司法机关一律设在同级政府之内,作为同级政府的组成部分,有些地区还实行地方政府首长兼理司法的制度。如在陕甘宁边区,自 1943 年起由各专署专员兼任边区高等法院分庭庭长,各县县长兼任司法处长。除此以外,各级政府也有权依法采取各种形式直接干预司法业务。如在陕甘宁边区,县司法处管辖的案情重大的刑事案件以及诉讼标的在边币 1 万元以上的民事案件,都要提交县政府委员会或县政务会议讨论,然后才能作出判决。在晋察冀边区,民事及普通刑事案件在判决前须征得行政首长同意。从当时情况来看,司法行政合一的体制符合敌后战争环境对集中统一领导的要求,有利于司法工作更好地为革命的重要任务服务,有利于抗日根据地的巩固和发展。

2. 废除刑讯,禁止肉刑,重证据不重口供

各抗日根据地的施政纲领和人权保障条例对此都作了相应规定。

二、司法机关

抗日战争时期,中国共产党领导的各抗日革命根据地并没有建立统一的司法机关。本书主要以陕甘宁边区和晋察冀边区的司法体系为例加以说明。

(一)陕甘宁边区的司法机关

1. 陕甘宁边区政府审判委员会

陕甘宁边区政府审判委员会建立于 1942 年。由委员 5 人组成,委员长、副委员长由边区政府主席和副主席兼任,其余委员由政务会议委任。审判委员会主要受理不服高等法院第一审和第二审的刑事上诉案件和不服高等法院第二审判决的民事上诉案件。此外还受理行政诉讼案件、婚姻案件及死刑复核案件,并有解释法令之权。1944 年取消。

2. 边区高等法院

边区高等法院受边区参议会的监督和边区政府的领导。设院长 1 人,由边区参议会选举产生,负责管理边区的司法行政。边区高等法院的职权为审理重要刑事第一审诉讼案件和不服地方法院第一审判决而上诉的案件,处理不服地方法院的裁定抗告的案件以及非讼案件。下设检察处、民事法庭、刑事法庭、书记室、总务科、看守所和劳动感化院。检察处设检察长 1 人和检察员若干人,在法院内独立行使检察权。民事法庭和刑事法庭各设厅长及推事若干人,独立行使审判职权。看守所负责收容未决人犯,羁押被处徒刑或拘役的犯人。

3. 高等法院分庭

边区政府为方便群众上诉于1943年决定成立高等法院分庭。该分庭在边区政府所辖各分区专员公署所在地设立,管辖区域与专员公署的行政辖区相同。高等法院分庭是高等法院的派出机构,代表高等法院受理不服该分区所辖地方法院或县司法处的一审判决而上诉的民刑案件,为第二审审判机关。设庭长、推事各1人,书记1人或2人。

4. 县司法处

陕甘宁边区各县曾在县以下设裁判员主持审判事务,后为进一步完备县司法组织,规定各县在地方法院成立前设司法处,负责审理辖区内的第一审民刑诉讼案件。县司法处设处长1人,审判员、书记员各2人,处长由县长兼任,审判员协助处长处理审判业务。

5. 临时军民诉讼委员会

不是常设的司法机关,而是军民诉讼遇到重大案件或必要时由边区最高行政机关和最高军事机关会商组织。其权力较为广泛,无论案件是否经过第一审判决均有权提审。其判决经边区最高行政机关和最高军事机关会同核准后即为终审判决,不得上诉。军民诉讼委员会由司法机关2人、军法机关1人组成,审理案件时使用军事诉讼程序。在特定案件审理完毕后该委员会立即撤销。

(二)晋察冀边区的司法机关

1. 边区高等法院和高等法院分院

高等法院分院主要审理不服地方法院或县司法处的一审判决而上诉的案件,以及不服地方法院或县司法处裁定而抗告的案件。下设司法行政科、民事刑事法庭、书记室、看守所和劳动感化院。民事刑事法庭设推事若干人,审理民事刑事诉讼案件。高等法院分院设立于行政督察专员公署所在地,为高等法院的派出机关,其内设机构和职权范围与高等法院相同。

2. 地方法院和县司法处

县或市设地方法院,根据环境需要可合数县(市)设一地方法院。不设地方法院又没有地方法院管辖的县暂设县司法处。地方法院和县司法处管辖民事刑事第一审诉讼案件和非讼案件。地方法院设推事若干人,县司法处则设审判员1人或2人。

3. 边区特别法庭

由边区行政委员会、高等法院会同军事机关以及各群众团体组织,为临时性的非常设司法机构,专门审理罪大恶极的汉奸。

4. 检察机关

各级法院均设首席检察官1人,检察官若干人,首席检察官由该地区的行政首长兼任。县司法处只设检察官1人,由县长兼任。

三、抗日民主政权的诉讼审判制度

(一)诉讼审判制度的基本内容

1. 诉讼管辖制度

抗日战争时期,各抗日民主政权没有形成统一的诉讼管辖制度,而是根据各地的特点作了灵活规定。综合起来,大体有三种情况:第一,按职能管辖。一些根据地规定司法机关负责管辖民事案件和普通刑事案件,公安机关负责管理特种刑事案件。根据晋察冀边区的规定,特种刑事犯罪指汉奸罪、盗匪罪、烟毒罪、贪污罪、破坏坚壁清野罪和法律规定的属于特种刑事的其他犯罪①。公安机关依据法定手续,有权对证据确凿的特种刑事犯进行逮捕,对于

---

① 参见张希坡、韩延龙主编:《中国革命法制史》上册,第476页。

扰乱社会治安、破坏边区的非法分子有权拘留。第二,地区管辖。在各抗日民主根据地内,对于刑事案件一般实行由犯罪地或被告所在地的司法机关管辖的原则。第三,军民诉讼管辖。各抗日民主根据地一般规定军事案件归军法机关审理,其他案件一律归地方司法机关审理。

2. 审级制度

抗日根据地普遍实行的是三级三审终审制,但也有若干例外情况。对于各地普遍采用的三级三审制,各地的具体形式也各不相同。如在陕甘宁边区,县裁判员为第一审,边区高等法院为第二审,边区政府审判委员会为第三审;在晋察冀边区,地方法院和县司法处为第一审,专员区司法处为第二审,高等法院为第三审;在山东抗日根据地,县司法处为第一审,专员区地方法院为第二审,省高级审判处为第三审。有些抗日根据地实行了不同的审级制度。如在晋冀鲁豫边区,对刑事案件实行三级两审终审制,对民事案件实行三级三审终审制。

3. 陪审制度

抗日战争时期,人民陪审制度进一步规范和完善。根据各抗日根据地的规定,各级审判机关在审理普通民刑案件和特种刑事案件时,均须实行人民陪审,涉及机密的除外。人民陪审员的产生采取聘任制和选派制,以选派制为主。具体形式主要有以下三种:第一,群众团体代表陪审。各抗日群众团体按照法律规定,可以推选若干名代表为陪审员参加案件的审理。第二,同级参议会驻会委员会代表参加陪审。在山东抗日根据地,除群众代表参加陪审外,同级参议会驻会委员会可自行推选参议员代表若干人,参加同级审判机关对案件的审理。第三,地方公正人士参加陪审。有些抗日根据地聘请地方公正人士参加陪审,主要包括参加抗日统一战线的开明士绅,也包括区学或乡学教师、民选乡长及政府委员等。人民陪审员一般采取固定轮值方式,由审判机关在审判开始数日前向陪审员发出出席陪审的通知书。在法庭审理案件时,陪审员在征得裁判员同意后有向当事人提问的权利,并且参加对案件的评议。

4. 起诉方式

在抗日革命根据地的司法诉讼中,普遍存在公诉、自诉、群众起诉三种形式。第一,公诉。公诉由公安机关、检察机关及一般机关、团体、部队向法庭提起。公安机关提起公诉的案件一般是特别刑事案件,即锄奸案件和破坏根据地的其他重大政治案件,公安机关在提起公诉时,要连同犯人及案件材料一并移送法庭审理,并有权对案件的处理提出具体意见供法庭参考,但不能强求法庭采纳。检察机关提起公诉的一般是普通刑事案件。在晋察冀边区,由地方行政首长兼任检察官,负责实施侦查,提起公诉。在有些抗日民主根据地,一般机关、团体、部队也可以向法庭提起公诉。第二,自诉。自诉指原告或其法定代理人直接向司法机关提起的诉讼。根据各抗日民主政府的规定,自诉有状诉、面诉和代诉三种形式。状诉即自诉人不到案而以状纸向法庭告诉。法庭若认为告诉有理,通知自诉人于一定日期到庭面诉,然后受理,若认为告诉无理,劝说自诉人休告。自诉人也可以就诉讼内容口头提起诉讼,由司法机关记录存卷,称为面诉。代诉是自诉人委托他人代理起诉,其效力与面诉相同。第三,群众起诉。就是群众团体代表群众利益向法庭提起诉讼。对于群众团体为了维护群众利益向法庭提起的案件,法庭有受理的义务而无拒绝的权利。

5. 审判制度

各抗日民主根据地根据实际需要,针对案件的不同情况,采取机关审判、就地审判、巡回审判和人民公审等多种审判方式。机关审判是指在司法机关内进行的审判;就地审判是指在诉讼案件发生地或有关处所进行的审判;巡回审判是指由上级司法机关派出审判人员到下级司法机关审理案件;人民公审是针对典型的或重大刑事案件所进行的有广泛群众参加的审判。

6. 上诉制度

首先关于什么人享有上诉权的问题,各抗日民主政府的规定不尽相同。陕甘宁边区政府规定,在刑事诉讼中不服第一审判决的原告人、被告人及其父母、配偶以及辩护人可以提起上诉,而其他抗日民主根据地则大都规定只有刑事诉讼的当事人才有上诉权。关于上诉期限,各抗日民主根据地的规定基本相同。陕甘宁边区政府规定,从收到判决书的翌日算起,刑事案件的上诉期限为10 天,民事案件为 20 天。在晋冀鲁豫边区,从当事人收到判决书的当日算起,特种刑事案件的上诉期限为 5 天,普通刑事案件为 10天,民事案件为 20 天。提起上诉的形式有书面和口头两种。

7. 复核与再审制度

在抗日根据地,复核与再审制度包括两方面内容,即死刑案件的复核与一定刑期以上的案件的复核。死刑复核是各抗日根据地普遍实行的制度。各抗日根据地明确规定,除战时特殊情况外,对于死刑判决,不论被告人是否上诉,原审机关必须报请上级司法机关复核,经批准后方能执行。

（二）**马锡五审判方式**

马锡五审判方式是抗日民主根据地在司法实践中总结出来的成功的司法审判模式,是马克思主义法律学说与中国革命司法实践紧密结合的产物。

马锡五(1898—1962),陕西保安(今志丹县)人,1930 年参加革命,抗日战争时期曾任庆环、陇东等专区专员,后任陕甘宁边区高等法院院长①。1943年任陕甘宁边区隆冬专区专员兼边区高等法院陇东分庭庭长期间,他经常深入基层,依靠群众,调查案情,从根据地的实际情况出发,实事求是,不拘形式,公平合理地处理了一系列长期缠讼不清的疑难案件,受到广大群众的称颂,他所创造的审判方式被称为马锡五审判方式。1944年1月,陕甘宁边区政府发出了提倡马锡五同志的审判方式的号召,同年3月《解放日报》发表题为《马锡五同志的审判方式》的社论,马锡五审判方式在陕甘宁边区和其他抗日民主根据地普遍推广,有力地推动了抗日根据地司法审判的民主化和群众化。

马锡五审判方式的基本特点为:第一,深入基层,调查研究,彻底查清案件真相,不轻信偏听,草率从事。判明事实真相是正确处理案件的基础,为此必须对案件情况进行周密细致的调查研究。马锡五审判方式的特点之一就是走出法庭,深入基层,进行全面调查,在彻底查清事实真相的基础上,使案件得到正确解决。这种方式能抓住案件关键,能从本质上而不是现象上解决问题。第二,就地审判,不拘形式,在群众参与下处理案件。在当时严酷的斗争形势下,司法审判必须紧密联系群众,深入群众和依靠群众,获得群众的认可和支持,同时审判人员也不能局限于法庭审判,这样难以适应客观形势的需要。马锡五审判方式正是适应了上述要求,在处理案件方面不拘形式,一切为了人民方便,审判案件公开,还根据情况组织民众法庭或准许民众推派代表参加审判。这种审判方式不仅有利于案件的及时处理,而且教育了群众,有效地宣传了抗

---

① 马锡五在中华人民共和国成立后,历任最高人民法院西北分院院长兼西北军政委员会政治法律委员会副主席、最高人民法院副院长等职。

日民主政府的政策法令。第三，诉讼手续简易方便，便利人民诉讼。马锡五对群众诉讼不敷衍、不拖延，随时随地接受群众用口头或书面形式提起的诉讼。因此，马锡五审判方式是真正民间而不是衙门的，真正实现了为人民服务的宗旨。第四，坚持原则，将法律精神与群众要求结合起来。马锡五在审判案件时，坚持原则，坚决执行政策法令，同时尊重群众的风俗习惯，善于依靠群众，使案件得到依法合理的解决。

四、抗日民主政权的调解制度

抗日民主政权的调解制度与第二次国内革命战争时期红色政权地区的人民调解制度相比，在调解组织形式、调解内容和调解程序等方面都更加制度化和法律化。

这一时期人民调解的组织形式主要有四种，即民间自行调解、群众团体调解、政府调解和法院调解。民间自行调解就是由人民群众自己解决自己的纠纷，不经过专门的调解机构。这种调解以双方自愿为原则，由当事人双方都信赖的、在群众中享有威望的人物进行调解。群众团体调解就是靠群众组织解决群众之间的纠纷。有的地区群众团体设有专门的机构进行调解，有的地区群众团体则不设专门的调解机构。政府调解就是在基层人民政权主持下调解民间纠纷。有的抗日根据地不设专门调解机构，由政府直接调解，而多数抗日根据地在基层人民政府内设置调解委员会，专门负责民间纠纷的调解工作。调解委员会是同级政府的组成部门，由同级政府负责人兼任主任委员，其他成员由同级政府负责人在群众团体和公正人士中遴选聘任，有些抗日根据地的调解委员由基层人民代表会选举产生。上述几种调解形式所达成的调解协议均不得强制执行，可以向上一级调解组织重新提出调解申请，或向司法机关提起诉讼。法院调解是与前面几种不同的调解方式，它属于司法机关处理案件的方式，可分为法庭调解和庭外调解两种，至于法院调解的效力则没有统一规定。

调解的范围主要是一般民事案件和轻微刑事案件。调解工作遵循自愿、合法、非诉讼必经程序三项原则。人民调解的程序大都采用合议制和回避制原则。

第四节　解放战争时期人民政权的司法制度

一、司法机关

解放战争初期，除东北解放区外，其他解放区基本沿用了抗日根据地的司法制度。随着人民解放战争的胜利发展，解放区不断扩大，在新解放区废除了国民党政府的司法制度，建立了新的人民司法制度，同时各个解放区逐渐联成一片，大解放区人民政府相继成立，相应建立了大解放区的司法机关。整体来看，这一时期解放区的司法机关主要有人民法院、人民法庭、军事法庭或特别法庭几种形式。

（一）人民法院

各级人民法院是在各解放区逐渐联成一片，一般在人民法庭或军事法庭的基础上逐步形成和建立起来的。其中东北解放区于1946年规定全区设三级法院，即最高法院东北分院、高等法院、地方法院。地方法院设在人口10万人以上的县，不设法院的县则设司法科，省和特别市设高等法院。从领导关系来看，最高法院东北分院受东北行政委员会领导，高等法院以下各级法院受同级政府领导。各级法院设检察员1—5人，由公安机关首长或公安机关其他负责人充任。地方法院和县司法科管辖民刑第一审诉讼案件和非诉讼案件;高等法院管辖不服地方法院和县司法科第一审判决或裁定而上诉或抗告的民刑案件;最高法院东北分院管辖不服高等法院判决或裁定而上诉或抗告的民刑案件及非诉上告案件。1948 年 9 月,东北行政委员会作出决定,将各级司法机关改称人民法院,其中最高法院东北分院改为东北高级人民法院,各省高等法院改称省(或特别市)人民法院,各级地方法院及县司法科改为市(县)人民法院。

在华北区,晋察冀和晋冀鲁豫两大边区合并成立华北人民政府后,原有两边区高等法院取消,建立了华北人民法院和司法部。华北区下辖各个地区除绥远没有设立县司法组织外,其余各行署区、省、市、县都成立了司法机关,但名称不统一,如县一级司法机关有的称司法科,有的称人民法庭,有的称司法处,而且机构多不健全,制度也不完备。后华北区人民政府先后颁布多项规定,健全各级司法机构。其中要求各县政府迅速恢复原有的司法组织,统一司法机关的名称,建立各级政府裁判研究委员会。裁判研究委员会由政府首长、公安局长、司法机关负责人、主审员和选聘的民众团体主要负责人组成。其职权为讨论司法机关审理的死刑和 5年以上有期徒刑的重大刑事案件,以及涉及政策原则、需要慎重决定或请示的民事案件。

(二)人民法庭

人民法庭是为了保障土地改革的顺利进行,彻底摧毁封建统治,消灭地主阶级,实现农民翻身而设立的,是审判和处理一切违抗或破坏土地改革以及侵犯人民民主权利案件的临时组织。人民法庭不同于地方各级人民法院,它是由县以下基层农会直接组织、以贫雇农为骨干、并由政府代表参加的群众临时审判机关,只负责审理和土地改革有关的案件,土地改革完成后即行撤销。各地人民法庭有的设在县和区,如晋察冀边区,采取分区审判或就地审判的方式,受县政府领导;有的设在区和村,如东北解放区人民法庭由区、村民大会或农民代表大会及其选出的农民委员会领导,同时受上级政府领导。

人民法庭的工作制度与一般审判机构有所不同。以晋察冀边区为例,其人民法庭的工作大体分为四个步骤:第一为检察,由农民团体推选或政府委派检察员到被告人犯罪所在村展开群众控诉大会,收集被告人的犯罪事实,进行实地调查,然后拟具起诉书,代表受害人提出定罪科刑的要求。起诉书必须经农民团体审查、修改、通过后才能递交人民法庭。第二为审讯,人民法庭开庭时群众可自由旁听,经审判员允许可以发言。第三为判决,人民法庭实行合议制,宣判前要预先征求群众意见,如果群众提出反对意见,并有新的材料,应修改原判,如果群众意见不正确,也要说服解释,只有征得群众同意才能宣判。第四为执行。

(三)军事法庭和特别法庭

解放战争时期的军事法庭和特别法庭是在军事管制期间,为维护革命秩序,保卫人民利益,惩治重大反革命罪犯而设立的行使特殊审判职能的非常设机构,其诉讼程序不同于一般的司法机关。

军事法庭设庭长、审判长、审判官、检察处、书记处等,此外还有陪审员。陪审员由法庭函知各人民团体、各界代表、民主人士分别推选,负责收集群众意见,向被告提出质问,检举犯罪行为,并向法庭申诉群众处理意见。案件的判决须经上级政府批准,才能宣告执行。

解放战争后期,由于对大批新解放城市实行军事管制,为此在军事管制委员会之下设立了特别法庭,主要任务是维护革命秩序,保障人民权利,镇压重大的反革命罪犯。其组织与活动由各军事管制委员会颁布的法令规定。

二、解放区人民政权的诉讼审判制度

（一）审级制度

解放战争时期，由于各解放区最初处于分割状态，因而各个解放区的诉讼审判制度有所不同，有的地区实行两级终审制，有的地区实行三级终审制，随着人民解放战争的节节胜利，各个解放区逐渐联成一片，审判制度也渐趋统一。在连成一片的大解放区，一般实行三级三审制。如在东北区，地方法院及县司法科管辖第一审，高等法院管辖第二审，最高法院分院管辖第三审。各级法院进行审判时，一般都采取合议制。

（二）便利群众的诉讼制度

抗日战争时期，各抗日根据地在处理诉讼案件中比较重视调解工作，如果调解不成再由区或村介绍到县政府去解决。但这一制度在实行中发生了一些问题，表现为有的区村干部出于个人原因不给不服调解者开具介绍信，使得许多人无法顺利提起诉讼。为解决这一问题，1948 年 11 月华北人民政府宣布取消介绍制度，规定任凭当事人到司法机关起诉，司法机关不得以任何理由加以拒绝。同时规定停止征收诉讼人起诉费用，其他解放区也相继实行免费诉讼。

（三）刑事复核制度

解放战争时期刑事复核制度得到进一步完善和发展。其中华北人民政府规定，各县市人民法院判处不满 5 年的有期徒刑、拘役或罚金的案件，即使原被告两造声明不上诉或上诉期限已过，原审判决即为确定的判决，也应将判决书每月汇订成册，呈请省或行署人民法院核阅。各县市人民法院判处死刑的案件，即使被告声明不上诉或超过上诉期限,县市人民法院也应呈请省或行署人民法院核转,或省、行署、直辖市人民法院直接呈请华北人民法院复核,送经华北人民政府主席批准①。

---

① 参见《华北人民政府关于确定刑事复核制度的通令》,韩延龙、常兆儒主编:《中国新民主主义革命时期根据地法制文献选编》第3卷,第531页。

第十二章 港澳台地区的
司法制度

香港和澳门是中国的特别行政区,台湾是中国领土不可分割的一部分,这些地区实行着和祖国大陆不同的司法制度。香港和澳门回归祖国后,基本上保留了原来的司法体制。台湾地区则大体承继了国民党统治大陆时期的司法制度。

第一节 香港特别行政区的司法制度

《香港特别行政区基本法》(凡下简称《基本法》)第81条规定:"原在香港实行的司法体制,除因设立香港特别行政区终审法院而产生变化外,予以保留。"

一、司法机关
(一)法院系统

《基本法》第80条规定:"香港特别行政区各级法院是香港特别行政区的司法机关,行使香港特别行政区的审判权。"这项规定确立了特区司法机关在法律上的地位。香港特别行政区设立终审法院、高等法院、区域法院、裁判署法庭和其他专门法庭,高等法院设上诉法庭和原诉法庭。

1. 终审法院。这是依据基本法设立的。根据《基本法》第82条规定:"香港特别行政区的终审权属于香港特别行政区终审法院。"香港回归祖国以前的司法体制中,没有终审法院的设置,香港的司法终审权属于英国枢密院司法委员会。1997年7月1日起,香港的司法终审权转归香港终审法院。香港终审法院除对涉及有关国防、外交等国家行为无司法管辖权外,对上诉法院和高等法院判决提出上诉的案件拥有终审权,不受中央最高人民法院的审判管辖权的限制。

2. 高等法院。特区高等法院相当于香港原有的最高法院,分为上诉法庭和原诉法庭两部分,即高等法院和上诉法院。高等法院设有民事法庭和刑事法庭,享有民事和刑事两方面的审判权。上诉法院审理对高等法院和地方法院判决上诉的民事和刑事案件与对土地裁判处的裁判上诉的案件。

3. 区域法院。相当于香港原有的地方法院,是一级中层法院,在民事和刑事方面只有有限的审判权力。

4. 裁判署法庭。相当于香港原有的裁判司署,基本上是刑事法院,所有公诉罪的诉讼程序都开始于它。专门审理比较轻微的刑事案件,可判处的刑罚有限,最高只可判处2年监禁或罚款不超过1万港元。其另一职责是负责初级侦讯,涉及严重罪行的疑犯须经其确认证据后,才可转交区域法院或高等法院审理。

5. 各专门法庭。原来称专责法庭和裁判处,1997年以后按《基本法》规定称专门法庭,是专门审理某一类案件的法庭,包括土地裁判处、小额钱债审裁处、劳资审裁处、色情物品审裁处、死因裁判法院和儿童法院。

(二)法 官

特区法院的法官,根据当地法官和法律界及其他方面知名人士组成的独立委员会推荐,由行政长官任命。终审法院和高等法院的首席法官,应由在外国无居留权的香港特别行政区永久性居民中的中国公民担任,这一规定改变了香港司法界重要职位历来是英籍人士居多的状况。法官的任用遵循以下原则:第一,法官和其他司法人员,应根据其本人的司法和专业才能选用;第二,法官和其他司法人员,可以从其他普通法适用地区聘用;第三,香港特别行政区成立前在香港任职的法官和其他司法人员,均可留用。

法官只有在无力履行职责或行为不检的情况下,行政长官可根据终审法院首席法官任命的不少于3名当地法官组成的审议庭的建议,予以免职。这项决定无须立法会同意,也不必报中央备案。终审法院法官只有在无力履行职责或行为不检的情况下,行政长官才可任命不少于5名当地法官组成的审议庭进行审议,并可根据其建议,依照法定程序予以免职。这一罢免决定须得立法会同意才有效,并报全国人大常委会备案。

二、司法原则

香港特别行政区基本保留了在香港沿用了百余年的普通法原则。

(一)独立审判原则

《基本法》第85条规定:"香港特别行政区法院独立进行审判,不受任何干涉,司法人员履行审判职责的行为不受法律追究。"

(二)陪审制度原则

《基本法》第86条规定:"原在香港实行的陪审制度原则予以保留。"香港法律认为陪审是公民的一项司法权利和义务。

(三)无罪推定原则

无罪推定是指刑事被告人在未经法院判决为有罪的情况下,

应被推定无罪。《基本法》第 87 条规定:"香港特别行政区的刑事诉讼和民事诉讼保留原在香港适用的原则和当事人享有的权利。任何人在被合法拘捕后,享有尽早接受司法机关公正审判的权利,未经司法机关判罪之前均假定无罪。"

(四)遵循判例原则

这是英美法的基本特点之一,根据这一原则,法官就其受理的案情事实而对某个法律要点作出的决定,对其下级法官在处理类似事实所发生的相同问题时,具有绝对的约束力。香港回归祖国后,由于终审权的变化,英国枢密院司法委员会在 1997 年以后所立的判例,不再具有约束力,而和其他普通法适用地的判例一样,只具有参考的价值。

三、律师制度

香港过去的律师制度是依照英国的模式建立的,其律师体制也与英国一样比较复杂。根据从业的具体情况不同,香港的律师大致可分为两类,即政府律师和执业律师。

政府律师又称官方律师,是指那些取得了执业律师资格,而受雇于香港行政机构的市民。政府律师具有双重身份,即律师身份和政府公务人员的身份。政府律师按照有关规定以公务人员的身份从政府中领取薪俸,所以在担任政府律师期间不能私自接受当事人的委托从事律师业务,也不能在执业律师的律师事务所兼职。政府律师离任后,可以成为执业律师。

私人执业律师也称执业律师,是指取得律师资格并取得执业证书后为社会提供法律服务的律师,包括普通律师和大律师两种。普通律师是香港律师队伍的主体,人数较多。普通律师与大律师最主要的区别是业务范围,普通律师除了不能办理高等法院审理的各种诉讼业务外,其他律师业务均可承办。普通律师的职责是接受当事人的委托,根据当事人的请求依法为其提供各种法律服务。普通律师的职业形式有三种:一是个人开业;二是与其他普通律师合伙组建律师事务所;三是受雇于其他律师事务所。大律师又称出庭律师,是指有资格在香港高等法院出庭进行刑事辩护和诉讼代理的律师。大律师一般都精通诉讼法和其他专门法律,他们不仅通过出席高等法院的法庭为当事人办理诉讼业务,还负责解答普通律师提出的专门性问题。大律师只能单独开业,不能与其他大律师或普通律师合伙开业。大律师办理业务,是受普通律师委托,而非直接受当事人委托。当事人要先委托普通律师,再由普通律师转聘大律师。大律师也不能直接向当事人收取律师费,只能向普通律师收取。

普通律师与大律师只是两种不同类型的律师,二者没有隶属关系。普通律师与大律师在一定条件下可以在自愿基础上转化,但任何一人不得身兼两职①。香港回归祖国后,根据《基本法》第94条规定,香港特别行政区政府可参照原在香港实行的办法,作出有关当地和外来的律师在香港特区工作和执业的规定。

四、与其他地区和国家的司法联系

根据《基本法》规定,香港特别行政区可与全国其他地区的司法机关通过协商依法进行司法方面的联系和相互提供协助。香港特别行政区在中央人民政府协助或授权下,特区政府可与外国就司法互助关系作出适当的安排。

---

① 参见赵秉志主编:《香港法律制度》,中国人民公安大学出版社1997年版,第668—681页。

第二节　澳门特别行政区的司法制度

根据《澳门特别行政区基本法》规定,澳门特别行政区享有独立的司法权和终审权。澳门特别行政区法院除继续保持澳门原有法律制度和原则对法院审判权所作的限制外,对澳门特别行政区所有案件均有审判权。澳门特别行政区法院对国防、外交等国家行为无管辖权。

澳门特别行政区司法机关包括法院和检察院。澳门特别行政区法院独立进行审判,只服从法律,不受任何干涉。澳门特别行政区设立初级法院、中级法院和终审法院。终审权属于澳门特别行政区终审法院。初级法院可根据需要设立若干专门法庭。原刑事起诉法庭的制度继续保留。澳门特别行政区设立行政法院,专门管辖行政诉讼和税务诉讼,不服行政法院裁决的可向中级法院上诉。

澳门特别行政区各级法院的法官,根据当地法官、律师和知名人士组成的独立委员会的推荐,由行政长官任命。法官的选用以其专业资格为标准,符合标准的外籍法官也可聘用。法官只有在无力履行其职责或行为与其所任职务不相称的情况下,行政长官才可根据终审法院院长任命的不少于3名当地法官组成的审议庭的建议,予以免职。终审法院法官的免职由行政长官根据澳门特别行政区立法会议员组成的审议委员会的建议决定。终审法院法官的任命和免职须报全国人民代表大会常务委员会备案。澳门特别行政区各级法院的院长由行政长官从法官中选任。终审法院院长由澳门特别行政区永久性居民中的中国公民担任。终审法院院长的任命和免职须报全国人大常委会备案。澳门特别行政区法官依法进行审判,除法律另有规定外,不听从任何命令或指示。法官履行审判职责的行为不受法律追究。法官在任职期间,不得兼任其他公职或任何私人职务,也不得在政治性团体中担任任何职务。

澳门特别行政区检察院独立行使法律赋予的检察职能,不受任何干涉。澳门特别行政区检察长由澳门特别行政区永久性居民中的中国公民担任,由行政长官提名,报中央人民政府任命。检察官经检察长提名,由行政长官任命。

原在澳门实行的司法辅助人员的任免制度予以保留。澳门特别行政区政府可参照原在澳门实行的办法,作出有关当地和外来的律师在澳门特区工作和执业的规定。根据《澳门特别行政区基本法》规定,澳门特别行政区可与全国其他地区的司法机关通过协商依法进行司法方面的联系和相互提供协助。澳门特别行政区在中央人民政府协助或授权下,特区政府可与外国就司法互助关系作出适当的安排。

第三节　台湾地区的司法制度

台湾地区的最高司法机关为司法院。台湾政府实行五院制,分设行政、司法、立法、监察、考试五院,五院之间相互独立,司法院独立行使司法权。这一体制基本上沿袭了国民党统治大陆时期的政治制度。

司法院负责民事、刑事、行政诉讼的审判及公务员的惩戒,并有解释其"宪法"及法律的权力。为执行上述职权,司法院设有院长、副院长、大法官会议、"最高法院"、行政法院、公务人员惩戒委员会等机构。

司法院设院长、副院长各1人,由"总统"提名,经监察院同意任命。司法院下设大法官会议,具体行使统一解释《宪法》、法律及命令之权。司法院大法官会议由大法官 17 人组成,每届任期 9 年。大法官会议以司法院长为主席。主要职权为解释《宪法》及统一解释法律、命令。大法官会议接受申请解释案件应先推选大法官 3 人进行审查,应该予以解释的案件应提交会议讨论。大法官会议解释《宪法》,应有大法官总额四分之三的人员出席并有出席人员四分之三的同意才能通过。大法官会议统一解释法律及命令时,应有大法官总额过半数人员出席,并有出席人过半数的同意才能通过,可否相同取决于主席。大法官会议每两周开会一次,必要时可以召开临时会议。

"最高法院"是台湾地区民事、刑事诉讼案件的终审机关。主要管辖下述案件:一,不服高等法院及其分院的一审判决而上诉的刑事诉讼案件;二,不服高等法院及其分院第二审判决而上诉的民刑事诉讼案件;三,不服高等法院及其分院裁定而抗告的案件;四,非常上诉案件及法律规定的诉讼案件。"最高法院"分设民事庭和刑事庭,其庭数根据事务繁简而定。"最高法院"审判案件时,实行由推事 3 人或 5 人组成的合议制度。

司法院下设行政法院,掌管台湾地区的行政诉讼审判事务。凡是公民权利因公务员或政府之违法处分而受到损害的,如果经过诉愿和再诉愿程序仍不能获得解决,可向行政法院提起行政诉讼。行政法院采取一审制,因此对其判决一般不得上诉或抗告,只有特定情况才可以提起再审。行政法院分设二庭和三庭。行政院的审判采取合议制,由评事五人组织合议庭进行审判。

司法院下设公务员惩戒委员会,负责公务员的惩戒事项。凡是公务员有违法、废弛职务或其他失职行为,经监察院弹劾或各院部会或地方行政长官送请审议,即由公务员惩戒委员会处理。公务员惩戒委员会设委员长1人,委员9至15人。该委员会采取合议制,通过审议会来决定对公务员的惩戒与否。

　　台湾地区对于民事和刑事案件的审判实行三级三审制,由地方法院、高等法院和"最高法院"分别行使审判权。台湾省高等法院负责审理下述案件:一,关于内乱、外患及妨碍外交的刑事第一审诉讼案件;二,不服地方法院及其分院第一审判决而上诉的民事、刑事诉讼案件;三,不服地方法院及其分院裁定而抗告的案件等。该高等法院设民事庭和刑事庭,必要时设专业法庭如交通庭等。台湾省高等法院在台湾各地还设有一些分院。地方法院设在"直辖市"或县、市地方,其中区域狭小及案件较少的,可以合数县、市设立一所地方法院,区域辽阔及案件较多的,可以增设地方法院分院,在特定地区为业务需要可以设立专业地方法院。

　　关于检察机关,各级法院及分院各配置检察署,各检察署以法定条件配置检察官。检察官负责实施侦查、提起公诉、协助自诉、担当自诉及指挥刑事裁判之执行,以及其他法令所规定的事务。检察官对于法院独立行使职权,一般在所在法院的管辖区域内执行职务,但遇到紧急情形时不受这一限制。

第 四 编

中国现代司法制度

第十三章　具有中国特色的社会
主义司法理论

　　1949 年中华人民共和国成立至今,所建立的司法制度被称之为当代司法制度,理论来自实践并指导实践,这一时期的司法理论,本书概括为具有中国特色的社会主义司法理论。

　　当代司法理论,即具有中国特色的社会主义司法理论,当然有当代许多法学家的思想,他们著书立说,包括各种大学教材的若干观点,都是当代司法理论的思想宝库内容之一。对这些法学家、政治学家的理论和观点,我们从纯学术的方法,可以将他们的学说标签为不同的学派,例如,主张阶级斗争学说、统治阶级专政工具论的现实主义,主张公平正义的理想主义,主张秩序、制度研究的结构主义等等。但是,这样做不符合中国的国情。

　　在中国,指导中国司法制度建立、发展的司法理论是马克思列宁主义、毛泽东思想,是具有中国特色的社会主义理论和"三个代表"的重要思想。具体地说,是毛泽东、邓小平、江泽民和胡锦涛同志的司法理论。

　　毛泽东、邓小平、江泽民和胡锦涛同志的司法理论在理论渊源上讲有两个特点:第一,他们的司法理论是他们各自的整个理论学说中的一部分,他们的司法观点散见于他们的著作、论文和文件之中。第二,他们各自的司法观点相互承继和发展,是中国马克思列宁主义、具有中国特色的社会主义司法理论不可分割的一部分。本书要列举的是他们各自较为突出的理论特色。

毛泽东同志是具有中国特色社会主义司法理论的奠基者。他建立了人民民主专政的社会主义司法制度;他依靠人民,严肃法纪,构建了我国基本的司法制度框架;在他的晚年,他发动群众运动,一定程度上造成了司法虚无主义。

邓小平同志拨乱反正,批判人治,加强法制;坚持民主与法制,坚持有法可依、有法必依、执法必严、违法必究的方针;一生坚持党要管党,依法从严治党。

江泽民同志奉行依法治国的治国方略;提出了以德治国、惩治腐败,提高中华民族的竞争力;坚持以"三个代表"的重要思想统领和规范国家权力、特别是司法权力的行使。

以胡锦涛总书记为代表的党中央加强保持中国共产党先进性教育,提高党的执政能力;加强基层民主建设,强调社会协调发展;大力推进司法体制改革和宪法政治建设。

第一节　毛泽东司法理论

一、建立人民民主专政的社会主义司法制度

建立社会主义的司法制度,就不能照搬西方资本主义国家所谓"三权分立"的政治体制。建立人民民主专政,就必须废除国民党执政的所谓从军政、训政到宪政的国民党专制党国一致的司法体系。建立人民民主专政的社会主义司法制度,也要借鉴苏联建设社会主义国家的经验和教训。以上三点,是我国建立具有中国特色社会主义司法制度的历史背景。

1949年,中国共产党领导各族人民成立了中华人民共和国,

毛泽东同志审时度势,主张并且建立了人民民主专政的社会主义司法制度。如何建立具有中国特色社会主义司法制度,以毛泽东同志为首的第一代领导人提出了一系列的理论和观点,丰富了马克思列宁主义司法理论的宝库,是具有中国特色社会主义法制理论的宝贵财富,是指导中国人民进行新民主主义革命和社会主义建设取得胜利的重要思想之一。

与20世纪中国第二次法律革命的进程相适应,建国之初的司法领域也出现了革命性的变化。在剧烈的社会变革进程中,中国的司法制度获得了历史性的重构。苏联式的司法体制之影响与特殊的中国社会条件之结合,形成了建国之初司法结构与机理的多方面特征,从而给后来的中国司法发展带来了深刻的影响。应当看到,在建国之初的七年间,中国的司法组织经历了一个从司法与行政之结合向司法与行政之分立的转变过程。正是在这一过程中,新中国的司法制度逐渐得以建立和发展。

建国初期,摒弃了国民党的《六法全书》①,根据中国的特殊国情并结合中国革命和建设的特点建立了具有中国特色的司法制度,使中国法制建设迈出了关键性的一步。旧的国家机器被砸碎,旧的法律制度被废除,新形势迫切要求以法制确认国家的性质,制定国家的政治制度和经济制度,规定公民的权利和义务,建立保障社会稳定的新秩序。同样的道理,中国是社会主义国家,国体是人民民主专政,政体是人民代表大会制度,这样特殊的国情决定了我们不能实行西方的"三权分立"制度,但是这并不否认我们承认司法的独立性。

---

①　中华民国时期国民党政府的主要法律汇编,最初包括宪法、民法、商法、刑法、民事诉讼法和刑事诉讼法6项法律。

为适应这一要求,毛泽东十分重视司法制度建设,主张立法工作必须立足中国实际,同时积极借鉴世界各国的先进经验,并把制定出符合我国实际的法律、法规作为立法工作的根本出发点。他明确指出:"应当是那样,实际是这样,中间有个距离。有些法律条文要真正实行,也还得几年。"①

1949 年 9 月 21 日,第一届全国人民政治协商会议召集各民主党派、各人民团体、社会贤达讨论通过了具有临时宪法性质的《中国人民政治协商会议共同纲领》,确定了中华人民共和国在政治、军事、经济、文化教育、民族、外交等各方面的大政方针。此后,陆续制定出了第一批重要的经济、民事、行政、选举、组织等方面的法规,并于 1954 年颁布了新中国的第一部宪法。在毛泽东的领导下,国家制定的法律和行政法规,概括了国家管理和社会生活的各个方面,发挥了人民民主专政的威力,打击了各种违法犯罪活动,实现了党和国家对工农、财贸、税收、文教、卫生、交通的有效管理,巩固了民族团结,保卫了国家安全,保持并发展了良好的社会秩序。

与此同时,我国主要司法制度也建立起来。1954 年 9 月,召开了第一届全国人民代表大会通过并正式颁布了我国第一部《中华人民共和国宪法》,同时还颁布了《中华人民共和国人民法院组织法》和《中华人民共和国人民检察院组织法》,加上原有的《中央人民政府组织法》,标志着我国司法制度建设步入迅速发展时期。对当时的人民法院和人民检察院的设置进行了改革,人民法院由三级改为四级,即设基层人民法院、中级人民法院、高级人民法院

---

① 《青年团的工作要照顾青年的特点》,《毛泽东文集》第六卷,人民出版社1999 年版(下同),第 279 页。

与最高人民法院,实行四级两审终审制,同时还设立了军事法院、铁路运输法院、水上运输法院等专门人民法院。检察机关改人民检察署为人民检察院,设置最高人民检察院、省级(省、自治区、直辖市)人民检察院及分院、县级人民检察院,并按专门人民法院的审级设置相应的专门人民检察院。设公安机关,负责刑事案件的侦查工作。在各省、自治区、直辖市设立司法厅(局),负责地方司法行政事宜,建立统一的司法行政管理体制。

二、依靠人民,严肃法纪

毛泽东历来主张,国家的司法制度建设的宗旨是为人民服务,严肃法纪必须依靠人民群众,国家司法是人民民主专政的一部分,其目标之一是促进民主政治的建设。毛泽东曾指出,没有广泛的人民民主,人民民主专政就不能巩固,政权就会不稳,而人民民主的实现必须有法律保障。为此,从1952年到1953年,在毛泽东的领导下,全国范围内开展了以批判蔑视人民民主权利的旧法观点为主要内容的司法改造运动。1954年以后,通过的宪法和一系列法令给予人民的民主权利是广泛的,包括民主施政、民主议政、民主参政、民主决策、民主管理等等。

依靠人民,严肃法纪必须坚持在"法律面前人人平等",一个国家有无法制,法制是否健全,一方面要看其法律体系是否完备,另一方面要看它是否能做到有法必依,是否举国上下一体遵行。我们决不搞封建社会"刑不上大夫"那一套。毛泽东历来坚持这一原则,早在1931年的《中华苏维埃共和国宪法大纲》中就规定:"公民在法律面前人人平等"。抗日战争时期他又指出:各抗日阶级的人民在法律面前人人平等。毛泽东尤其不能容忍干部破坏法制的行为,1937年延安抗大六队队长黄克功枪杀女学员刘茜,被判处死刑;原天津地区负责人、大贪污犯刘青山、张子善被判处死刑就是实例。毛泽东主张对那些违法乱纪、贪污腐化、官僚主义分子"轻者批评教育,重者撤职、惩办、判处徒刑(劳动改造)"①。为了切实做到"法律面前人人平等",毛泽东还指出:"人民犯了法,也要受处罚,也要坐班房,也有死刑"②。

党的八大贯彻执行了毛泽东同志关于国家司法与人民群众根本利益关系的学说,坚持法律和国家司法是维护革命秩序,保护劳动人民利益的,是保护社会主义经济基础和生产力的,并进一步提出:由于社会主义革命已基本完成,我们必须进一步加强人民民主的法制,巩固社会主义国家的秩序。

三、发动群众运动,司法虚无主义

从 1957 年下半年开始,毛泽东没有看到法律和国家司法工作在发展经济、提高生产力、促进社会进步中的作用,他以阶级斗争为动力,改变生产关系,提高国有化程度,发动群众运动,用"人海战术"促进生产力的发展,造成司法虚无主义泛滥。

由于毛泽东及党中央对法制认识的倒退,导致了 1959 年 4 月二届全国人大一次会议决议撤销司法部和监察部,原司法部主管的工作由最高人民法院管理。随后,我国的立法工作趋于停滞,司法工作实践也偏离了正常的法制轨道。比如,我国刑法的起草工作在建国不到一年就拟定了大纲草案,到 1957 年 6 月已经写出第22 稿,准备在同年 7 月由一届人大四次会议审议通过并予以公布,但是由于反右斗争正进行得轰轰烈烈,法律虚无主义思想迅速

① 毛泽东:《关于"三反""五反"》,《毛泽东文集》第六卷,第191页。
② 《毛泽东选集》第四卷,第1476页。

滋长,致使刑法"公布试行"的希望化为泡影。

　　反右斗争扩大化之后,人大代表在人代会上议政时谨小慎微,不敢大胆发表意见,更不敢轻言法律方面的议题,导致了我国从1959年直到"文化大革命"时期,基本上没有什么立法活动。这样,法律在经济建设中的作用变得可有可无,造成1959年在全国撤销司法局后,"有事办政法,无事办生产"的令人费解的局面。结果经济立法工作裹足不前,社会经济生活中的诸多关系无法规范、调整,以致在"文化大革命"中使得政治斗争严重地冲击了经济建设,导致国民经济步入崩溃的边缘。"文化大革命"期间,由于推崇"人治"、轻视法律与法制的倾向更加严重,当时的红卫兵在"革命无罪,造反有理"口号的鼓动下,以"四大"为内容进行"反修防修",砸烂公、检、法,踢开党委闹革命,无法无天,使我国司法制度遭到一场史无前例的浩劫。

第二节　邓小平司法理论

一、批判人治,加强法制

　　邓小平的社会主义法制建设理论,是我党治国理论发展历程中的一次历史性的飞跃,它标志着我们党对于封建社会遗留下来的"人治"范式,以及建国后在极"左"思想影响下形成的"全面专政"与"无法无天"政治状态的彻底否定;标志着我们党领导全国人民治理国家的基本方式发生了重大转变。邓小平的司法制度理论散见于民主法制理论的诸项论述中,是建设有中国特色社会主义理论的重要组成部分。

　　新中国建立后,我国逐步加强了民主法制建设,在党的八大上我党第一代领导集体提出了"有法可依"、"有法必依"、"依法办事"等法治主张①。但由于长期推崇"领袖治国"、"政策治国"、"法律的统治"的观念没有真正确立过,直到"文化大革命"结束以后,邓小平认真总结了我国二十年来法制建设方面的经验教训,坚决地否定"人治"的治国思想,主张社会主义法制建设。

为了避免"文化大革命"一类历史悲剧重演,邓小平强调首先要加强制度建设,他说:"领导制度、组织制度问题更带有根本性、全局性、稳定性和长期性。"②"这些方面的制度好可以使坏人无法任意横行,制度不好可以使好人无法充分做好事,甚至会走向反面。即使像毛泽东同志这样伟大的人物,也受到一些不好的制度的严重影响,以致对党和国家对他个人都造成了很大的不幸。"③"我们的国家已经进入社会主义现代化建设的新时期。我们要在大幅度提高社会生产力的同时,改革和完善社会主义的经济制度和政治制度,发展高度的社会主义民主和完备的社会主义法制。"④

以上论述阐明了社会主义法制建设在我国社会主义现代化建设中的战略地位,这是邓小平法治思想的一个鲜明特点。邓小平社会主义法制建设的一个鲜明的特色,就是站在时代的高度,从现代化建设的内在需要出发,把建立健全的社会主义法制体系,实现依法治国作为社会主义政治发展的基本方向和重要目标。

邓小平强调指出:"要继续发展社会主义民主,健全社会主义法制。这是三中全会以来中央坚定不移的基本方针,今后也决不

---

① 董必武在 1956 年 9 月党的八大上提出过这些主张,但没有引起足够重视。
② 《邓小平文选》第二卷,人民出版社 1994 年版(下同),第 333 页。
③ 同上书,第 333 页。
④ 同上书,第 208 页。

允许有任何动摇。"①邓小平摒弃了过去那种把法制当做一种实现政治意图工具的浅薄观点,把法制建设问题提升到社会主义政治发展以及社会主义现代化建设的战略高度,赋予了法制建设作为中国政治发展根本取向之一的重要意义。

二、社会主义法制的"十六字"方针

坚持社会主义民主与法制的有机统一,努力健全和完善社会主义法制体系,实现国家政治生活的法律化,用完善的司法制度,维护稳定的社会政治、经济、文化生活的秩序,保障人民群众依法享有的各项权利,这是邓小平建设有中国特色社会主义理论的重要内容。

为了保障人民民主,必须加强法制。必须使民主制度化、法律化,使这种制度和法律不因领导人的改变而改变,不因领导人的看法和注意力的改变而改变,邓小平民主法制思想准确地概括了社会主义法制建设的基本要求,为推进依法治国方略,建设社会主义法治国家明确了指导方针。邓小平民主法制思想不仅确立了社会主义民主法制的战略地位,而且在总结社会主义国家民主法制建设经验教训的基础上,准确地概括了社会主义法制建设的基本要求,即有法可依,有法必依,执法必严,违法必究。② 这是邓小平否定"人治",主张"法治"思想,总结新中国法制实践经验教训的结果。1. 有法可依是对我国立法工作提出的基本要求,它通过建立完备的社会主义法律体系来规范行为、预防失落。这是实现依法治国的前提和基础。为了改变过去那种把领导人说的话当做

---

① 《邓小平文选》第二卷,第359页。
② 参见同上书,第146—147页。

"法",甚至领导人说的话等于"法"、大于"法"的状况,必须建立完备的、适应社会主义法治需要的法律体系。2. 有法必依是对社会全体公民守法的基本要求,一切国家机关、公职人员、党派团体和全体公民都必须严格地遵守宪法和法律,依法办事。这是实现依法治国的关键。为了做到有法必依,一要维护宪法和法律的尊严与权威,使之成为任何人都必须遵守的不可侵犯的力量;二要坚持法律面前人人平等,任何人、任何组织都没有超越法律的特权;三是一切政府机关必须依法行政,行政管理活动要严格依法办事,依法执行公务;四要对有法不依者予以严肃处理。3. 执法必严即严格执法,执法机关和执法人员严格按照法律规定,行使国家行政执法权和司法权。这是实现依法治国的根本要求。司法机关要依法独立行使司法权,秉公执法,对于任何违法行为,遵照"以事实为依据,以法律为准绳"的原则来处理;人民法院要独立行使审判权,人民检察院要独立行使检察权。4. 违法必究即对一切违法犯罪行为都要依法追究法律责任。这是做到有法必依、执法必严,实现依法治国的保障。违法必究的关键是建立、健全监督制度和监督体制。要"让群众和党员监督干部,特别是领导干部。凡是搞特权、特殊化,经过批评教育而又不改的,人民就有权依法进行检举、控告、弹劾、撤换、罢免,要求他们在经济上退赔,并使他们受到法律、纪律处分。"①根本的目标是不断协调和完善由国家权力机关的法律监督、各级权力机关的工作监督、行政机关的行政监督、司法机关的司法监督、党的监督、人民群众和新闻舆论的社会监督构成的有机整体。可见,"有法可依,有法必依,执法必严,违法必究"全面涵盖了立法、执法、司法、普法、法律监督等依法治国的主要环

---

① 《邓小平文选》第二卷,第332页。

节,成为指导民主法制建设实践的总方针。正是在这"十六字"方
针的指导下,党的十一届三中全会以来,特别是党的十四大以来,
我国社会主义民主法制建设取得了很大的发展,立法取得了长足
的进步,基本上实现了有法可依,初步形成了中国特色的社会主义
法律体系,依法行政、公正司法成为大势所趋,公民尤其是各级领
导干部的法律意识有了明显提高。

当然,在邓小平的论述中没有使用过"依法治国"和"法治国
家"这样的提法,但他对如何通过健全法制保证国家的长治久安,
作了全面而深刻的阐述,从而为实行依法治国的方略奠定了坚实
的理论基础。他提出的健全社会主义法制的一整套原则和方针,
为我们确立建设社会主义法治国家的奋斗目标设计了一幅完整而
清晰的蓝图。可以说,依法治国是党领导人民治理国家的基本方
略的思想,发展社会主义民主政治,建设社会主义政治文明的思
想,都与邓小平民主法制思想一脉相承,是在新的历史时期邓小平
民主法制思想的重大发展。

三、依法从严治党

加强新时期条件下的中国共产党的领导和从严治党,是邓小
平司法理论中的重要内容。

邓小平提出了"党在宪法和法律范围内活动"的政治原则,要
求把政治体制改革与法治联系起来,通过政治体制的改革,处理好
法治和人治的关系,处理好党和政府的关系。这就为建立完善的
制度,强调法律权威,实现"人治"到"法治"的重大转变,奠定了充
分的理论基础。

"依法治国,就是广大人民群众在党的领导下,依照宪法和法
律的规定,通过各种途径和形式管理国家事务,管理经济文化事

业,管理社会事务,保证国家各项工作都依法进行,逐步实现社会主义民主的制度化、法律化,使这种制度和法律不因领导人的改变而改变,不因领导人看法和注意力的改变而改变。"①要依照宪法和法律来管理国家事务,最主要的是应做到两条:一条是党必须在宪法和法律的范围内活动。针对1957年以后党内不断滋长的特权主义和"一言堂"、个人决定重大问题、个人崇拜、个人凌驾于组织之上一类家长制现象,邓小平指出:"国要有国法,党要有党规党法"②,要依法从严治党,制定各方面的法律来纠正这种错误现象,使党的各级组织和领导干部的行为严格在宪法和法律的规定范围内进行。另一条是法律面前必须人人平等。"不论是担负领导工作的党员,或者是普通党员,都应以平等态度相互对待,都平等地享有一切应当享有的权利,履行一切应当履行的义务"③。"公民在法律和制度面前人人平等,党员在党章和党纪面前人人平等。人人有依法规定的平等权利和义务,谁也不能占便宜,谁也不能犯法。"④每个公民,尤其是各级机关工作人员,不管是党员还是非党员、是领导还是非领导,都必须严守法纪,反对任何形式的特权,反对一切搞特殊化的行为与方式。任何公民在适用法律上要真正体现一律平等。

　　"人治"与"法治"是相对而言的两种不同的治理国家、规范社会的管理模式,它以人的权力与法的权威为各自的判断标准。实

---

① 江泽民:《高举邓小平理论伟大旗帜,把建设有中国特色的社会主义事业全面推向二十一世纪》,《中国共产党第十五次全国代表大会文件汇编》,人民出版社1997年版,第31—32页。

② 《邓小平文选》第二卷,第147页。

③ 同上书,第331页。

④ 同上书,第332页。

现从"人治"到"法治"的根本性变革,主要就是实现从"法依人"到"人依法"的根本性变革,这是中国政治发展的必然趋势。要处理好法治与领导者的关系以及法治与党治的关系。一是要法治,不要领导人的"人治"。邓小平指出:"我们过去发生的各种错误,固然与某些领导人的思想、作风有关,但是组织制度、工作制度方面的问题更重要。这些方面的制度好可以使坏人无法任意横行,制度不好可以使好人无法充分做好事,甚至会走向反面。"①为此,就要对党和国家的领导制度进行改革,改变那种凭领导人主观意志决定一切的人治传统,代之以制度的法律化、规范化。二是要法治,不要"党治"。在党和法的关系上,曾经存在着"以党治国"的观念,这是忽视民主的表现之一。为此,早在 20 世纪 40 年代邓小平就提出:"党的领导责任是放在政治原则上,而不是包办,不是遇事干涉,不是党权高于一切。"②到了 80 年代,他更明确地说:"全党同志和全体干部都要按照宪法、法律、法令办事,学会使用法律武器(包括罚款、重税一类经济武器)同反党反社会主义的势力和各种刑事犯罪分子进行斗争。"③

第三节　江泽民司法理论

一、奉行依法治国方略

　　20 世纪 90 年代以来,我们国家在以江泽民为核心的党中央的领导下,继续高举邓小平理论伟大旗帜,解放思想,实事求是,与

---

① 《邓小平文选》第二卷,第 333 页。
② 《邓小平文选》第一卷,人民出版社 1994 年版(下同),第 12 页。
③ 《邓小平文选》第二卷,第 371 页。

时俱进,开拓创新,经济建设和社会发展稳步前进,人民生活水平显著提高,综合国力大大增强。我国社会稳定,政治、经济等各种制度建设取得了前所未有的成绩。江泽民有关治国的观念、思想、理论、政策都有创新。江泽民司法理论的主要部分是奉行依法治国的治国方略。

1994年12月9日,他在中央领导同志第一次法律知识讲座上的讲话中指出,建设社会主义法制,实行以法治国,是为了把我们国家建设成为富强、民主、文明的社会主义现代化国家,①之后又在各种讲话中多次提到依法治国,最终在党的十五大中明确提出,依法治国,就是广大人民群众在党的领导下,依照宪法和法律规定,通过各种途径和形式管理国家事务,管理经济文化事业,管理社会事务,保证国家各项工作依法进行,逐步实现社会主义民主的制度化、法律化,使这种制度和法律不因领导人的改变而改变,不因领导人看法和注意力的改变而改变。

学术界关于"依法治国"的释义虽有"rule by law"和"rule of law"之争,但在法治相对于人治而言,其核心是依法办事,依法治理国家这点上没有异议。依法治国,是党领导人民治理国家的基本方略,是发展社会主义市场经济的需要,是社会文明进步的重要标志,是国家长治久安的重要保障。依法治国的战略目标,就是要建设社会主义法治国家。

江泽民认为,司法体制改革与完善,必须按照民主化和法制化紧密结合的要求进行。推进司法体制改革,必须有利于增强党和国家的活力,保持和发挥社会主义制度的特点和优势,维护国家统一、民族团结和社会稳定;充分发挥人民群众的积极性,促进生产

---

① 《中共中央举办法律知识讲座纪实》,法律出版社1995年版,第2页。

力发展和社会进步。

司法体制应与政治体制改革通盘考虑。发展民主,加强法制,精简机构,完善民主监督制度,维护安定团结,是近期和相当长的时期内的任务。并指出,共产党执政就是领导和支持人民掌握管理国家的权力,实行民主选举、民主决策、民主管理和民主监督;保证人民依法享有广泛的权利和自由,尊重和保障人权。发展社会主义民主,制度更带有根本性、全局性、稳定性和长期性。坚持和完善人民代表大会制度,保证人民代表大会及其常委会依法履行国家权力机关的职能,加强立法和监督工作,密切人民代表同人民的联系。要把改革和发展的重大决策同立法结合起来。逐步形成深入了解民情、充分反映民意、广泛集中民智的决策机制,推进决策科学化、民主化,提高决策水平和工作效率。扩大基层民主,保证人民群众直接行使民主权利,依法管理自己的事情,创造自己的幸福生活,是社会主义民主最广泛的实践①。

二、以德治国,惩治腐败

党的十五大在确定我国现代化建设跨世纪宏伟蓝图的同时,明确把依法治国确定为党领导人民治理国家的基本方略,并把建设社会主义法治国家作为政治体制改革的一项重要内容。与此同时,江泽民提出标本兼治、以德治国、惩治腐败的基本原则。

治国有治标与治本两层含义:治本是以德治国,就是要在立法、执法、司法和普法这些重大方面,特别是提高中国共产党的政

---

① 《江泽民关于依法治国建设社会主义法制国家的论述(一)》,《人民日报》1997 年 9 月 22 日。

治能力,提高国家公务员尤其是司法官员的执法司法能力,提高全国各族人民的精神文明水平,提高中华民族的世界竞争力;治标是依法办事,就是要加强社会治安综合治理,依法从重打击惩治刑事犯罪活动,依法从重从严打击惩治破坏经济秩序的犯罪活动,坚决遏制严惩危害公共安全的暴力犯罪以及直接侵犯人民群众生命财产安全的多发性犯罪①。

江泽民认为,要依靠法治,为改革和发展创造稳定的社会政治环境。建国以来,特别是党的十一届三中全会以来,我国的社会主义法制建设取得了巨大成就。现在,在国家和社会生活的各个方面,我们已经制定了一系列重要的法律和法规。执法、司法和法律监督工作不断得到加强和改善。各地各行业开展的依法治理活动,不断取得成效。全民普法教育成绩显著,公民的社会主义民主和法制意识明显增强。但是,我们要清醒地看到,我国法制建设的现状同整个改革开放和现代化建设的要求相比,还有不小的差距,其中各种腐败现象的出现则是最主要的差距。

社会上出现的各种腐败现象,特别是共产党员领导干部和司法官员的腐败,严重地危及了依法治国的进程,危及了人民民主专政的基础,危及了我国现代化经济建设的大好局面。

江泽民在十六大报告中明确提出了全面建设小康社会的奋斗目标。其中一个重要目标是:社会主义民主更加完善,社会主义法制更加完备,依法治国基本方略得到全面落实,人民的政治、经济和文化权益得到切实尊重和保障。基层民主更加健全,社会秩序

---

① 《江泽民在参加九届全国人大一次会议河北代表团讨论时的讲话》,《人民日报》1998 年 3 月 14 日。

良好,人民安居乐业。十六大代表在讨论报告时认为,实行依法治国,建设社会主义法治国家,是前无古人的伟大创举,体现了全国各族人民的愿望。谈及党的十三届四中全会以来的法治成果,他们深感振奋和自豪①:"有法可依",注重立法数量、质量并进,中国特色社会主义法律体系框架初步形成;"依法行政",行政机关和公务人员依法管理、依法施政;"依法维权",普通百姓越来越多地拿起了法律的"上方宝剑",全民的法律意识不断提高。

三、以"三个代表"重要思想统领法治全过程

2000 年 2 月,中共中央总书记江泽民在广东考察工作时,对新形势新任务下如何切实加强党的建设问题发表了重要讲话,科学地总结了我们党七十多年的基本经验,指出:我们党作为中国工人阶级的先锋队,在革命、建设、改革的各个历史时期,总是代表着中国先进社会生产力的发展要求,代表着中国先进文化的前进方向,代表着中国最广大人民的根本利益(即"三个代表"),并通过制定正确的路线、方针、政策,为实现国家和人民的根本利益而不懈奋斗。2002 年 11 月,江泽民在十六大报告中进一步提出,始终做到"三个代表",是中国共产党的立党之本、执政之基、力量之源。在新形势下,全面贯彻"三个代表"重要思想的要求,就是要把坚持党的领导、发扬人民民主和严格依法办事统一起来,发挥社会主义民主政治的优势,从制度和法律上保证党的基本路线和各项方针政策的贯彻实施。"三个代表"重要思想对于推动新时期司法行政工作的发展,促进司法行政工作制度创新和理论创新,开

---

① 《依法治国,党领导人民建设社会主义法制国家》,《人民日报》2002 年 11
月 10 日第六版。

创司法行政理论研究新局面,进一步繁荣司法行政理论研究,具有重要的指导意义。

在"5·31"重要讲话中,江泽民指出,贯彻"三个代表"重要思想的要求,核心在保持党的先进性。保持党的先进性,就必须使党顺应历史发展的规律,始终站在时代的前列。法律作为国家权力机关制定、由国家强制力保障实施的社会规范,具有很强的规范性、强制性、权威性,体现了国家意志和人民意志,反映了社会发展的规律。在社会主义制度下,实行依法治国,建设法治国家,是社会主义的本质要求。社会主义革命、建设和改革事业的实践证明:只有实行依法治国,才能保持经济和社会的稳步协调与发展,才能保证国家经济、政治、文化和社会生活依法有序地进行,才能保证国家长治久安,才能有效地推进社会主义精神文明建设,健全社会主义民主政治,把党的领导、人民当家作主和严格依法办事有机地结合起来。因此,要保持党的先进性,必须根据社会历史发展客观规律的要求,坚持实行依法治国。

实行依法治国,是与时俱进、不断改进党的领导方式和执政方式的重要环节。进入新时期,党中央反复强调要通过加强和完善法制来改进党的领导方式和执政方式。实行依法治国,就是由党领导人民通过法定程序制定法律,把党和人民的主张变为国家的意志和全社会的准则;使党的各级组织和广大党员尤其是领导干部,带头遵守、维护宪法和法律的权威,在宪法和法律范围内活动,严格依法办事;使各级党组织通过法定程序,向各级国家机关推荐具有较高素质的合格干部,并对他们进行严格的监督,从而保证依法行政、严格执法、公正司法。实行依法治国,提高党的执政水平,可以极大地巩固党的执政地位。

实行依法治国,是坚持执政为民的根本保证。坚持执政为民,是贯彻"三个代表"重要思想要求的本质所在。只有依法治国,使体现人民意志的法律得到正确实施,执政为民才能落到实处。坚持执政为民,实行依法治国,就要严格地按照广大人民群众的根本利益来起草、制定、实施法律,使法律真正体现最广大人民的意志;就要依法处理和制裁违法行为,运用法律约束权力,防止人民赋予的公共权力转化为个人权力,处理好国家机关与人民群众的关系,消除官僚主义及各种消极腐败的现象,保护人民的利益。实行依法治国,必须依法行政、公正司法。依法行政,要求建立严格的行政执法制度,以保证直接调整公民权利与义务关系的行政行为在法律规定的范围之内进行。一切行政机关及其工作人员,必须明确行政权由法律赋予,严格按照法律赋权,依据法定程序行政,确保行政权力不被滥用,公民权利不被侵害。公正司法,要求体现人民意志的法律得到正确、公正的实施。法制是制约权力、防止腐败的有效机制。只有司法机关独立行使司法权,维护司法公正,严把法律正确实施的关口,才能使正当的公民权利得到合理的司法保护。

第四节　胡锦涛司法理论

一、保持中国共产党的先进性,提高执政能力

自十届人大一次会议以来,我们在以胡锦涛为总书记的党中央的领导下,经济发展稳步前进,社会文明程度进一步提高,各项社会制度日趋完善。在国家司法权行使和司法制度建设中,保持中国共产党的先进性,提高执政能力,是胡锦涛总书记的重要思想,在全国规模的保持共产党员先进性教育活动中得到了充分的贯彻和执行。

五十多年前,毛泽东提出的"两个务必",即"务必要保持谦虚谨慎、戒骄戒躁的作风,务必保持艰苦奋斗的作风"的重要警示,使我们党在巨大胜利面前保持了清醒的头脑,全党"进京赶考"取得了满意的成绩。现在,历史进入了新的世纪,我们面临的任务是开创中国特色社会主义建设的新局面。胡锦涛总书记把这一伟大而艰巨的事业比做"考试的继续",因此,他告诫全党要牢记"两个务必",励精图治,坚持发扬艰苦奋斗的优良作风,以此来指导包括司法制度在内的各个方面的工作。重温"两个务必",就要牢记全心全意为人民服务的宗旨,始终不渝地为最广大人民谋利益。"三个代表"重要思想的出发点和归宿是代表最广大人民的根本利益,而"两个务必"作为党的优良传统和作风,其本质也正是始终保持党与人民群众的血肉联系。权为民所用,即执政为民,体现了社会历史发展规律和唯物史观的本质要求,反映了当今时代发展潮流的基本趋势。牢记"两个务必",实践"三个代表"重要思想,同样是新时期司法制度建设和司法改革的出发点和归宿。

胡锦涛认为,在社会主义初级阶段,在我国现代化建设的新时期,如何保证共产党的执政党地位,提高共产党的执政能力是具有世界意义的重大理论问题和现实问题。要结合保持共产党员先进性教育活动,进一步加强政法队伍建设,强化执法监督,健全监督制约机制,保证司法权的正确行使。要积极稳妥地推进司法体制改革,逐步从体制上解决司法权行使不力、司法不公等问题,在中国共产党的领导下,提高保障社会公平正义的能力,促进社会和谐稳定。

二、加强基层民主建设,强调和谐发展

坚持民主与法制,坚持依法治国是法制国家的必由之路。胡

锦涛在中共中央政治局第十二次集体学习时指出,改革发展稳定的任务越是繁重,越要增强依法治国、依法执政的自觉性和坚定性,越要注重维护法制的统一和尊严,依法处理和解决各种矛盾和问题,引导和规范各种社会行为,为全面建设小康社会、不断开创中国特色社会主义事业新局面提供有力的法制保证。坚持依法治国、依法执政,对我们党贯彻落实"三个代表"重要思想,团结带领全国各族人民实现全面建设小康社会的宏伟目标,推动社会主义物质文明、政治文明和精神文明的协调发展,实现国家的长治久安,具有十分重要的意义。坚持依法治国、依法执政,关键是要适应全面建设小康社会的要求,抓住制度建设这个重要环节,推进建设社会主义法治国家的进程,不断实现经济、政治、文化和社会生活的法律化、制度化。

坚持走法制国家的道路,必须把加强基层民主建设与社会和谐发展结合起来。胡锦涛多次强调,要坚持和完善社会主义民主的各项制度,丰富民主形式,发展基层民主,扩大公民有序的政治参与强调社区和村委会人民调解的法律意义,保证人民依法实行民主选举、民主决策、民主管理、民主监督。要适应社会主义市场经济发展、社会全面进步的需要和中国加入世贸组织后的新形势,大力加强立法工作,提高立法质量,特别是要进一步建立健全市场主体和中介组织法律制度、产权法律制度、市场交易法律制度、信用法律制度,以及有关劳动、就业和社会保障等法律制度,加快形成中国特色社会主义法律体系。要坚持以人为本、全面、协调、可持续的发展观,在立法工作中体现统筹城乡发展、统筹区域发展、统筹经济社会发展、统筹人与自然和谐发展、统筹国内发展和对外开放的要求。

2006 年 3 月 4 日,胡锦涛参加全国政协民建、民进联组会时,强调要引导广大干部群众树立社会主义荣辱观,坚持以热爱祖国为荣、以危害祖国为耻,以服务人民为荣、以背离人民为耻,以崇尚科学为荣、以愚昧无知为耻,以辛勤劳动为荣、以好逸恶劳为耻,以团结互助为荣、以损人利己为耻,以诚实守信为荣、以见利忘义为耻,以遵纪守法为荣、以违法乱纪为耻,以艰苦奋斗为荣、以骄奢淫逸为耻。其八荣八耻的荣辱观为和谐社会和基层民主建设奠定了道德基础。

三、积极推进司法体制改革和宪政建设

党的十六大提出了推进司法体制改革的目标和任务。胡锦涛一贯强调,要积极推进司法体制改革,强化司法监督,维护司法公正,提高执法水平,确保法律的严格实施,保障在全社会实现公平和正义。2004 年 12 月,中共中央转发了《中央司法体制改革领导小组关于司法体制和工作机制改革的初步意见》,提出了我国司法体制改革的指导思想、目标任务、工作原则和改革内容,提出了若干具体意见,为我国的宪政建设奠定了有力的基础。

人民代表大会制度是我国的根本制度,人大制度在我国国家生活中有重要的地位和作用,是体现人民当家作主、实施依法治国的基本方略。2005 年 5 月,中共中央转发了《中共全国人大常委会党组关于进一步发挥全国人大代表作用,加强全国人大常委会制度建设的若干意见》,增强了人大制度和人民代表建设法治国家的使命感、责任感和自觉性。胡锦涛强调指出,要进一步加强各项监督制度建设,把党内监督、专门机关监督、群众监督和舆论监督紧密结合起来,保证把人民赋予的权力真正用来为人民谋利益。要进一步加大以宪法为核心的法制宣传教育的力度,提高全民特别是各级领导干部和国家机关工作人员的宪法意识和法制观念。

　　坚持依法治国、依法执政,是新形势、新任务对我们党领导人民更好地治国理政提出的基本要求,也是提高党的执政能力的重要方面。胡锦涛号召全党同志特别是各级领导干部都要切实增强法制观念,带头学法守法,在全党全社会营造依法执政、依法治国、依法办事的良好氛围。各级领导干部要努力提高依法执政、依法行政、依法办事的能力,自觉地在宪法和法律的范围内活动,反腐倡廉,强化纪律检查工作。越是工作重要,越是事情紧急,越是矛盾突出,越要坚持依法办事。要善于运用法律手段促进经济的繁荣发展和社会的全面进步,管理经济和社会事务,妥善处理人民内部矛盾和其他社会矛盾,切实维护广大人民群众的权益。要加强学习和研究,不断解决依法治国、依法执政实践中的新情况、新问题,努力从理论和实践的结合上回答推进依法治国、依法执政提出的重大理论和现实问题,更好地带领广大人民群众为全面建设小康社会、和谐社会而奋斗。

第十四章　侦查制度

　　我国人民政府的各级公安机关、国家安全机关和人民检察院是国家法律规定的侦查机关,三者有明确的侦查管辖分工。以上国家侦查机关和刑事警察有权"侦查违法犯罪活动"。

　　侦查是指国家有权机关和刑事警察的专门调查工作和相应的强制措施,具有公开、合法、独立、强制等法律特征。

　　我国法律对侦查过程中的受案、立案、侦破、预审、移送起诉等各个阶段都规定了严格的程序规则。对侦查过程中的讯问、询问、搜查、检查、勘验、扣押、鉴定、通缉、拘留、逮捕、搜集证据和证据证明等都有严格的制度要求。

　　我国法律对于刑事警察的资格条件、奖惩晋升、道德纪律等做了严格规定。

第一节　侦　查

一、侦查的概念与特征

　　侦查作为国家同犯罪行为作斗争的重要手段,其核心是侦查权,即侦查主体依法收集证据,揭露和证实犯罪,查获犯罪嫌疑人,并实施有关强制措施的权力。侦查权和检察权、审判权同为国家司法权力的重要组成部分。侦查权是国家赋予执法机关的一种具有国家强制力的权力,由法定的国家司法机关行使。

侦查是指公安、国家安全、人民检察院、军队保卫部门、监狱和海关等有权机关在办理案件过程中,依照法律进行的专门调查工作和采取的有关强制性措施。

侦查具有以下法律特征:

1. 国家专门机关的专门调查工作

侦查的主体是法定的特殊主体,具有专一性。主要是特设的公安机关和国家安全机关对刑事案件进行侦查工作。检察机关仅对直接管理的国家工作人员贪污渎职等案件进行侦查。

2. 侦查是刑事诉讼中的一个独立程序

侦查的性质是刑事诉讼行为,其对象、客体都具有确定性。侦查是法律概念,侦查的对象只能是犯罪事实;侦查的客体必须是刑事案件中的公诉案件,即由公安机关、国家安全机关、检察机关立案管辖的刑事案件。

3. 合法性

侦查活动必须严格按照刑事诉讼法的规定进行。检察机关的任务之一是专门监督侦查活动是否合法。

4. 强制性

侦查机关在办理案件中,除依法进行专门调查工作外,还有权依法采取有关的强制性措施,如拘传、取保候审、监视居住、拘留和逮捕等。在"专门调查工作"中,一般也带有一定程度的强制性,如扣押物证、书证,搜查犯罪嫌疑人的人身、物品、住处,通缉犯罪嫌疑人等,其强制性就十分明显。

5. 公开性

侦查是侦查机关依照刑事法律所进行的诉讼行为,是依照法定程序所进行的公开措施,具有公开性。公开、公正、公平应是司法人员包括侦查人员在内所必须遵循的原则。

二、侦查的基本原则

侦查工作的基本原则是侦查人员必须遵守的活动准则。为了保证准确、及时地查明犯罪事实,侦查工作应遵守以下几项原则:

(一)迅速及时

侦查工作是时间性很强的工作。犯罪分子作案后总是力图消灭罪证,逃避侦查,犯罪现场上的痕迹和物证,往往会受到犯罪分子的破坏,或其他不知情的群众导致的变化或发生其他变化。所以,案件发生后,侦查人员一定要抓住时机,以最快的速度开展侦查活动,趁现场还没遭到破坏、罪犯还没远逃、物证尚未毁灭、赃物尚未转移、证人记忆犹新等有利时机,及时查明案情,迅速开展侦查活动,及时发现和收集证据,揭露犯罪,证实犯罪,查获罪犯。将犯罪嫌疑人捕获归案后,抓紧侦讯,进一步收集证据,以查清全部的犯罪事实。

(二)客观全面

侦查人员不仅要迅速及时地进行侦查,而且还要实事求是、客观全面,忠实于事实真相,必须全面收集证据,凡是能够证明犯罪嫌疑人有罪或无罪、罪重或罪轻的各种证据都要收集,对有罪供述和无罪辩解都要认真听取。要重证据,重调查研究,全面客观地分析案情,查实证据。

(三)遵纪守法

侦查人员必须树立坚定的法制观念,具备强烈的法律意识,严格依法办案,才能查清犯罪事实,查明犯罪分子。这里所谓依法,即必须严格遵守刑事诉讼法的规定、特别是侦查程序制度的规定;

正确采取强制措施;保护当事人的诉讼权利;不得非法搜查和拘禁;要严禁刑讯逼供和以威胁、利诱、欺骗以及其他非法手段收集证据。如果对侦查权使用不当或者加以滥用,就有可能放纵犯罪分子,或者侵犯公民的人身权利、民主权利和其他合法权益,甚至造成冤枉无辜的严重后果。

(四)依靠群众

侦查工作应实行侦查机关的专门工作与依靠群众相结合的原则。任何犯罪分子都生活在群众之中,其犯罪活动不可避免地要留下蛛丝马迹,为群众所察觉。侦查人员只有深入群众,调查研究,才能发现犯罪线索,收集有关证据,并在群众协助下捕获犯罪嫌疑人,适时破案。反之,如果脱离群众,关门办案,即使有先进的科技手段,也难以完成侦查任务。

(五)保守机密

侦查工作如涉及国家的安全和人民的利益,具有机密性,应保守机密。否则,就会使侦查工作陷入被动或使国家和人民受到损失。另外,如侦查工作接触到当事人的个人隐私问题,也应为其保密。在破案前还须为检举人保密。这些都属于保密原则的范围。

其他,如分工制约原则、接受检察院法律监督、适用法律平等、侦查人员回避、公安机关之间协作以及国际刑事司法协助等原则都是侦查工作必须遵循的原则。

三、侦查的工作制度

(一)受案、立案制度

公安机关对于公民扭送、报案、控告、检举或者犯罪嫌疑人自首的,都应当立即接受,问明情况,并制作笔录,经确认无误后,应签名盖章,必要时还可录音。应保障扭送人、报案人、控告人、检举人及其近亲属的安全。对受理的案件要迅速进行审查。经过审查,认为有犯罪事实需要追究刑事责任,且属于自己管辖的,便制作《刑事案件立案报告书》,经县以上公安机关负责人批准,予以立案。对疑难、复杂、重大案件决定立案的,应拟定侦查方案,视案情需要而采取必要的措施。

(二)侦查程序制度

公安机关对已经立案的刑事案件,应进行侦查,全面、客观地收集、调取犯罪嫌疑人有罪或者无罪、罪轻或者罪重的证据材料,并予以审查核实。根据需要采用各种侦查手段和措施,但必须严格依照法定的条件和程序进行。

一般而言,侦查有两个阶段:

1. 侦破阶段

侦破阶段是指侦查部门收集证据、查清主要犯罪事实和查获罪犯的阶段。这个阶段从发现犯罪或犯罪线索后的立案开始,通过侦查活动,确认犯罪分子或有犯罪重大嫌疑的分子,直到对犯罪嫌疑人依法采取强制措施为止。

2. 预审阶段

预审阶段是指预审部门对已被采取强制措施的犯罪嫌疑人进行审讯的阶段。这个阶段从依法对犯罪嫌疑人采取强制措施开始,通过审讯犯罪嫌疑人,核实证据和进一步收集证据,全面查明案件事实,确认犯罪嫌疑人有罪无罪、罪重或罪轻,直到将案件移送人民检察院审查决定应否追究其刑事责任或由公安机关撤销案件作其他处理为止。

关于侦破、预审工作的要求:

第一,查明犯罪嫌疑人的全部犯罪事实;第二,查清同案犯及其相互之间的联系;第三,保障无罪的人不受刑事追究;第四,对罪证确凿的犯罪嫌疑人进行认罪服法、改恶从善的教育。

四、侦查措施

(一)讯问犯罪嫌疑人

对于不需要拘留、逮捕的,可传唤来讯问。传唤持续的时间不得超过 12 小时。不得以连续传唤的形式变相拘禁犯罪嫌疑人。讯问时,侦查人员不得少于 2 人。

(二)询问证人、被害人

侦查人员应当个别进行询问,并应当出示公安机关的证明文件或者侦查人员的工作证件。询问未成年的证人、被害人,可以通知其法定代理人到场。凡涉及证人、被害人的隐私,应当保守秘密。

(三)勘验、检查

侦查人员对于与犯罪有关的场所、物品、人身、尸体都应当进行勘验或者检查,利用各种技术手段,及时提取与案件有关的痕迹、物证。在必要时,可指派或聘请具有专门知识的人,在侦查人员的主持下进行勘验、检查。

(四)搜查

经县级以上公安机关负责人批准,侦查人员可以对犯罪嫌疑人以及可能隐藏罪犯或者犯罪证据的人的身体、物品、住处和其他有关地方进行搜查。

(五)扣押物证、文件

执行扣押物品、文件的侦查人员不得少于 2 人,并持有有关法律文书或者侦查人员工作证件,当场查点清楚,并开列《扣押物品、文件清单》。

（六）鉴定

鉴定人应当按照鉴定规则，运用科学方法进行鉴定。写出鉴定结论，并签名或者盖章。侦查人员认为鉴定结论不确切或有错误，经批准可补充鉴定或重新鉴定。

（七）通缉

应当逮捕的犯罪嫌疑人如果在逃，公安机关可以发布通缉令，采取有效措施，追捕归案。

（八）拘留、逮捕

公安机关对于现行犯或者重大嫌疑分子，如果有下列情形之一的，可以先行拘留：（1）正在预备犯罪、实行犯罪或者在犯罪后即时被发觉的；（2）被害人或者在场亲眼看见的人指认他犯罪的；（3）在身边或者住处发现有犯罪证据的；（4）犯罪后企图自杀、逃跑或者在逃的；（5）有毁灭、伪造证据或者串供可能的；（6）不讲真实姓名、住址，身份不明的；（7）有流窜作案、多次作案、结伙作案重大嫌疑的。

公安机关对于被拘留的人应当在 24 小时以内通知其家属或所在单位，并进行讯问。如认为需要逮捕的，应当在拘留后的 3 日以内，提请检察机关审查批准。在特殊情况下，提请审批的时间可以延长 1 至 4 日。对于流窜作案、多次作案、结伙作案的重大嫌疑分子，提请审批的时间可以延长至 30 日。

公安机关对有证据证明有犯罪事实，可能判处徒刑以上刑罚的犯罪嫌疑人，采取取保候审、监视居住等方法，尚不足以防止发生社会危险性，而有逮捕必要的，应当提请检察机关批准予以逮捕。公安机关执行逮捕，必须出示逮捕证。逮捕后，应当在 24 小时以内进行讯问，并通知被捕人的家属或其所在单位。在发现不应当逮捕的时候，必须立即释放，发给释放证明。

(九)移送起诉

公安机关对犯罪嫌疑人逮捕后的侦查羁押期限不得超过2个月。案情复杂、期满不能终结的案件,可以报经上一级人民检察院批准延长1个月。公安机关侦查终结的案件,对于犯罪事实清楚,证据确实、充分,犯罪性质和罪名认定正确,法律手续完备,依法应当追究刑事责任的,应当制作《起诉意见书》,经县级以上公安机关负责人批准后,连同案卷材料、证据,一并移送同级人民检察院审查决定。

(十)搜集证据

侦查意义上的收集证据包括发现证据、固定和提取证据、检验证据三个方面的内容。所谓发现证据,是指侦查人员在侦查破案的过程中,采取有效的策略方法和技术手段,及时、准确地找到能够证明案件真实情况的事实。所谓固定和提取证据,就是将已发现的事实材料,通过照相、绘图、制作模型、制作笔录以及录音、录像等方法,加以固定和提取下来,使其在刑事诉讼中能够起到证据的作用。所谓检验证据,就是对已经提取到的各种证据材料进行检验和审查判断,鉴别其真伪,确定其可靠程度,查明其相互关系。证明案件真实情况的一切事实,都是证据,它包括以下七种:(1)物证、书证;(2)证人证言;(3)被害人陈述;(4)犯罪嫌疑人的供述和辩解;(5)鉴定结论;(6)勘验、检查笔录;(7)视听资料。各种证据,只有经过查证属实,才能作为定案的根据。所谓"事实是根据",实则证据才是根据。

侦查人员必须严格依照法定程序,收集能够证实犯罪嫌疑人有罪或者无罪、犯罪情节轻重的各种证据。严禁刑讯逼供或以威胁、引诱、欺骗以及其他非法的方法收集证据。

第二节 侦查机关

一、公安机关和国家安全机关

我国的侦查机关主要是公安机关、国家安全机关。

我国公安机关和国家安全机关是人民政府的一个职能部门，是国家机器的重要组成部分，掌握国家的强制力。它既是国家的治安保卫机关，又是国家的刑事侦查机关。所谓"治安保卫机关"，是指公安机关和国家安全机关运用国家政权的行政力量和武装警察力量，依法对社会治安和国家安全进行管理和保卫，以维护社会秩序、生产秩序、工作秩序、教学和科研秩序以及人民大众的生活秩序，保障社会生活各方面进行有序的活动，保卫国家主权和安全。所谓"刑事侦查机关"，是指公安机关运用国家赋予的侦查权，依法对其管辖的刑事案件进行侦查，揭露犯罪，证实犯罪，查获罪犯，依法追究其刑事责任，以保障国家和人民的安全。

公安机关依法管理社会治安，行使国家的行政权，属于行政职能，这不属于司法制度的范畴。公安机关依法侦查刑事案件，行使国家的侦查权，属于司法职能，从这个意义上说，公安机关又是国家司法机关的一个重要部门。因此，公安机关的性质具有双重属性，即既有行政性又有司法性。

我国公安机关的组织体系是：国务院设公安部，各省、自治区、直辖市设公安厅（局），地区、自治州设公安处，省辖市和自治区辖市设公安局，县、自治县设公安局，城市区设公安分局，城市街道和县属区、乡、镇设公安派出所或公安特派员。在铁路、交通、民航、林业系统设公安局（处），在军队系统设保卫机构。

1983 年 6 月，第六届全国人民代表大会第一次会议决定在国务院成立国家安全部;同年7月1日,国家安全部正式成立;同年9月2日,第六届全国人民代表大会常务委员会第二次会议通过了《关于国家安全机关行使公安机关的侦查、拘留、预审和执行逮捕的职权的决定》。其中明确规定:"国家安全机关承担原由公安机关主管的间谍、特务案件的侦查工作,是国家公安机关的性质,因而国家安全机关可以行使宪法和法律规定的公安机关的侦查、拘留、预审和执行逮捕的职权。"这是国家安全机关开展工作的法律依据,它明确了国家安全机关的性质任务和职权,也明确了它的法律地位。

人民检察院对于国家工作人员刑事犯罪行为也拥有侦查权。

二、侦查的分工和管辖

关于公安机关直接受理的刑事案件的范围,按照《刑事诉讼法》的规定,刑事案件的侦查由公安机关进行,法律另有规定的除外。即除贪污贿赂犯罪,国家机关工作人员的渎职犯罪,国家机关工作人员利用职权实施的非法拘禁、刑讯逼供、暴力取证、报复陷害、非法搜查的侵犯公民人身权利的犯罪以及侵犯公民民主权利的犯罪,监管人员殴打、体罚虐待被监管人员的犯罪、国家机关工作人员利用职权实施的其他重大的犯罪案件,以及自诉案件以外,其他刑事案件一律由公安机关负责侦查。危害国家安全的犯罪案件由国家安全机关立案侦查;军队内部的犯罪案件,由军队保卫机关侦查;在监狱服刑的罪犯的犯罪,由监狱进行侦查。

对人民法院直接受理的被害人有证据证明的刑事案件,因证据不足驳回自诉,可以由公安机关受理并移交的,公安机关应当受理。

关于检察机关直接受理的刑事案件的范围,刑事诉讼法修改后为贪污贿赂犯罪,国家工作人员的渎职犯罪,国家机关工作人员利用职权实施的非法拘禁、刑讯逼供、报复陷害、非法搜查的侵犯公民人身权利的犯罪以及侵犯公民民主权利的犯罪,由人民检察院立案侦查。由国家机关工作人员利用职权实施的其他重大的犯罪案件,需要由人民检察院直接受理的时候,经省级以上人民检察院决定,可以由人民检察院立案侦查。

依法由公安机关进行侦查的刑事案件,由犯罪地的公安机关管辖。几个公安机关都有权管辖的案件由最初受理的公安机关管辖,也可由主要犯罪地的公安机关管辖。涉及检察机关管辖的案件,视涉嫌主罪而定侦查管辖,互相配合或移送。公安机关和军队互涉刑事案件,以犯罪主体而定侦查管辖,加强协作或者移送,另有具体规定。

公安机关是国家的专门侦查机关,其司法任务就是行使侦查权。《刑事诉讼法》规定,刑事诉讼的任务是保证准确、及时地查明犯罪事实,正确应用法律,惩罚犯罪分子,保障无罪的人不受刑事追究,教育公民自觉遵守法律,积极同犯罪行为作斗争,以维护社会主义法制,保护公民的人身权利、财产权利、民主权利和其他权利,保障社会主义建设事业的顺利进行。这是公安、检察、法院三机关共同的任务,也是刑事诉讼法规定的公安、检察、法院三机关在刑事诉讼中分工负责、互相配合、互相制约的原则。三机关的分工是按《刑事诉讼法》第 3 条规定:"对刑事案件的侦查、拘留、执行逮捕、预审,由公安机关负责。检察、批准逮捕、检察机关直接受理的案件的侦查、提起公诉,由人民检察院负责。审判由人民法院负责。除法律特别规定的以外,其他任何机关、团体和个人都无权行使这些权力。"强调公、检、法三机关必须严格遵守《刑事诉讼法》。

第三节　刑警制度

一、刑警法律法规

　　刑警是人民警察的重要组成部分,作为警察的主要警种,是侦查的主要力量,《人民警察法》第6条规定了人民警察的十四项职责,第一项就是"预防、制止和侦查违法犯罪活动"。当今世界各国,没有哪一个国家能够离得开警察。警察活动、特别是刑事警察的工作,直接反映了一个国家的法治状况和文明发展水平。

　　我国于1957年6月25日公布了《中华人民共和国人民警察条例》。随着改革开放的新形势,为加强人民警察队伍建设,于1995年2月28日第八届全国人民代表大会常务委员会通过了《中华人民共和国人民警察法》。该法共8章52条,规定得较全面具体。为了与《人民警察法》相配套,与当时《国家公务员暂行条例》相衔接,公安部相继制定了《公安机关人民警察录用办法》、《公安机关人民警察辞退办法》、《公安机关警务督察工作规定》等。1992年7月1日第七届全国人民代表大会常务委员会第二十六次会议通过了《中华人民共和国人民警察警衔条例》;1996年1月16日国务院公布了《中华人民共和国人民警察使用警械和武器条例》。这些法律、条例、规章的制定和颁布,对于加强人民警察队伍建设、提高人民警察素质、强化人民警察队伍管理、推进人民警察现代化、法制化建设,具有重要意义。

二、刑警规范

(一)刑警资格

　　根据《人民警察法》第26条规定,担任人民警察应当具备下列条件：

 1. 年满 18 周岁的公民；

 2. 拥护《中华人民共和国宪法》；

 3. 有良好的政治、业务素质和良好的品行；

 4. 身体健康；

 5. 具有高中毕业以上文化程度；

 6. 自愿从事人民警察工作。

根据《人民警察法》第 28 条规定，担任人民警察领导职务的人员，应当具备下列条件：

 1. 具有法律专业知识；

 2. 具有政治工作经验和一定的组织管理、指挥能力；

 3. 具有大学专科以上学历；

 4. 经人民警察学校培训，考试合格。

有下列情形之一的，不得担任人民警察：

 1. 曾因犯罪受过刑事处罚的；

 2. 曾被开除公职的。

录用人民警察，必须按照国家规定，公开考试，严格考核，择优选用。

（二）刑警晋升

刑警的晋升和其他人民警察一样，按照警衔制度晋升。

根据《中华人民共和国人民警察警衔条例》规定，人民警察警衔设五等十三级：(1) 总警监、副总警监；(2) 警监：一级、二级、三级；(3) 警督：一级、二级、三级；(4) 警司：一级、二级、三级；(5) 警员：一级、二级。担任专业技术职务的人民警察的警衔，在警衔前冠以"专业技术"。担任行政职务的人民警察实行职务等级编制警衔，分为部、厅、处、科、办事员等十级，并按正、副职务编制警衔。

（三）刑警纪律

《人民警察法》第22条规定，人民警察不得有下列行为：

（1）散布有损国家声誉的言论，参加非法组织，参加旨在反对国家的集会、游行、示威等活动，参加罢工；（2）泄露国家秘密、警务工作秘密；（3）弄虚作假，隐瞒案情，包庇、纵容违法犯罪活动；（4）刑讯逼供或者体罚、虐待人犯；（5）非法剥夺、限制他人人身自由，非法搜查他人的身体、物品、住所或者场所；（6）敲诈勒索或者索取、收受贿赂；（7）殴打他人或者唆使他人打人；（8）违法实施处罚或者收取费用；（9）从事营利性的经营活动或者受雇于任何人或者组织；（10）玩忽职守，不履行法定义务；（11）其他违法乱纪行为。

同时，还规定人民警察必须做到：（1）秉公执法，办事公道；（2）模范遵守社会公德；（3）礼貌待人，文明执勤；（4）尊重人民群众的风俗习惯。

第十五章 检察制度

我国宪法和法律赋予各级人民检察院行使法律监督权,即对侦查机关、审判机关、刑事判决裁定的执行机关的适用法律和执行法律予以专门的司法监督。这种监督具有主动性、专门性、合法性、强制性和普遍性。

人民检察院行使法律监督权,体现了我国司法主权,统一、独立、平等行使检察权,与国家审判权、侦查权分工负责、相互制约,以事实为根据,以法律为准绳的基本原则。

人民检察院行使检察权,法律监督权,体现在四个方面:第一,对国家的侦查行为监督;第二,对公务人员的廉政进行监督;第三,对国家审判权力行使监督;第四,对我国的刑事判决执行狱政、监所施以监督。

我国法律关于检察院的设置,对检察院办案程序和检察官的资格条件、道德纪律等都作了严格规定。

第一节 检 察

一、检察权的概念与特征

检察权是一种法律监督权。《宪法》第 129 条规定,"中华人民共和国人民检察院是国家的法律监督机关",行使《人民检察院组织法》第五条规定的检察权：对于叛国案、分裂国家案以及严重破坏国家的政策、法律、法令、政令统一实施的重大犯罪案件，行使检察权。对于公安机关侦查的案件，进行审查，决定是否逮捕、起诉或者免予起诉。对于公安机关的侦查活动是否合法，实行监督。对于人民法院的审判活动是否合法，实行监督。对于刑事案件判决、裁定的执行和监狱、看守所、劳动改造机关的活动是否合法，实行监督。

综上，检察权作为法律监督权而言，就是"司法监督"。有人把检察权解释为"法律实施监督权"，"法律实施"既可以是"法律适用"，也可以是"法律遵守"，既可以是特指、既定的法律机关，也可以包括一般的法人、组织和公民。我们认为，检察院的"法律监督权"是指"法律适用监督权"，具体就是对能够实行"法律适用"的特定的公安局、人民法院和司法局狱政、监所部门实施的法律监督，对这些司法机关的适用法律的司法行为进行监督。

人民检察院的法律监督性质和作用，决定了它有如下法律特征：

（一）主动性

人民检察院是国家的法律监督机关，对法律的执行、遵守情况实行监督，它是国家为维护法制统一和法律的正确实施而赋予检察机关的一种特定的权力。这是根据我国的国家制度和政治制度，从国情出发就检察机关的性质所作出的法律规定，也是检察机关区别于其他国家机关的本质特征。例如，检察机关与审判机关同是国家的司法机关，但二者活动却有一个显著的不同点，一个是主动性，一个是被动性。检察工作主动追诉罪犯，纠正违法；而法院工作则被动受理案件，适应原告要求。主动检察违法，古今中外,概莫例外。

（二）专门性

人民检察院以法律监督为其专门职责,它不担负法律监督以外的其他任何职能,也不是把法律监督作为兼职或附带任务。这种专门性具有权威性、独立性,要求依法独立行使检察权,以维护法制的统一。

（三）普遍性

人民检察院作为法律监督的专门机关,应当监督一切法律的实施,监督所有国家机关、国家工作人员和一切公民遵守法律,它不允许任何组织和个人有凌驾于法律之上和超越于法律之外的特权。这就使检察机关的法律监督并不限于特定的对象,而是具有普遍性和广泛性。

（四）合法性

检察机关行使检察权,履行法律监督职责,首先要求自己率先垂范。公生明,严生威。检察机关行使检察权必须严格依法进行,切实做到合法化、规范化,要依据明确的法律规范进行监督活动,既不能越雷池一步,也不能稍有懈怠或疏忽。

（五）强制性

法律监督的强制性是由法律本身的强制性所决定的。人民检察院的法律监督由国家强制力保证实现,这表现在:一方面国家赋予其一定的司法权力,使其在守法监督上主动追诉罪犯,并在执法监督上又依法纠正其他司法机关的违法行为;另一方面国家赋予其采取一定强制措施的权力。检察机关在法律监督活动中依法所作的决定具有强制力,被监督者必须接受和执行,并在法定期限内作出回应。

二、检察的基本原则

检察工作的基本原则是检察官进行检察活动必须遵循的活动准则。根据宪法和有关法律规定,人民检察院活动的基本原则主要有:

(一)国家司法主权原则

司法主权即司法管辖权,是国家主权的重要组成部分。在我国主权范围内,外国人、无国籍人都必须遵守我国的法律法规及有关规定。

(二)人民检察院统一行使检察权原则

检察权由人民检察院统一行使,其他任何机关、社会团体和个人都无权行使这些权力。

(三)独立行使检察权原则

依法独立行使检察权是指人民检察院依照法律的规定,独立行使职权,不受任何行政机关、社会团体和个人的干涉。人民检察院抵制对检察工作的非法干涉,是为了捍卫社会主义法制的尊严,维护法律的统一、正确实施。人民检察机关自上而下的集中统一领导,是依法独立行使检察权的有力保障。

(四)司法平等原则

司法平等原则是"中华人民共和国公民在法律面前一律平等"的宪法原则在司法工作中的体现,是指司法机关和法律授权的专门组织在处理诉讼案件和非诉讼事件时,对一切公民、法人或者其他组织在适用法律上一律平等,不允许有超越法律的特权。实行这个原则,对有效地维护法律的统一和尊严、加强社会主义法制,具有重要的意义。

(五)"以事实为根据,以法律为准绳"的原则

在处理诉讼案件和非诉讼事件时,必须以客观存在的事实作为依据,不能以主观的想像或推测为依据。对实体问题和程序问题作出的决定,必须以法律为标准,做到有法必依、执法必严、违法必究。

"以事实为根据,以法律为准绳",是辩证的统一,是实事求是的思想路线、严肃执法的原则、高度的负责精神在人民司法工作上的反映。

(六)分工负责、互相配合、互相制约的原则

分工负责是指人民法院、人民检察院、公安机关在办理刑事案件中各自行使法定的职权,不能互相代替,更不能由一个机关来包办。互相配合是指三机关要密切协作,互通情况,互相支持。互相制约是指三机关依法互相监督,坚持原则,纠正错误。实行这个原则的重要意义在于:防止主观片面,保证准确有效地执行法律,防止滥用权力,切实保护公民的合法权益,从而有效地发挥司法机关的整体功能。

(七)使用民族语言文字原则

这项原则是指各民族公民都有权使用本民族的语言文字进行诉讼和非诉讼活动,司法机关和法律授权的专门组织应该采取有效的措施保障这项原则的贯彻实行。

使用民族语言文字原则是民族平等原则在司法工作中的体现。它有利于保障各民族公民平等地行使诉讼权利,有利于涉及少数民族司法活动的顺利进行,也便于各民族公民对司法工作的监督和便于各民族公民进行法制宣传教育。

(八)贯彻执行群众路线原则

人民检察院贯彻执行群众路线,必须坚持专门工作、专门机关与群众路线相结合,以专门工作为主。主要表现在:依靠群众,揭

露犯罪,检举罪犯;依靠群众,查明案情,核实证据;依靠群众,预防
违法犯罪;倾听群众意见,接受批评监督。

第二节　检察制度

　　我国的人民检察制度是指由国家法律规定的关于人民检察机
关的性质、任务、产生、职权、组织活动原则以及工作制度等法律规
范的总称。

　　我国人民检察制度是以人民民主专政理论为政治理论基础,
以列宁的法律监督理论为指导思想,以共产党的基本路线为指导
方针,结合我国社会主义民主与法制建设的实际需要而建立起来
的,并经人民代表大会决定而产生的法律制度。

　　我国《宪法》第 129 条和《人民法院组织法》第 1 条均规定:
"中华人民共和国人民检察院是国家的法律监督机关。"检察制度
是一种专门的法律监督制度。人民检察院是由国家权力机关产生
并赋予它行使检察权的专门的法律监督机关,检察制度由之而具
有专门、独和和宪法政治性质。不能把检察制度理解为一般的法
律监督制度,因为它扩大了检察制度的外延,忽视了检察监督与广
义的法律监督的区别。法律监督的含义,应是对法律的制定、执行
和遵守实行监督。检察监督只是对法律适用和国家公务人员犯罪
实行监督。在我国,根据宪法规定,对立法监督是国家权力机关的
职权,对执法和守法的监督包括国家权力机关的监督、党的监督、
人民群众的监督、社会舆论的监督和专门机关的监督。检察机关
的法律监督,则属于专门机关对专门机关、专门人员的专门监督,
它是法律监督体系中的一种专门法律监督。

　　对此,《人民检察院组织法》第 4 条规定的我国检察机关的任

务亦有说明:"人民检察院通过行使检察权,镇压一切叛国的、分裂国家的和其他反革命活动,打击反革命分子和其他犯罪分子,维护国家的统一,维护无产阶级专政制度,维护社会主义法律,维护社会秩序、生产秩序、工作秩序、教学科研秩序和人民群众生活秩序,保护社会主义的全民所有的合法财产、保护公民的人身权利、民主权利和其他权利,保卫社会现代化建设的顺利进行。""人民检察院通过检察活动,教育公民忠于社会主义祖国,自觉遵守宪法和法律,积极同违法犯罪行为作斗争。"

在我国,人民检察制度有如下内容:

一、侦查监督制度

(一)审查批捕

宪法规定,任何公民,非经人民检察院批准或者决定或者人民法院决定,并由公安机关执行,不受逮捕。禁止非法拘禁和以其他方法非法剥夺或者限制公民的人身自由,禁止非法搜查公民的身体。《刑事诉讼法》第 60 条规定,对有证据证明有犯罪事实,可能判处徒刑以上刑罚的犯罪嫌疑人、被告人,采取取保候审、监视居住等方法,尚不足以防止发生社会危险性,而有逮捕必要的,应即依法逮捕。

(二)审查起诉

人民检察院对公安机关侦查终结,移送起诉的刑事案件,必须认真进行审查,作出是否起诉的决定。人民检察院必须查明:(1)犯罪事实、情节是否清楚,证据是否确实、充分,犯罪性质和罪名的认定是否正确;(2)有无遗漏罪行和其他应当追究刑事责任的人;(3)是否属于不应追究刑事责任的;(4)有无附带民事诉讼;(5)侦查活动是否合法。

（三）对侦查活动的监督

对公安机关的侦查活动是否违法进行监督，主要内容包括：是否刑讯逼供或变相刑讯逼供或诱供骗供；侦查人员应否回避；对犯罪嫌疑人的羁押期限是否超过；等等。

二、廉政监督制度

廉政监督制度也被称之为"自侦制度"，指人民检察院直接受理的国家公务人员犯罪的立案侦查的制度。根据最高人民检察院1998年初制定的《关于人民检察院直接受理立案侦查范围的规定》，包括以下4类53种案件：

（一）《刑法》分则第八章规定的贪污贿赂犯罪及其他章中明确规定依照第八章相关条文定罪处罚的犯罪案件

贪污案；挪用公款案；受贿案；单位受贿案；行贿案；对单位行贿案；介绍贿赂案；单位行贿案；巨额财产来源不明案；隐瞒境外存款案；私分国有资产案；私分罚没财物案。

（二）《刑法》分则第九章规定的渎职犯罪案件

滥用职权案；玩忽职守案；国家机关工作人员徇私舞弊案；故意泄露国家秘密案；过失泄露国家秘密案；枉法追诉、裁判案；民事、行政枉法裁判案；私放在押人员案；失职致使在押人员脱逃案；徇私舞弊减刑、假释、暂予监外执行案；徇私舞弊不移交刑事案件案；滥用管理公司、证券职权案；徇私舞弊不征、少征税款案；徇私舞弊发售发票、抵扣税款、出口退税案；违法提供出口退税凭证案；国家机关工作人员签订、履行合同失职被骗案；违法发放林木采伐许可证案；环境监管失职案；传染病防治失职案；非法批准征用、占用土地案；非法低价出让国有土地使用权案；放纵走私案；商检徇私舞弊案；商检失职案；动植物检疫徇私舞弊案；动植物检疫失职案;放纵制售伪劣商品犯罪行为案;办理偷越国(边)境人员出入境证件案;放行偷越国(边)境人员案;不解救被拐卖、绑架妇女、儿童案;阻碍解救被拐卖、绑架妇女、儿童案;帮助犯罪分子逃避处罚案;招收公务员、学生徇私舞弊案;失职造成珍贵文物损毁、流失案。

(三)国家机关工作人员利用职权实施的下列侵犯公民人身权利和民主权利的犯罪案件

非法拘禁案;非法搜查案;刑讯逼供案;暴力取证案;虐待被监管人案;报复陷害案;破坏选举案。

(四)国家机关工作人员利用职权实施的其他重大的犯罪案件

需要由人民检察院直接受理的时候,经省级以上人民检察院决定,可以由人民检察院立案侦查。

人民检察院对上述53种案件立案侦查终结后,认为应当追究刑事责任的,向有管辖权的人民法院提起公诉;认为不构成犯罪的,应当撤销案件;认为虽不构成犯罪,但违反党纪、政纪需要处理的,则移送党政机关处理。

三、公诉制度

根据刑法和刑事诉讼法的规定,除少数亲告罪可以自诉外,实行公诉制度。凡需要公诉的案件,一律由人民检察院向有管辖权的人民法院提起公诉。对公安机关移送起诉的案件,一律由人民检察院进行审查,应当在一个月以内作出决定,重大、复杂的案件,可以延长半个月。经审查认为犯罪嫌疑人的犯罪事实已经查清,证据确实、充分,依法应当追究刑事责任的,向有管辖权的人民法院提起公诉。经审查,犯罪嫌疑人有法定情形的,人民检察院应当作出不起诉决定。

我们认为,公诉制度的设立,不利于检察机关行使法律监督权。

我国《人民检察院组织法》第 5 条第 4 款规定,对于刑事案件提起公诉。我们认为,对于法律规定由人民检察院直接受理、侦查的案件向人民法院提起公诉是应当的。但是,对于公安机关侦查的案件提起公诉则有越俎代庖之嫌。

公安机关侦查的案件结束后,一般会有三种结果:一是可以由公安机关作出并执行的行政处罚的治安案件。二是属于轻微犯罪的劳动教养案件。我们在其他文章中曾论证,该类案件应当由公安机关起诉,由人民法院适应简易诉讼程序处理,而不应由公安机关自己作出并执行。三是具有犯罪嫌疑,可以进行刑事处罚的案件,由于这类案件是由公安机关侦查终结的,公安机关必须对自己的行为负责任,由公安机关起诉较为妥当。也就是说,公安机关侦查的案件处理结果一般有三种状态:一是行政处理;二是轻罪处罚;三是刑事处罚。公安机关完全可以自己独立作出并承担起法律责任。

依据《人民检察院组织法》第 5 条第 3 款规定,人民检察院对于公安机关侦查的案件,进行审查,决定是否逮捕、起诉或者免予起诉。也就是说,人民检察院对于公安机关侦查的案件,在起诉到人民法院之前,已经进行过法律监督,以批捕、起诉、不起诉的法律形式定性分析并作出法律决定,而现行法律又让人民检察院提起公诉,岂不是重复监督?而且检察院自己把自己降低到侦查机关的当事人地位上,一旦有错,要和侦查机关一起承担错案的连带责任。

四、审判监督制度

人民检察院对人民法院的审判监督,分为刑事、民事、行政审判监督;还可分为程序性监督和实体性监督。

（一）刑事审判监督制度

1. 程序性监督

检察官出庭具有双重身份:一是以国家公诉人的身份,出庭支持公诉;二是以国家法律监督者的身份,出庭监督法庭的审判活动。

2. 实体性监督

这是指对错误的刑事判决和裁定提出抗诉。这又包括两种抗诉:一是二审程序的抗诉,一般把它称为"按照上诉程序的抗诉",即对本级人民法院的第一审刑事案件的判决和裁定确有错误的,应当在法定期限内向上一级人民法院提出抗诉。二是审判监督程序的抗诉。最高人民检察院对于各级人民法院已经发生法律效力的刑事判决和裁定,上级人民检察院对于下级人民检察院已经发生法律效力的刑事判决和裁定,如果发现确有错误,有权按照审判监督程序向同级人民法院提出抗诉。

（二）民事审判和行政审判监督制度

这也分为程序性监督和实体性监督。前者是指对法定审判活动的监督;后者是指对法庭的民事判决和裁定的监督,以及对法庭的行政判决和裁定的监督。同时,这也分为按二审程序的监督和按审判监督程序的监督。

五、对刑事判决的执行和监所监督制度

对执行死刑判决的监督。执行死刑时,必须派员临场监督,验明正身,防止错杀。

对监所执行刑罚的监督,包括减刑、假释、保外就医、监外执行、缓刑等是否违法的监督。

对看守所和劳动教养的活动是否违法进行监督。

第三节　人民检察院和检察官

一、人民检察院

(一)中国检察院的设置

根据宪法和法律规定,我国设最高人民检察院、地方各级人民检察院和军事检察院等专门人民检察院。这种自上而下的排列同人民法院自下而上的排列有显著的不同,反映了检察机关上下级是领导和被领导的关系及其集中统一的特点。为了维护国家法制的统一,检察机关必须一体化,必须具有很强的集中统一性。

我国宪法和人民检察院组织法规定:中华人民共和国设立最高人民检察院、地方各级人民检察院和军事检察院等专门人民检察院。

1. 最高人民检察院是国家最高检察机关,领导地方各级人民检察院和专门人民检察院的工作。

2. 地方各级人民检察院分为:

(1)省、自治区、直辖市人民检察院;(2)省、自治区、直辖市人民检察院分院,自治州、省辖市人民检察院;(3)县、自治区、市、市辖区人民检察院。

此外,省一级和县一级人民检察院,可以根据工作需要,经本级人民代表大会常务委员会批准,在工矿区、农垦区、林区等区域设置人民检察院,作为派出机构。

3. 专门人民检察院目前设有军事检察院和铁路运输检察院:

(1)军事检察院分为三级设置:中国人民解放军检察院;大军区级(包括大军区、空军、海军)军事检察院;基层(包括陆军军队、

海军舰队、大军区空军)军事检察院。(2)铁路运输检察院分两级
设置:铁路运输检察分院,设在铁路管理局所在地,由所在省、自治
区、直辖市人民检察院领导;基层铁路运输检察院,设在铁路分局
所在地。

(二)检察委员会

《人民检察院组织法》规定,检察长统一领导检察院的工作。
各级人民检察院设立检察委员会,实行民主集中制,在检察长的主
持下,讨论决定重大案件和其他重大问题。如果检察长在重大问
题上不同意多数人的决定,可以报请本级人民代表大会常务委员
会决定。

我国检察机关实行检察长负责制与检察委员会会议制相结合
的领导制度,是我国检察制度的重要特色之一。

(三)检察机关的领导体制

根据宪法和《人民检察院组织法》的规定,人民检察院的现行
领导体制是:最高人民检察院对全国人民代表大会及其常务委员
会负责并报告工作;地方各级人民检察院对本级人民代表大会及
其常务委员会负责并报告工作。最高人民检察院领导地方各级人
民检察院和专门人民检察院的工作,上级人民检察院领导下级人
民检察院的工作。这个领导体制的规定,总结了建国以来正反两
方面的经验,把法制统一原则和因地制宜原则结合起来,有利于检
察机关行使法律监督职能,是适合我国国情的正确规定,也是我国
检察制度的又一个重要特点。

(四)检察机关的组织机构

人民检察院的内部工作机构是根据法律监督的内容所形成的
业务分工机构。它包括刑事检察、经济检察、法纪检察、监所检察、
民事检察和行政检察等业务机构,特别是设立了反贪局,建立举报

中心。它是直接依靠群众同贪污、贿赂、渎职、侵权等犯罪行为作斗争,实行专门工作与群众路线相结合的有效形式。

二、检察官

检察官制度是指国家制定专门的法律对在检察机关中行使国家检察权的检察官依法进行科学管理的制度。它包括检察官职责、权利义务、资格条件、任免、考核、培训、奖惩、工资、福利、辞职、退休等一系列规定。全国的检察官法对检察官制度作了明确规定。

(一)检察官职责

根据《检察官法》第六条的规定,检察官的职权与职责主要有以下内容:

1. 依法进行法律监督工作;

2. 代表国家进行公诉;

3. 对法律规定由人民检察院直接受理的犯罪案件进行侦查;

4. 法律规定的其他职责。

(二)检察官的条件

1. 具有中华人民共和国国籍,即凡是中华人民共和国公民,又符合其他担任检察官的条件的,不论家庭出身、性别、种族,均可担任检察官。外国人或无国籍人不得担任中国检察官。

2. 年满 23 岁。这是担任检察官的最低年龄,检察官行使国家检察权,需要有相应的文化、知识、社会经验,因此,太年轻的人不适宜担任检察官。担任检察官的最低年龄限制在 23 岁,与人民检察院组织法的规定相一致,又符合大学毕业生一般的年龄。

3. 拥护《中华人民共和国宪法》。

4. 有良好的政治、业务素质和良好的品行。

5. 身体健康。检察官的职责和工作以及其社会形象,决定了身体健康是保证检察官能够正常工作、履行职责的必备条件,对于因健康原因长期不能履行职务的,应当免除其职务。

6. 高等院校法律专业毕业或者高等院校非法律专业毕业具有法律专业知识,工作满 2 年的;或者获得法律专业学士学位,工作满 1 年的;获得法律专业硕士学位、博士学位的,可以不受上述工作年限的限制。对于《检察官法》实施前的检察人员不具备上述规定条件的,应当接受培训,在规定的期限内达到法律规定的条件。

下列人员不得担任检察官:

1. 曾因犯罪受过刑事处罚的。检察官既是法律的执行者,又是法律的维护者。其自身必须首先是一个知法守法的楷模。所以,因犯罪受过刑事处罚的人没有资格担任检察官。否则就会有损于检察官的形象,影响到法律的威严。

2. 曾被开除公职的。凡被开除过公职者,行为上均有劣迹,表明这类人的思想道德水平极差,因而也不能担任检察官。

(三)检察官等级

根据《检察官法》的规定,以法律程序任命的检察官的级别为十二级。最高人民检察院检察长为首席大检察官。二至十二级分为大检察官、高级检察官、检察官。检察官等级的确定,以检察官所任职务、德才表现、业务水平、检察工作实绩以及工作年限为依据。

(四)检察官纪律

检察官不得有下列行为:散布有损国家声誉的言论,参加非法组织,参加旨在反对国家的集会、游行、示威等活动,参加罢工;贪污受贿,徇私枉法,刑讯逼供,隐瞒或者伪造证据;泄露国家秘密或者检察工作秘密;滥用职权,侵犯自然人、法人或者其他组织的合法权益;玩忽职守,造成错案或者给当事人造成严重损失;故意拖延办案,贻误工作;利用职权为自己或者他人谋取私利;从事经营性活动;私自会见当事人及其代理人,接受当事人及其代理人的请客送礼等违法乱纪行为。

　　检察官有以上行为者,应当给予处分:警告、记过、记大过、降级、撤职、开除。受撤职处分的,同时降低工资和等级。构成犯罪的,依法追究刑事责任。

第十六章　审 判 制 度

在我国,审判不特指初审法院的民事或刑事案件诉讼程序和判决,而是指人民法院的审理、判决和民事执行等有关行使国家审判权的所有活动,具有独立、中立、公平、公开终局、程序和被动等法律特征。

最近,我国确定了司法公正和效率的审判指导思想,体现了新时期的我国审判工作的良好的价值取向。

我国坚持统一、独立、中立和及时的审判原则;坚持公开、回避、辩护、合议、审判监督、两审终审、死刑复核、司法协助等审判制度。

我国《宪法》规定:"中华人民共和国人民法院是国家的审判机关。"我国人民法院的组织体系,由最高人民法院、地方各级人民法院、军事法院等专门人民法院构成。最高人民法院是最高审判机关,监督地方各级人民法院和专门人民法院审判工作。地方各级人民法院分基层人民法院、中级人民法院和高级人民法院。实行四级两审制。

我国法律关于人民法院的设置,对人民法院办案程序和法官的资格条件、道德纪律等都作了严格规定。

第一节　审　判

一、审判的概念与特征

审判(trial)有狭义和广义之分,《牛津法律大辞典》认为,审判是初审法院中民事或刑事案件诉讼程序的一般用语,常常包括审查证据,适用法律,法院就案件的争执点作出裁决。在其他各种诉讼程序中,审判程序则使用一些其他用语,例如,大法官在法院中的审判使用的是"审理"这一概念,这种审判往往通过附誓的书面陈述方式进行①。

我国没有区分审判在初审和上诉审判程序中的不同特点,而是笼统的沿用广义的概念:法院对案件所进行的所有审级的审理和判决的总称②。

不仅如此,审判还在广义上包括了民事强制执行。虽然审判是诉讼程序的中心阶段,但是,我国法院还拥有民事执行职能,法院在组织强制执行阶段,还在一定程度上审查已经生效的执行文书,民事诉讼法对此有相当的章节予以规定,具有相当的审判性质。而且,本书讲的是宏观上的司法制度,因此本章的审判概念的理解扩大到以判决为中心的整个过程的审理和执行的两个阶段。

人民法院的审判对比侦查、检察而言,具有如下明显不同的法律特征:

1. 被动性。人民法院应原告请求,被动的受理案件。

2. 独立性。人民法院审理案件作出判决,并对民事强制执行

---

① 《牛津法律大辞典》,光明日报出版社 1988 年版,第 897 页。
② 《法学辞典》(增订版),上海辞书出版社 1984 年版,第 590 页。

独立进行,并不受任何国家机关、组织和个人的干预,法官的地位、身份、意志、活动独立,正如马克思所讲法官的上司除了法律,再没有别的什么上司。

3. 中立性法官以中立的第三者地位平等对待双方当事人,不偏不倚、居中公平公正地依法裁决争议。

4. 普遍性。法院管辖一切公民,包括辖区内的外国人,毫无例外,实行强制管辖。

5. 终极性。又称终局性、最终性,指法院是解决争议的最后场所,其生效裁决为终局的,一事不再理。

6. 公正性。法院和法官维护社会公平和正义,是公平、正义的象征,以实现司法公正为神圣职责。

7. 程序性。司法程序要求严格,不得越雷池一步。法官不但追求实体公正,也同样追求程序公正,违反程序的裁决无效。

8. 公开性。法官让公民自由进出审判庭旁听审判,对依法不公开审理的案件也须公开宣判。

二、审判的指导思想

2004 年,最高人民法院把"司法公正与效率"确定为 21 世纪人民法院工作的主题,从而明确了人民法院审判的根本指导思想就是"司法公正与效率"。

(一)"司法公正与效率"指导思想确定的背景

"司法公正与效率"指导思想的确定,是对近年来中国司法改革与建设成就的高度概括和总结,是中国司法工作矛盾运动与发展的必然结果。

改革开放二十多年来,随着中国民主与法制建设的逐步恢复与发展,人民法院的整体工作取得了长足的进步。但是,随着人民法院改革和发展的不断深入,司法工作面临的深层次矛盾与困难也日益突出,这种矛盾与困难集中体现为司法需求的扩展性、司法评价尺度的多元性和司法资源的有限性,这三者之间相互影响、相互制约,对人民法院在新世纪更好地履行宪法和法律赋予的职能提出了严峻的挑战。

面对和解决人民法院发展进程中遇到的上述矛盾,必须全面审视和确立新形势下人民法院的司法价值取向。

(二)司法公正与效率的内涵

"司法公正与效率"的内涵集中体现为"有效率的司法公正"。司法公正应当包括实体公正、程序公正、历史公正和形象公正四个方面的内容。

坚持实体公正就是要忠实于宪法和法律,依法认定事实和正确适用实体法律,确保对诉讼当事人的实体权利和义务关系所作出的裁决的公平和公正。

程序公正是诉讼过程的公正。它要求诉讼活动的过程应充分满足和体现独立、公开、平等、中立、民主、权威、统一、及时和严明等多方面的要求。这种直观和可感受的诉讼过程的公正,既是实体公正的保证,又是现代社会追求诉讼正义和民主的重要内容,体现了时代的特征。

历史公正也是司法活动规律的要求。需要法官作出既符合法律的基本原则又符合广大人民群众对正义的评价标准,同时也符合社会历史发展客观规律的裁决,使办案的法律效果与社会效果有机地统一起来。这样的裁决价值观及其表现形式,有可能被将来的立法所确认。

司法的形象公正是司法裁决过程与结果作用于当事人和社会公众后对人民法院及其法官公正司法的主观感受。法官在审判中表现出的文明、公道和正直,其本身就是司法公正的组成部分。法官必须加强道德修养,以外在的形象公正来提升司法公正的公信度,进一步丰富司法公正的价值内涵。

司法效率具有独立性,也具有依附性。它是司法公正的内在要求和应有之义,也是实现司法公正的重要保障。迟到的公正也是不公正,有效率的司法公正才具有完整的价值内容。司法效率反对诉讼的过分迟延和司法资源的浪费,它要求在优化司法资源配置的同时实现诉讼过程的优化,加快办案进度,节约司法资源,实现最大程度的司法公正。

从"有效率的司法公正"这一标准来看,司法公正与司法效率既是一个统一的主题又各有明显不同的要求,两者相互结合,相辅相成,构成21世纪人民法院工作的完整价值取向。

(三)落实司法公正与效率指导思想的具体措施

"司法公正与效率"既是司法实践对司法价值的高度概括和总结,也是人民法院长期追求的价值目标。应采取以下措施,全面实现司法公正与效率价值的最大化:

第一,司法公正与效率的观念贯彻审判全过程。

"司法公正与效率"的价值实现,必须把"有效率的司法公正"这一价值追求贯穿到审判工作的全过程,作为法院工作的出发点和落脚点。

第二,坚持走改革创新之路。

实现"司法公正与效率"价值的最大化,必须继续走改革创新之路。改革是实现司法公正与效率价值的强大动力,只有大力推进法院改革,才能有效地解决法院工作面临的各种突出矛盾和问题,最大限度地实现司法公正与司法效率。

第三,强化法院工作现代化管理。

实现"司法公正与效率"价值的最大化,必须强化法院管理,实现管理创新,向管理要公正和效率。

第四,努力全面提高法官素质。

实现"司法公正与效率"价值的最大化,关键是建设一支高素质法官队伍。没有一支高素质的法官队伍,司法公正与效率的各项要求最终都会落空。

三、审判的基本原则

《宪法》和《人民法院组织法》以及《刑事诉讼法》、《民事诉讼法》和《行政诉讼法》等法律,对人民法院进行审判工作必须遵循的基本准则有明确的规定。

(一)独立审判原则

独立审判原则是指人民法院审理案件时依法独立行使审判权,不受任何组织和个人的干涉。

中国宪法规定:人民法院依照法律规定独立行使审判权,不受行政机关、社会团体和个人的干涉,这表明中国已经确立了司法机关独立的原则。司法机关独立不仅是我国宪法规定的原则也是世界各国遵循的原则。

司法独立是司法公正的基石,是人民法院公正履行审判职能的内在要求。司法的独立表现为司法机关的外部独立、内部独立、上下独立等多个方面。审判机关应自觉接受权力机关、上级法院、法律监督机关和社会公众的正常监督,保证司法的公正。

(二)中立审判原则

中立审判原则是指人民法院在审理案件时,必须保持中立,公平对待,居中裁判,以实现审判活动的公正。

审判的中立是在起诉方与辩护方之间的中立。为了确保审判的中立性,必须给予每一个诉讼主体平等的对待,严格实行辩护制度和回避制度,合理分解审判职能,将容易影响中立地位的立案、调查、监督、执行等职能从裁判职能中分离出来,实行立审分立、审调分立、审执分立、审监分立,从而有效地维护和树立裁判的中立性,维护法官的公正裁判地位,依法维护当事人的合法权益。

在强调中立审判原则的同时,还需要注意不能忽视司法机关应承担的司法救助责任,而应充分注意对弱势群体及地位失衡的当事人合法权益的保护。

（三）公开审判原则

公开审判原则是指法院对案件的审理和判决,除法律有特别规定的,都应该公开进行审理,公开进行宣判。

在强调公开审判原则时,也必须依法作一些适当的限制,对新闻媒体和社会公众不适当的干预应当予以制止,依法应当予以保密的事项不得随意公开。

（四）统一审判原则

统一审判原则是指审判权由人民法院统一行使,不可分割;在司法裁判适用法律尺度上必须统一。

统一审判原则,对法官裁判案件提出了更高的要求。在具体法律的适用上,司法人员必须考虑各种法律文件之间的相互联系,按照统一性的原则理解法律条文的含义,对同一性质的案件,同一法院的各个审判组织之间以及不同的法院之间作出的判决要保持一致性;必须严格遵循证据规则对案件的事实作出准确的判断,依法正确行使自由裁量权,准确理解法律精神及法律原则,防止主观随意性,在行使司法权时适用统一的法律,即同样的案件应适用同样的法律。司法裁判中应坚决反对司法的地方保护主义,以实现统一审判原则。

（五）及时审判原则

及时审判原则是指人民法院对审理的案件应按照法律规定的时限作出裁决，以体现法律的公正。时限是对诉讼活动时间的限制和规范。

及时审判原则是现代司法特征之一，体现了国家、诉讼当事人和社会公众对诉讼过程和结果时间上的期望与要求，关系到司法的公正。所以，审判要实现彻底的公正，审判就必须及时结案。例如，我国法律对有关简易程序的规定、不同案件审理期限的规定等。

四、审判制度

我国的审判制度是指我国各级人民法院的性质、任务、产生、职权以及审判原则和工作制度等法律规范的总称。

我国《宪法》第123条规定："中华人民共和国人民法院是国家的审判机关。"按照我国1979年7月1日公布实施的《人民法院组织法》，人民法院的任务是审判刑事案件和民事案件，并且通过审判活动，惩办一切犯罪分子，解决民事纠纷，以保卫无产阶级专政制度，维护社会主义法制和社会秩序，保卫社会主义的全民所有的财产、劳动群众集体所有的财产，保护公民私人所有的财产，保护公民的人身权利、民主权利和其他权利。保障国家的社会主义革命和社会主义建设事业的顺利进行。人民法院用它的全部活动教育公民，自觉地遵守宪法和法律。

我国的审判制度和检察制度、侦查制度一样，都是以人民民主专政理论为政治理论基础，结合我国社会主义民主与法制建设的实际需要而建立起来的，是我国人民代表大会制度的产物。

我国审判制度从程序上讲有管辖、立案、一审、二审、执行、再审、司法协助、特殊案件和破产案件审理等基本程序规定。为落实审判原则,保护人权,实现司法公正和效率的指导思想,我们概括为如下的审判制度:

(一)公开审判制度

公开审判,既是一项审判工作原则,也是一项重要的审判工作制度。我国宪法及有关法律均规定人民法院审理案件除法律规定的特别情况外,一律公开进行。

公开审判的范围主要包括:

1. 公开司法依据。将各种办案规则、案卷资料、内部司法解释向社会开放。

2. 公开审判过程。做到一切审判活动都在法庭上进行,公开举证、质证和认证,未经法庭质证的证据不得作为定案根据。

3. 公开审判组织的组成,允许当事人对合议庭成员提出回避申请。

4. 公开审判的时间、地点和场所,允许社会公众旁听审判过程并为其提供适当的便利。

5. 公开审判结果。法庭的裁判文书应当向公众展示,允许公民查阅裁判文书,裁判文书应当公开说理,如实记载和反映裁判过程。依法不公开审理的案件,也要公开宣判,以公开来保证公正。

依照法律规定,下列三种案件不公开审理:

1. 涉及国家机密的案件;

2. 涉及个人阴私和隐私的案件;

3. 未成年人犯罪的案件。

此外,根据《民事诉讼法》的规定,离婚当事人和涉及商业秘密案件的当事人申请不公开审理的,可以不公开审理。

(二)辩护制度

辩护制度是指法律规定的关于辩护权、辩护种类、辩护方式、辩护人范围、辩护人的责任、辩护人的权利和义务等一系列规则的总称。它是犯罪嫌疑人、被告人有权获得辩护原则在刑事诉讼中的具体体现和保障,是保护公民人身权利的有效措施,是现代国家法律制度的重要组成部分。辩护制度的健全和完善,是刑事诉讼程序民主化和科学化的重要标志。

《宪法》和《人民法院组织法》规定,被告人有权获得辩护。《刑事诉讼法》进一步规定,人民法院有义务保证被告人获得辩护,并对实行这一原则和制度作了具体规定。犯罪嫌疑人、被告人除自己行使辩护权以外,还可以委托1至2人作为辩护人。但正在被执行刑罚或者依法被剥夺、限制人身自由的人,不得担任辩护人。《刑事诉讼法》又加强了对犯罪嫌疑人权利的保护,规定犯罪嫌疑人获得律师帮助的时间是"被侦查机关第一次讯问后或者采取强制措施之日起",公诉案件自案件移送审查起诉之日起,犯罪嫌疑人有权委托辩护人。自诉案件的被告人有权随时委托辩护人。公诉人出庭的公诉案件,被告人因经济困难或者其他原因没有委托辩护人的,人民法院可以指定承担法律援助义务的律师为其提供辩护。被告人是盲、聋、哑或者未成年人而没有委托辩护人的,共同犯罪案件有的被告人有辩护人而有的被告人没有辩护人的,以及被告人可能被判处死刑而没有委托辩护人的,人民法院应当指定承担法律援助义务的律师为其提供辩护。

辩护人的责任是根据事实和法律,提出证明犯罪嫌疑人、被告人无罪、罪轻或者减轻、免除其刑事责任的材料和意见,维护犯罪嫌疑人、被告人的合法权益。

（三）两审终审制度

两审终审制度是指一个案件经过两级法院审判就宣告终结的制度。

人民法院实行四级两审终审制，即设四级人民法院，两审终审，根据案件的性质和难易划分审级管辖。如果当事人对第一审案件的判决或裁定不服，可以在法定期限内向上一级人民法院提出上诉；如果人民检察院认为一审判决或裁定确有错误，可以在法定期限内向上一级人民法院提出抗诉。如果在上诉期限内，当事人不上诉，人民检察院不抗诉，这个一审判决或裁定，就发生法律效力。上一级人民法院对上诉、抗诉案件，按照第二审程序进行审理后所作的判决或裁定，就是终审的判决和裁定，除判处死刑的案件需要依法进行复核外，其他案件就立即发生法律效力。

（四）合议制度

合议制度是指人民法院由3人以上审判员或者3人以上审判员和人民陪审员组成合议庭审判案件的制度，又称合议制。这是人民法院审判案件的基本组织形式。

合议庭组成人员必须是单数，一般为3人，实行少数服从多数的原则，同时，我国法院由审判员和人民陪审员组成的合议庭，合议庭成员有同等的权利。

（五）回避制度

回避制度是指司法人员与其经办的案件或者案件的当事人有某种特殊关系，可能影响案件的公正处理，因而不得参加处理这个案件的制度。

根据法律规定，审判人员、检察人员、侦查人员有下列情形之一的，应当自行回避，当事人及其法定代理人也有权要求他们回避：

1. 是本案的当事人或者是当事人的近亲属的;

2. 本人或者他们的近亲属和本案有利害关系的;

3. 担任过本案的证人、鉴定人、辩护人或者附带民事诉讼当事人的代理人的;

4. 与本案当事人有其他关系,可能影响公正处理案件的。

这些规定也适用于书记员、翻译人员和鉴定人。

审判人员的回避,由本院院长决定;院长的回避,由本院审判委员会决定。

(六)死刑复核制度

死刑复核制度是指审查核准死刑案件所遵循的程序和方式方法的规则。

《人民法院组织法》和《刑事诉讼法》规定,死刑案件除由最高人民法院判决的以外,应当报请最高人民法院核准。杀人、强奸、抢劫、爆炸以及其他严重危害公共安全和社会治安判处死刑的案件的核准权,最高人民法院在必要的时候,得授权省、自治区、直辖市的高级人民法院行使。中级人民法院判处死刑缓期 2 年执行的案件由高级人民法院核准。由最高人民法院核准死刑的案件,经中级人民法院判决后,须先经高级人民法院复核同意,再报请最高人民法院核准。如果高级人民法院不同意判处死刑的,可以提审或者发回重新审判。目前,最高人民法院负责核准判处死刑的案件主要是贪污等严重经济犯罪案件,其余普通刑事死刑案件已授权高级人民法院和中国人民解放军军事法院负责核准。

(七)审判监督制度

审判监督制度又称再审制度,是指人民法院对已经发生法律效力的判决和裁定依法重新审判的一种特别的审判工作制度。审判监督制度是两审终审制度的一个补救,是实行"实事求是,有错必纠"原则的重要体现,也是对人民高度负责精神的表现。

依照《人民法院组织法》和民事、刑事、行政三部诉讼法的规定,审判监督制度包括以下几项内容:

1. 提起审判监督程序的前提,是发现已经发生法律效力的判决和裁定,在认定事实上或者适用法律上确有错误。

2. 有权提起审判监督程序的,是各级人民法院院长、上级人民法院、上级人民检察院、最高人民法院和最高人民检察院。

3. 提起审判监督程序的方式是:各级人民法院院长提交审判委员会处理;最高人民法院提审或者指定下级人民法院再审;最高人民检察院、上级人民检察院按照审判监督程序提出抗诉。

4. 人民法院按照审判监督程序重新审判,应当另行组成合议庭进行,如果原来是第一审案件,应当依照第一审程序进行审判,所作的判决、裁定,可以上诉、抗诉;如果原来是第二审案件,或者是上级人民法院提审的案件,应当依照第二审程序进行审判,所作的判决、裁定,是终审的判决、裁定。

《民事诉讼法》对民事案件的审判监督程序的规定,当事人对已经发生法律效力的判决、裁定,认为有错误的,可以向原审人民法院或者上一级人民法院申请再审,但不停止判决、裁定的执行。

《刑事诉讼法》规定对刑事案件的申诉,也有相应的规定。

(八)司法协助制度

司法协助制度是指一国的司法机关(主要是法院)根据国际条约或双边、多边协定,在没有条约的情况下则按照互惠原则,应另一国司法机关或有关当事人的请求,代为履行诉讼过程中的一定司法行为。司法协助的范围有狭义与广义之分:狭义的仅指民、商事案件中的送达文书和调查取证;广义的还包括互相承认及执行法院的判决和仲裁机构的裁决。在刑事领域,司法协助包括送达文书、调查取证以及引渡罪犯、移管已决犯等。

　　国际司法协助是各国或地区之间在诉讼领域内互相协助合作的制度。我国对司法协助的规定主要有：

　　1. 送达文书和调查取证，是指缔约双方法院之间在民事、商事方面相互委托代为送达诉讼文书和代为调查取证等司法行为。在没有缔约的国家则通过外交途径解决。

　　2. 相互承认与执行法院判决和仲裁裁决，是指缔约双方相互承认和执行法院对民、商事案件作出的判决、裁定和调解书以及就刑事案件中赔偿损失作出的裁决。

　　3. 刑事司法协助，是指对刑事方面相互协助，包括送达文书、调查取证和引渡罪犯等。但以不损害主权、安全和公共利益为限。

第二节　审判机关

一、概　述

　　我国《宪法》第 123 条规定："中华人民共和国人民法院是国家的审判机关。"

　　中国审判机关的组织体系，即中国人民法院的机构设置和审级规定，包括法院的设置、法官、审判组织和活动等方面的法律制度。它由《宪法》、《人民法院组织法》、《法官法》和《诉讼法》等加以规范，它是审判制度的重要部分。

　　根据 1982 年颁布的《宪法》和 1979 年《人民法院组织法》的规定，我国人民法院的组织体系，由最高人民法院、地方各级人民法院、军事法院等专门人民法院构成。最高人民法院是最高审判机关，监督地方各级人民法院和专门人民法院审判工作。地方各级人民法院分基层人民法院、中级人民法院和高级人民法院。实行四级两审制。基层人民法院设立若干人民法庭。上级人民法院监督下级人民法院审判工作。

中国人民法院的设置原则是:地方各级人民法院根据行政区划设置,专门人民法院根据特定的组织系统或特定案件的实际需要设置,不论地方人民法院还是专门人民法院均根据多级原则和便民原则设置。

中国人民法院组织体系,对于保证人民法院正确审判案件、保障国家法制的统一,具有重要的意义。同时,人民法院体系单一,管辖明确。另外,人民法院接近群众,便利诉讼。这是中国人民法院在设置上的明显特点。

二、最高人民法院

最高人民法院是我国的最高审判机关,设在首都北京。

最高人民法院由院长1人,副院长、庭长、副庭长和审判员若干人组成,设刑事审判庭、民事审判庭、行政审判庭、告诉申诉审判庭、执行办公室等;同时,还设置了办公厅、机关事务管理局、研究室、政治厅、纪检室、外事局、司法警察局、教育厅等部门。

根据《人民法院组织法》和有关法律的规定,最高人民法院主要行使下列职权:

1. 监督地方各级人民法院和专门人民法院的审判工作。对地方各级人民法院和专门人民法院已经发生法律效力的判决和裁定,如果发现确有错误,有权提审或者指令下级法院再审。

2. 审判法律规定由它管辖的和它认为应当由它审判的第一审案件。

3. 审判对高级人民法院、专门法院判决和裁定的上诉案件与抗诉案件。

4. 审判最高人民检察院按照审判监督程序提出的抗诉案件。

5. 核准判处死刑的案件。

6. 对在审判过程中如何具体应用法律的问题进行解释。

7. 领导和管理全国各级人民法院的司法行政工作事项。

三、地方各级人民法院

按照《人民法院组织法》的规定,中国地方各级人民法院包括基层人民法院、中级人民法院和高级人民法院。

1. 基层人民法院

基层人民法院设在县级,包括县、自治县(旗)、不设区的市、市辖区,完全按行政区划设置。基层人民法院的职权是:

(1)审判刑事、民事和行政案件的第一审案件,但是法律、法令另有规定的案件除外。对所受理的案件,认为案情重大应当由上级人民法院审判的时候,可以请求移送上级人民法院审判。

(2)处理不需要开庭审判的民事纠纷和轻微的刑事案件。

(3)指导人民调解委员会的工作。

《人民法院组织法》还规定:基层人民法院根据地区、人口和案件情况可以设立若干人民法庭。人民法庭是基层人民法院的组成部分,它的判决和裁定就是基层人民法院的判决和裁定。人民法庭作为基层人民法院的派出机构,在基层人民法院的领导下进行审判活动。

基层人民法院设立人民法庭,是从便利群众的原则出发的,是总结了多年的经验而作出的法律规定,是中国审判制度的一个显著特点。

基层人民法院由院长 1 人,副院长和审判员若干人组成,设刑事审判庭、民事审判庭和行政审判庭,庭设庭长、副庭长。

2. 中级人民法院

中级人民法院设立在省、自治区的各地区,直辖市,省、自治区辖市,自治州。

根据《人民法院组织法》的规定,中级人民法院的职权是审判下列案件:

(1)法律规定由它管辖的第一审案件;

(2)基层人民法院移送审判的第一审案件;

(3)对基层人民法院判决和裁定的上诉案件和抗诉案件;

(4)人民检察院按照审判监督程序提出的抗诉案件。

中级人民法院对它所受理的刑事、民事和行政案件,认为案情重大应当由上级人民法院审判的时候,可以请求移送上级人民法院审判。

中级人民法院由院长1人,副院长、庭长、副庭长和审判员若干人组成,设刑事审判庭、民事审判庭、行政审判庭,根据需要可以设其他审判庭。

3. 高级人民法院

高级人民法院设在省、自治区和直辖市。高级人民法院由院长1人,副院长、庭长、副庭长和审判员若干人组成,设刑事审判庭、民事审判庭、经济审判庭、行政审判庭,根据需要可以设其他审判庭。

根据《人民法院组织法》和有关的法律规定,高级人民法院的职权是:

(1)审判下列案件:

①法律规定由它管辖的第一审案件。按照《刑事诉讼法》的规定,高级人民法院管辖全省(自治区、直辖市)性的第一审重大刑事案件。按照《民事诉讼法》的规定,高级人民法院管辖在本辖区

内有重大影响的第一审民事和经济纠纷案件。按照《行政诉讼法》的规定,高级人民法院管辖本辖区内重大、复杂的第一审行政案件。

②下级人民法院移送审判的第一审案件。

③对下级人民法院判决和裁定的上诉案件和抗诉案件。按照1984年11月14日第六届全国人民代表大会常务委员会第八次会议《关于在沿海港口城市设立海事法院的决定》的规定,海事法院所在地的高级人民法院有权审判对海事法院的判决和裁定的上诉案件。

④人民检察院按照审判监督程序提出的抗诉案件。

(2)根据《刑事诉讼法》第145条第1款的规定,复核中级人民法院判处死刑的、被告人不上诉的第一审刑事案件。其中同意判处死刑的,报请最高人民法院核准,不同意判处死刑的,可以提审或者发回重新审判。

(3)根据《刑事诉讼法》第146条的规定,核准中级人民法院判处死刑缓期2年执行的案件。

(4)根据最高人民法院的授权,核准部分死刑案件。1983年9月2日第六届全国人民代表大会常务委员会第二次会议通过的《关于修改人民法院组织法的决定》规定:杀人、强奸、抢劫、爆炸以及其他严重危害公共安全和社会治安判处死刑的案件的核准权,最高人民法院在必要的时候,得授权省、自治区、直辖市的高级人民法院行使。最高人民法院于1983年9月7日发出通知,上述死刑案件的核准权,依法授权由各省、自治区、直辖市高级人民法院和解放军军事法院行使。

1991年6月6日和1993年8月18日,最高人民法院又分别授予云南省高级人民法院和广东省高级人民法院行使对本省内的毒品案件的死刑核准权(但不包括高级人民法院一审的和涉外的毒品案件)。

(5)监督辖区内下级人民法院的审判工作。对下级人民法院已经发生法律效力的判决和裁定,如果发现确有错误,有权提审或者指令下级人民法院再审。

4.专门人民法院

专门人民法院是中国国家统一的审判体系即人民法院组织体系中的一个组成部分。它和地方各级人民法院共同行使国家的审判权。专门人民法院的设置是按照特定的组织系统或特定案件(如海事案件)建立的审判机关,不是按照行政区划建立的审判机关。《人民法院组织法》规定,专门人民法院包括军事法院、海事法院、铁路运输法院等专门法院。

(1)军事法院

军事法院是设在军队中的专门人民法院,分基层军事法院、大军区级军事法院和中国人民解放军军事法院。它审判现役军人、军队文职干部和在编职工的刑事犯罪案件。现役军人的民事案件由地方人民法院受理。

(2)海事法院

海事法院是为行使我国海事司法管辖权,审理一审海事案件、海商案件而设立的专门人民法院。现已在广州、上海、青岛、天津、大连、武汉、海口、厦门、宁波、北海等10个沿海和内河港口城市设立了海事法院。海事法院相当于地方的中级人民法院。海事法院受理中国法人、公民之间,中国法人、公民同外国或地区法人、公民之间,外国或者地区法人、公民之间的海事、海商案件。海事法院的审判工作由它所在地的高级人民法院监督,对海事法院的判决和裁定的上诉案件,由海事法院所在地的高级人民法院管辖。

(3)铁路运输法院

铁路运输法院是设在铁路沿线的专门人民法院。在铁路管理局所在地设中级法院,在铁路管理分局所在地设基层法院。铁路运输法院受理发生在铁路沿线的刑事犯罪案件和与铁路运输有关的经济纠纷案件。铁路运输中级法院的审判工作由所在地的高级人民法院监督;对铁路运输中级法院的判决和裁定的上诉案件,由其所在地的高级人民法院管辖。

四、审判组织

审判组织是指法院审判案件的组织形式。根据《人民法院组织法》和诉讼法的规定,中国人民法院的审判组织有独任庭、合议庭和审判委员会等三种组织形式。

(一)独任庭

独任庭是指由审判员 1 人依法独任审判案件的组织形式。

依照我国《刑事诉讼法》、《民事诉讼法》法律的规定,独任庭适用的范围是:

1. 第一审的刑事自诉案件和其他轻微的刑事案件。

2. 基层人民法院和它派出的人民法庭审判的简单的民事和经济纠纷案件。

3. 适用特别程序审理的案件,除选民资格案件或者其他重大疑难案件由审判员组成合议庭审判外,其他案件由审判员一人独任审判。

(二)合议庭

合议庭是指由 3 名以上审判人员(包括审判员和人民陪审员)集体审判案件的组织形式。依照《人民法院组织法》和刑事、民事、行政诉讼法的规定,人民法院对一审刑事、民事纠纷案件,除一部分简易案件实行独任审判外,其余的案件都由审判员 3 人或由审判员和人民陪审员共 3 人组成合议庭进行审判。一审行政案件一律由合议庭审判;二审案件、再审案件和死刑复核案件全部由合议庭审判。因此,合议庭是人民法院的基本审判组织。

合议庭是人民法院审判案件的基本审判组织,其成员不应当是固定不变的,而是临时组成的,由院长或者庭长指定审判员一人担任审判长。院长或者庭长参加审判案件的时候则自己担任审判长。合议庭评议案件时,如果意见分歧,按规定应当少数服从多数,但是少数人的意见应当记入评议笔录,由合议庭的组成人员签名。

合议庭审理案件有利于发扬民主,防止主观片面、独断专行和徇私舞弊,对于保证客观、公正地审判案件,具有重要的意义。

(三)审判委员会

依照《人民法院组织法》的规定,各级人民法院设立审判委员会。审判委员会是人民法院内部实行集体领导审判工作的一种组织形式。审判委员会委员由法院院长提请同级人民代表大会常务委员会任免。

第一,审判委员会与合议庭有以下几点区别:

1. 审判委员会的成员是稳定的,而且每个人民法院只设立一个审判委员会,没有法院以外的群众代表参加;合议庭的成员可根据案件情况而变化,是临时组成的。

2. 审判委员会不直接审理案件,只对合议庭审判的某些具体案件进行讨论和作出决定,在判决书或裁定书上仍应由合议庭成员署名。

3. 审判委员会由院长主持,审判委员会对具体案件讨论后所作出的决定,合议庭必须执行。

第二,审判委员会有三项主要任务:

1. 讨论重大的或者疑难的案件。

审判委员会不直接审判案件,只对经合议庭审理的重大的或者疑难的案件进行讨论和作出决定。根据审判实践,需要提交审判委员会讨论决定的案件通常是:案情复杂、影响较大的案件,需要判处死刑的案件,在适用法律上有疑难的案件,需要再审和提审的案件,涉外案件等。

2. 总结审判经验。

包括对某一时期审判工作经验的总结,对某些案件审判经验的总结,对某个重大的典型案件的总结,对审判方式方法或审判工作作风的经验总结等。

3. 讨论其他有关审判工作的问题。

最高人民法院的司法解释,须经审判委员会讨论通过。

审判委员会是中国的独创,它集中了本法院法律政策水平较高、经验比较丰富的审判人员,可以集思广益,发挥集体领导的作用,对重大的或者疑难的案件以及其他有关审判工作的重大问题作出正确的决定。院长主持讨论案件和问题,应当充分发扬民主,尊重每个审判委员会委员的权利,遇有意见分歧时,按少数服从多数的原则,进行表决。审判委员会是否认真实行民主集中制、严格依法办事,对一个法院执法水平的高低、办案质量的优劣,有着直接的关系。

第三节　法　官

一、法官的资格和条件

法官制度是国家对法官的资格条件、任免晋升和法律保障等进行全面规定和科学管理的制度,包括对法官的职责、权利义务、资格条件、任免、考核、培训、奖惩、工资福利、辞职、退休等一系列规定。我国 1995 年颁布实施的《法官法》对法官制度作了明确规定。

法官依法行使国家审判权,参加合议庭或独任审判案件。

担任法官必须具备下列条件:

1. 具有中华人民共和国国籍。

2. 年满 23 岁。

3. 拥护《中华人民共和国宪法》。

4. 有良好的政治、业务素质和良好的品行。

5. 身体健康。

6. 高等院校法律专业毕业或者高等院校非法律专业毕业具有法律专业知识,工作满 2 年的,其中担任高级人民法院、最高人民法院法官,应当从事法律工作满 3 年;获得法律专业硕士学位、博士学位或者非法律专业硕士学位、博士学位具有法律专业知识,从事法律工作满 1 年,其中担任高级人民法院、最高人民法院法官,应当从事法律工作满 2 年。

下列人员不得担任法官:

1. 曾因犯罪受过刑事处罚的。

2. 曾被开除公职的。

3. 法官的任免坚持德才兼备任人唯贤原则、民主原则、平等原则、择优选才原则以及专职原则。初任法官采取严格考核的办法,按照德才兼备的标准,从通过国家统一司法考试取得任职资格并且具备法官条件的人员中择优提出人选。

此外,法官不得兼任人民代表大会常务委员会的组成人员,不得兼任行政机关、检察机关以及企业、事业单位的职务,不得兼任律师。

二、法官等级

法官的等级是国家根据法官的职业特点以法律形式确认的法官级列。建立法官等级制度有利于增强法官的责任心和荣誉感，激励法官的进取心，更好地履行审判职责。

法官的等级与法官的职务不同，法官的职务是法官等级设置的基础，法官等级与法官职务有一定的对应关系。一般来说，职务高的等级高，相同职务的，资历长、业务水平高的相对等级就高。法官职务与等级相互联系、相互补充，从不同高度体现法官的德才、权力、职责、水平、资历、身份和地位。

根据《法官法》的规定，中国法官的级别分为12级，最高人民法院院长为首席大法官，2至12级法官分为大法官、高级法官、法官。法官的等级的确定，以法官所任职务、德才表现、业务水平、审判工作实绩和工作年限为依据。所任职务主要指法官的法律职务，即各级人民法院的院长、副院长、审判委员会委员、庭长、副庭长、审判员、助理审判员。德才表现主要指法官的政治思想表现以及道德品质、审判作风、文化专业知识及实际工作能力。业务水平主要指法律专业水平和审判工作水平。工作实绩主要指完成审判工作的数量、质量、效率和效果，也就是在本职岗位上对审判专业的贡献，取得的成绩。工作年限主要指参加工作的时间，包括在法院工作的时间，也包括任某一法官职务的时间。

三、法官的道德和纪律

法官不得有下列行为：散布有损国家声誉的言论，参加非法组织，参加旨在反对国家的集会、游行、示威等活动，参加罢工；贪污受贿，徇私枉法，刑讯逼供，隐瞒或者伪造证据；泄露国家秘密或者审判工作秘密;滥用职权,侵犯公民、法人或者其他组织的合法权益;玩忽职守,造成错案或者给当事人造成严重损失;故意拖延办案,贻误工作;利用职权为自己或者他人谋取私利;从事经营性活动;私自会见当事人及其代理人,接受当事人及其代理人的请客送礼等违法乱纪行为。

法官有以上行为者,应当给予处分。处分分为:警告、记过、记大过、降级、撤职、开除。受撤职处分的,同时降低工资和等级。构成犯罪的,依法追究刑事责任。

第十七章　司法行政制度

我国司法行政管理工作内容很多,主要有狱政管理、律师管理。

1994 年《监狱法》颁布施行,完善了我国刑事法律体系,为正确执行刑罚奠定了基础。我国设置监狱具有惩罚、矫正、整合和正确导向的功能,完成执行刑罚、惩罚的改造罪犯的任务。我国对罪犯实行惩罚和改造相结合、教育和劳动相结合的原则。

我国执行刑罚对收监、分管分押、监外执行、减刑、假释、释放、安置、使用武器械具等都有严格规定。

我国对狱政管理人员,即监狱警察有明确的法律和纪律要求。

我国对律师有严格的资格和执业标准要求。我国的律师有从国家法律工作者到法律服务执业人员的演变;我国有兼职律师制度。

我国律师在一定的律师事务所执业,接受司法行政机关的管理和律师协会的行业管理。

《律师法》规定了律师的执业道德和纪律,规定了律师执业的权利、义务和法律责任。

律师事务所有国办、合作、合伙等多种经营形式。

我国《律师法》和诉讼法规定了法律援助制度。

我国的法律援助实行国家帮助和律师义务服务的制度。法律和律师实践对法律服务的对象、范围作了规定和约定；对法律援助的实施程序作了规定。

我国的司法行政的业务范围还包括对具有国家证明地位的公证事业的管理，以及对基层民主组织的人民调解的管理。

仲裁制度在市场经济发展中有重要作用和地位。

第一节　狱政制度

一、监狱概论

（一）监狱的概念

监狱是统治阶级基于行刑目的，通过国家的强制力保证依法对受刑人实行监禁、执行自由刑的场所和设施，是实行阶级统治和社会控制的国家行刑机构。

这一定义包括以下四层含义：首先，监狱是一种特殊的物质体，即附属国家的、实现国家刑罚目的的物质工具；其次，监狱的职能是执行自由刑；再次，监狱是实行阶级统治和社会控制的国家行刑机构；最后，监狱反映了特定的刑罚理念和行刑目的的要求。

（二）监狱的功能

1. 惩罚功能。监狱使受刑人的身心均置于刑罚条件下，现实地承受刑罚，从而感受到被剥夺自由的痛苦与耻辱意味的效应总和。

2. 矫正功能。监狱通过基本的矫正手段消除受刑人主观的构成，促使其再社会化的效应总和。所谓再社会化，包括法律的再社会化、道德的再社会化及人格的再社会化。

3. 整合功能。监狱本体存在及其行刑活动本身标立和昭示了一种权威，借其对于被害人的安抚与对于社会心理的安定，而产生的凝聚社会心理、维护社会秩序的效应,即通过维护社会秩序,安抚被害人及其家属和安定社会心理来实现其作用。

4. 导向功能。监狱本体的存在和行刑为受刑人提供社会化行为模式的矫正活动,通过威慑机制,从反面对社会所释放的教育效果,具体表现为宣言效应和警戒效应,告诉人们哪些行为是合法的,哪些是违法的以及违法犯罪将受到的惩罚,以引导人们的行为方式。

(三)监狱的任务

1. 正确执行刑罚

监狱执行的是除死刑立即执行和拘役两种主刑以外的其他几种主刑,即判处死刑缓期2年执行、无期徒刑和有期徒刑。这些刑种是剥夺罪犯自由的刑罚,即自由刑。其基本作用是保护国家和人民的利益,维护社会秩序,惩罚和预防犯罪。刑罚只有得到正确的执行,才能充分发挥其应有的作用。

2. 惩罚罪犯

监狱执行自由刑,运用国家强制力,剥夺和限制罪犯的一定权益,主要是限制其人身自由,使其在服刑期间不得继续犯罪,不再给社会造成危害。

3. 改造罪犯

监狱执行自由刑,在限制罪犯的人身自由即服刑期间,要运用各种方式方法,即教育和参加一定劳动的办法,使其认罪服法,悔过自新,改恶从善,成为守法公民。

国家设置监狱,执行刑罚,其目的就是为了通过一系列执法活动和惩罚罪犯来改造罪犯,以达到预防其再次犯罪并借以教育、影响和阻止一般人犯罪的目的,从而有效地保护国家和人民的利益,维护社会安定,保障社会主义现代化建设事业的顺利进行。

(四)监狱的基本原则

1. 惩罚和改造相结合

监狱执行刑罚,首先是对犯罪分子实施惩罚。监狱对罪犯实施惩罚,其特点是将罪犯羁押在一定的场所,限制或剥夺其一定的自由,严格加以管束惩罚。执行刑罚本身就意味着惩罚,即剥夺犯罪分子的自由权利就是惩罚。惩罚和改造相比,惩罚重在强制,改造重在转化。惩罚是手段,改造是目的。监狱不是为惩罚而惩罚,而是把惩罚与改造活动紧密地结合起来,并有明确的目的性,即把罪犯改造成为守法公民。这也是我国刑罚的根本性质所在。

2. 教育和劳动相结合

为了有效地改造罪犯,还必须在执行刑罚中坚持贯彻教育和劳动相结合的原则。这里的教育是指对罪犯进行思想教育、文化教育、职业技术教育。劳动是指从事一定的生产活动。必须把教育改造和劳动改造二者很好地结合起来。

(1)对罪犯进行教育改造

在教育改造的方法上,要结合解决罪犯各自的现实问题,实行因人施教。对罪犯应进行思想教育,应包括法制、道德、形势、政策和前途教育等;还应根据罪犯的不同情况进行扫盲教育、初等教育和初级中等教育,经考试合格的,可发给相应的学业证书;监狱还应根据监狱生产和罪犯释放后就业的需要,对罪犯进行职业技术教育,经考核合格的,可以发给相应的技术等级证书。

此外,监狱应当组织罪犯开展适当的体育活动和文化娱乐活动。社会各界都应协助监狱做好对罪犯的教育改造工作。

(2)对罪犯实施劳动改造

罪犯劳动改造是指监狱组织罪犯从事生产劳动。根据《监狱法》和其他有关法律的规定,凡有劳动能力的罪犯都必须参加劳动。通过劳动,使罪犯矫正好逸恶劳、贪图享受等恶习,并在劳动中逐步掌握生产知识和技能,为日后刑满释放后就业创造必要条件;同时通过劳动还可以使罪犯增强体质。

监狱对罪犯的劳动时间,参照国家有关劳动工时的规定;在季节性生产等特殊情况下,可以调整劳动时间。按照有关规定给予适当劳动报酬,并执行国家有关劳动保护的规定。在劳动中致伤、致残或者死亡的,由监狱参照国家劳动保险的有关规定处理。

(五)《监狱法》

1994 年 12 月 29 日《监狱法》颁布施行。

司法部随着《监狱法》的颁布即下达了《关于统一监狱管理机关和监狱名称的通知》,决定对全国监狱管理机关和监狱名称进行统一命名,将"劳动改造管理局"更名为"监狱管理局","劳动改造管教队"更名为"监狱"。1954 年 9 月《劳动改造条例》以来使用的"劳动改造"、"劳改"名词从此废止。"劳改系统"、"劳改学校"等亦随之被"监狱系统"、"监狱工作"等称谓所取代。

《监狱法》的颁布施行有重要意义。

1. 标志着完善了我国刑事法律体系,为确保正确执行刑罚奠定了基础。《监狱法》对服刑犯的申诉、减刑、假释、监外执行以及检察机关的抗诉等规定,是对《刑法》、《刑事诉讼法》的重要补充。这实质上确认了在刑罚执行过程中,监狱作为执行机关与刑事案件的侦查、起诉、审判各机关之间的分工负责、互相配合、互相制约,从而能够保证更加有效地完成惩罚罪犯、改造罪犯的任务。

2.《监狱法》明确了监狱的性质、任务,全面地总结了我国监狱工作的经验教训,规范了监狱的执法活动,包括监狱工作的基本原则、基本制度和工作方法等。这对于有效地惩罚罪犯,保障人权,维护社会稳定,将发挥重要的保证作用。

3.《监狱法》确立了监狱警察的法律地位,强调了对服刑犯的权利保障。这既体现了惩罚罪犯的严肃性与威慑力,又体现了改造罪犯的文明与人道精神。

4.《监狱法》的颁布施行,有利于加强国际司法交流与合作,适应国际人权斗争的需要,更好地捍卫国家主权,维护祖国声誉。

二、刑罚的执行

(一)收监

收监是监狱接收被已经生效的刑事裁判即判处死刑缓期 2 年执行、无期徒刑和有期徒刑并交由监狱执行刑罚的罪犯。对于在被交付执行前,剩余刑期在 1 年以下的罪犯,由看守所代为执行。对于被判有期徒刑以上刑罚的未成年犯,交由专门的未成年犯管教所执行。

公安机关自接到人民法院的判决书和执行通知书之日起,应当在 1 个月内将罪犯送交监狱执行刑罚。

收监必须履行验证法律文书、对该罪犯进行身体及所携物品检查、填写"犯人入监登记表"和收监之日起 5 日内通知家属的程序。

(二)监外执行

监外执行是指被判处无期徒刑、有期徒刑在监内服刑的罪犯,符合法定原因,变更刑罚执行场所的行刑制度。

按照《刑事诉讼法》规定,对于有下列情形之一的,可以暂予监外执行:

1. 患有严重疾病,短期有死亡危险,需要保外就医的;

2. 患有严重慢性疾病,在监内长期医疗无效,需要保外就医的;

3. 怀孕或者正在哺乳自己婴儿的妇女;

4. 年老体弱,已经失去危害社会可能的;

5. 身体残疾,失去劳动能力,生活不能自理的。

监外执行由罪犯所在监狱提出意见;报省、自治区、直辖市监狱管理机关批准,省级监狱管理机关审批后,若其同意予以监外执行,应通知公安机关和原判法院,并抄送人民检察院;监外执行由罪犯居住地公安机关执行监管,原关押监狱应当及时将罪犯在监内改造情况通报负责执行的公安机关。负责执行的公安机关、当地的治安组织等具体负责暂予监外执行罪犯的监督考查工作。

(三)减刑

减刑是指对符合法定条件的被判处管制、拘役、有期徒刑、无期徒刑的罪犯,依法减轻其原判刑罚的一项行刑制度。减轻原判刑罚,包括变更原判刑种和缩短原判的刑期。

减刑适用于确有悔改表现,确有立功表现的罪犯。

罪犯经过一次或几次减刑以后的实际执行刑期,原判为管制、拘役、有期徒刑的,不得少于原判刑期的 1/2;原判为无期徒刑的,不得少于 10 年;原判为死缓的不得少于 12 年。

减刑均由监狱提出意见。原判为无期徒刑的,报省级监狱管理局审核同意后,提请当地高级人民法院裁定。原判为有期徒刑的减刑,送请当地中级人民法院依法裁定。减刑裁定的副本抄送人民检察院。

(四)假释

假释是指在刑罚执行期间,符合法定原因的被判处有期徒刑或者无期徒刑的罪犯,依法将其附条件地提前释放的行刑制度。

假释适用于确有悔改表现、不致再危害社会的被判处有期徒刑已执行原判刑期 1/2 以上或无期徒刑已被执行 10 年以上的罪犯。

假释,由监狱提出假释意见。对于有期徒刑罪犯的假释,报请当地中级人民法院裁定,宣告假释;对无期徒刑的假释,报请当地高级人民法院裁定,宣告假释。

被假释的罪犯在假释期间有违法行为,尚未构成新的犯罪的,公安机关可以建议人民法院撤销假释,人民法院应当在收到建议之日起1个月内予以审核裁定。人民法院撤销假释的,由公安机关将罪犯送交监狱收监。

有期徒刑犯人的假释考验期为没有执行完的刑期;无期徒刑罪犯的考验期为10年。

(五)释放

释放是指监狱依法对刑罚执行完毕的罪犯,解除监禁,恢复其人身自由及其他相关权利所进行的活动。刑满释放是人民法院生效判决和裁定所确定的刑罚执行结束的一种标志,是导致监狱法律关系终结的法律事实。

罪犯服刑期满,由监狱进行出监教育,制作出监鉴定,发给释放证明书。

罪犯释放后,公安机关凭释放证明书办理户籍登记。

(六)安置

对刑满释放人员,由当地人民政府帮助其安置生活。刑满释放人员丧失劳动能力又无法定赡养人、扶养人和基本生活来源的,由当地人民政府予以救济。

刑满释放人员依法享有与其他公民平等的权利。

三、狱政管理

(一)监狱的主管机关

我国司法部主管全国的监狱工作。司法部设监狱管理局,作为司法部管理全国监狱的职能部门。各省、自治区、直辖市的司法厅（局）主管本行政区域所辖范围内的监狱工作；省、自治区、直辖市的监狱管理局在当地司法厅（局）的领导下具体管理辖区内的监狱工作。

监狱工作由国家的司法行政部门主管，是世界各国通例。只有个别国家例外，如国家专设监狱管理机关，或由公安、内政部门管理。我国就曾由公安部门管理过监狱工作达32年之久。

（二）监狱设置、变更和工作机构

监狱的设置、撤销、迁移，由国务院司法部批准。监狱是国家机器的重要组成部分，其运作是国家行为。因此，其设置、撤销、迁移的批准权限应由国家特设部门统一掌管。统一掌管其设置、撤销和迁移，既有助于确保刑罚能够得到统一、有效、正确的贯彻执行，也有利于根据历史因素、经济和自然等条件进行通盘考虑，使监狱设置的布局合理。

各监狱设监狱长1人、副监狱长若干人，并根据实际需要设置必要的工作机构和配备其他监狱管理人员。这些可以根据关押罪犯的对象、规模、承担任务等情况来具体决定。工作机构除一般包括行政机构和生产经营机构外，还设狱政、生活、卫生、教育等机构。

（三）监狱的财政、财产和监督

国家保障监狱改造罪犯所需经费。监狱警察经费、罪犯改造经费、罪犯生活费、狱政设施经费及其他专项经费，列入国家预算。国家提供罪犯劳动必需的生产设施和生产经费。监狱依法使用的土地、矿产资源和其他自然资源以及监狱的财产，受法律保护，任何组织或者个人不得侵占、破坏。

监狱工作必须接受主管机关的行政监督。必须接受人民检察院的法律监督,依据《宪法》及有关法律,人民检察院对监狱执行刑罚的活动是否合法,依法实行监督。

(四)对罪犯的管理

1. 对罪犯实行分押分管:一是对成年男犯、女犯和未成年犯实行分开关押和管理,照顾未成年犯和女犯的生理、心理特点;二是根据罪犯的犯罪类型、刑罚种类、刑期、改造表现等情况,实行分别关押,采取不同方式管理。

对女犯由女警察直接管理。在有条件的省、自治区或较大的市应专门设女监、未成年犯管教所。

2. 监狱的武装警戒由人民武装警察部队负责。根据监管的需要,设立警戒设施。在监狱周围设警戒隔离带,未经准许,任何人不得进入隔离带。

3. 监狱在罪犯下列情形下可以使用械具:(1)有脱逃行为的;(2)有使用暴力行为的;(3)正在押解途中;(4)有其他危险行为需要采取防范措施的。

按照法律规定,人民警察和人民武装警察部队的执勤人员可以使用武器的情形是:(1)罪犯聚众骚乱、暴乱的;(2)罪犯脱逃或者拒捕的;(3)罪犯持有凶器或者其他危险物,正在行凶或者破坏,危及他人生命、财产安全的;(4)劫夺罪犯的;(5)罪犯抢夺武器的。使用武器的人员,应当按照国家有关规定报告情况。

4. 罪犯在服刑期间可以与他人通信,但是来往信件应经监狱检查。当发现有碍罪犯改造内容的信件,可以扣留。但罪犯写给监狱的上级机关和司法机关的信件,不受检查。

罪犯在监狱服刑期间,可以会见亲属、监护人。

5. 罪犯的生活标准按实物量计算,由国家规定。罪犯的被服由监狱统一配发。在生活上照顾少数民族罪犯的特殊生活习惯。

6.关于奖惩,监狱建立罪犯的日常考核制度,其结果作为对罪犯奖惩和处罚的依据。

(五)监狱管理人员

监狱的管理人员是人民警察,简称监狱警察,是人民警察的一个警种。

监狱警察应当严格遵守《宪法》和法律,忠于职守,秉公执法,严守纪律,清正廉洁。监狱工作有很强的法律性、政策性。监狱警察肩负着实施刑罚、监管和改造罪犯的特殊使命,因此有严格的要求:

1.严格遵守《宪法》和法律。监狱警察既是一种警察,又是公民,除与普通公民同样遵守宪法和法律外,作为监狱警察是执法者更必须严格守法,特别是《监狱法》、《人民警察法》等。

2.忠于职守。监狱警察肩负着监管和改造罪犯的重任,必须严格履行职责,不可稍有松懈,严禁擅离职守,违法渎职。

3.秉公执法。监狱警察必须秉公执法,不徇私情。严格按照法定条件、程序办理罪犯的收监、监管、加刑、减刑、假释、保外就医、监外执行、准假和释放等,切实做到严格依法办事,赏罚严明。

4.严守纪律。监狱警察必须严格遵守本机关、本部门、本单位规定的纪律。

5.清正廉洁。监狱警察要自觉做到为警清廉,不以权谋私。

《监狱法》除从正面作了上述的规定即要求监狱警察做到外,还作了禁止性的具体规定,即《监狱法》规定监狱警察不得有下列行为:

1.索要、收受、侵占罪犯及其亲属的财物;

2.私放罪犯或者玩忽职守造成罪犯逃脱;

3. 刑讯逼供或者体罚、虐待罪犯;

4. 侮辱罪犯的人格;

5. 殴打或者纵容他人殴打罪犯;

6. 为谋取私利,利用罪犯提供劳务;

7. 违反规定,私自为罪犯传递信件或者物品;

8. 非法将监管罪犯的职权交予他人行使;

9. 其他违法行为。

《监狱法》还规定,监狱警察如有上述所列行为,构成犯罪的,依法追究刑事责任;尚未构成犯罪的,应当予以行政处分。

第二节 律师制度

一、律师概念

律师是指依法取得律师资格,持有律师执业证书,为社会提供法律服务的执业人员。

首先,律师必须具有律师资格。律师的资格条件,各国均有法律规定,均重视学历和品行,有的还要求国籍、年龄等。一般而言,律师必须受过法律专业训练,经过考试或考核,审查合格者,方可取得律师资格。

律师执业必须持有律师执业证书。具有律师资格者,只有依法取得律师执业证书,方能执业。有的还要求提交实习证明,经过申请执业而获准者,方得执业。

律师是从事法律服务的人员,这是律师的基本性质。律师工作是一种专事法律服务的职业,为社会提供法律服务,受当事人委托或者法院指定参加诉讼或非诉讼法律事务,为社会和公民提供法律的帮助。

二、律师的法律地位

在司法制度中专列律师一节，是因为中国律师的法律地位较为特殊。

1. 中国的律师曾经既是司法行政部门领导下的国家干部，也是法律工作者。

1950 年第一届全国司法会议上司法部长史良作的《关于目前司法行政工作报告》和 1954 年 7 月司法部的《关于试验法院组织制度几个问题的通知》，律师作为辩护人取得较高地位，这时的律师是以"人民律师"形象出现在国家法制建设舞台上的。

1980 年，邓小平曾明确指出：律师队伍要扩大，不搞这个法制不行。推动了律师制度的恢复和发展。同年 8 月 26 日，第五届全国人民代表大会常务委员会第十五次会议通过了《中华人民共和国律师暂行条例》，这时期的律师是国家干部身份，被称之为国家的"法律工作者"。

2. 我国律师和其他国家的律师一样，直接与刑事审判中的辩护权利和辩护制度相联系。律师工作的质量是国家法制建设、民主与法律建设和国家宪法政治建设的重要方面。

3. 我国律师资格先于法官和检察官实行国家统一资格考试，社会对律师的法律知识水平的认可程度较高。现在"法律人"的学术用语一般列举为法学学者、法官、检察官、警官和律师，无疑也提高了律师的社会地位。

三、律师资格与执业证书

（一）律师资格

律师资格是律师执业的资格条件。律师资格的取得分为考试取得和考核取得两种,实行以考试为主、考核为辅的律师资格授予制度。

我国实行律师资格全国统一考试制度,建立"公开、平等、竞争、择优"的律师资格人才的选拔机制。2002年之前,报考人员必须"具有高等院校法律专科以上学历或者同等专业水平,以及高等院校其他专业本科以上学历"。经律师资格考试合格者,由国务院司法行政部门依法定程序审批授予律师资格。

2002年起国家司法考试统一举行,把法官、检察官和律师的三种资格考试合在一起举行,报考条件也统一起来了,其学历条件为国民教育本科学历。

律师资格也可以通过考核取得:

1. 在高等法律院校(系)或法学研究机构从事法学教育或研究工作,已取得高级职称的;

2. 具有法学专业硕士以上学位,有3年以上法律工作经历或者在律师事务所工作1年以上的;

3. 具有高级职称或者同等专业水平,可以考核授予律师资格的。

(二)律师执业证书

律师执业证书是律师从事社会法律服务职业的执业证书,律师取得执业证书须具有律师资格并在律师事务所实习满1年。

(三)兼职律师

兼职律师是指取得律师资格和执业证书,在不脱离本职工作的同时兼做律师工作。现行法律规定,高等学校的法学教师可以做兼职律师。

国家机关的现职工作人员不得兼任执业律师。包括:(1)纪检、监察、审计人员;(2)公务员;(3)人大常委会委员;(4)管理监狱和劳动教养的人员；(5)公安、检察、法院现职人员；(6)人民政协方面的人员；(7)工矿企业、体育卫生方面的人员；(8)现役军人不能到地方兼任律师。律师可以兼任各级人民代表大会代表，但律师在担任各级人民代表大会常委会组成人员期间，不得执业。

四、律师执业

(一)律师执业范围

《律师法》第25条规定律师可以从事以下七项业务：

担任常年法律顾问；代理民事、行政诉讼；担任刑事案件的辩护人和代理人；代理申诉案件；参与调解和仲裁；办理非诉讼事务；法律咨询、代书。

(二)律师执业原则

1. 必须遵守宪法和法律，恪守律师职业道德和执业纪律。

2. 必须以事实为根据，以法律为准绳，坚持依法办案。

3. 在执业过程中除接受司法行政机关的监督、指导和律师协会的行业管理之外，还应当接受国家、社会和当事人广泛的监督。

4. 律师依法执业受法律保护。

五、律师机构和管理体制

(一)律师执业机构

按照《律师法》的规定，律师事务所是律师的执业机构。从资金来源、法律责任承担和所得分配等方面界定，我国律师事务所有国家独资、合作、合伙等三种形式。

律师事务所设立应当具备的条件是：有自己的名称、住所和章程；有10万元以上人民币的资产；有符合律师法规定的律师。

申请设立律师事务所，经省、自治区、直辖市以上人民政府司法行政部门审核批准。

(二)律师协会

各国的律师协会名称、设立和职责不尽相同。其名称有律师会、律师公会、律师联合会、律师院等。律师协会章程一般包括这些内容:律师资格管理权;律师纪律惩戒权;调停会员之间以及会员与当事人之间的纠纷;维护律师职业的利益;律师界的联系与交流;维护法律的正确实施;协助国家立法的完善;等等。

在我国律师协会是社会团体法人,是律师自律性机构。律师协会章程由全国会员代表大会统一制定,报国务院司法行政部门备案。

律师协会在全国设立中华全国律师协会,省、自治区、直辖市设立地方律师协会,设区的市根据需要也可以设立地方律师协会。

(三)管理体制

《律师法》规定,国务院司法行政部门依照律师法对律师、律师事务所和律师协会进行监督、指导。地方人民政府的司法行政部门也依法监督、指导所在地区的律师、律师事务所和律师协会。这是行政管理体制。

司法行政部门的行政监督指导与律师协会的行业管理相结合,如何找准其最佳结合点,有待探索和完善。即司法行政部门既不能用行政命令和行政手段去"指导",又不能放弃监督和指导职责;而律师协会的行业管理,既要同司法行政部门密切配合,又要真正体现出行业管理的特点,均需要通过实践妥善解决。

六、律师权利义务与法律责任

(一)律师权利

"律师依法执业受法律保护",这是《律师法》对律师参与诉讼所拥有的特殊权利的规定。依据有关法律法规,律师享有以下权利:人身保障权;辩护保障权;调查取证权;拒绝辩护或代理权和会见在押被告人等权利。

(二)律师义务

律师应当保守在执业活动中知悉的国家秘密和当事人的商业秘密,不得泄露当事人的隐私。依法交纳税款。律师不得在同一案件中,为双方当事人担任代理人。按照国家规定承担法律援助义务。

(三)律师纪律

按照《律师法》,律师在执业活动中不得有如下行为:

1. 私自接受委托,私自向委托人收取费用,收受委托人的财物;

2. 利用提供法律服务的便利牟取当事人争议的权益,或者接受对方当事人的财物;

3. 违反规定会见法官、检察官、仲裁员;

4. 向法官、检察官、仲裁员以及其他有关工作人员请客送礼或者行贿,或者指使、诱导当事人行贿;

5. 提供虚假证据,隐瞒事实或者威胁、利诱他人提供虚假证据,隐瞒事实以及妨碍对方当事人合法取得证据;

6. 扰乱法庭、仲裁庭秩序,干扰诉讼、仲裁活动的正常进行。

(四)律师法律责任

1. 行政责任

律师有下列行为之一的,由省、自治区、直辖市以及设区的市人民政府司法行政部门给予警告,情节严重的给予停止执业 3 个月以上 1 年以下的处罚;有违法所得的,没收违法所得;同时在两个以上律师事务所执业的;在同一案件中为双方当事人代理的;以诋毁其他律师或者支付介绍费等不正当手段争揽业务的;接受委托后,无正当理由,拒绝辩护或者代理的;无正当理由,不按时出庭参加诉讼或者仲裁的;泄露当事人的商业秘密或者个人隐私的;私自接受委托、私自向委托人收取费用,收受委托人财物,利用提供法律服务的便利牟取当事人争议的权益,或者接受对方当事人的财物的;违反规定会见法官、检察官、仲裁员或者向法官、检察官、仲裁员以及其他工作人员请客送礼的;妨碍对方当事人合法取得证据的;扰乱法庭、仲裁庭秩序,干扰诉讼、仲裁活动的正常进行的;应当给予处罚的其他行为。

2. 刑事责任

律师有下列行为之一的,由省、自治区、直辖市人民政府司法行政部门吊销律师执业证书;构成犯罪的,依法追究刑事责任:泄露国家秘密的;向法官、检察官、仲裁员以及其他工作人员行贿或者指使、诱导当事人行贿的;提供虚假证据,隐瞒重要事实或者威胁、利诱他人提供证据,隐瞒重要事实的。

3. 民事责任

律师违法执业或者因过错给当事人造成损失的,由其所在的律师事务所承担赔偿责任。律师事务所赔偿后,可以向有故意或者重大过失行为的律师追偿。

第三节　法律援助制度

一、法律援助概念与意义

法律援助又叫法律救助、法律扶助。是指国家对某些困难和特殊案件的当事人采取依法减免诉讼费用或者义务为其提供法律帮助,以保障他们的合法权益得以实现。

法律援助是现代国家的一种法律保障制度,是社会经济和民主法制发展到一定阶段的产物,是社会进步与文明的表现,是法律健全的结果。法律援助的实质,是国家贯彻宪法确立的"法律面前人人平等"的基本原则,保障法律得以平等、公正实施的重要措施。

从20世纪50年代我国颁布的《人民法院组织法》,到80年代颁布的《律师暂行条例》《民事诉讼收费办法》等都规定了法律援助的基本原则和内容。如对诉讼当事人请求劳动保险金、抚恤金、救济金、赡养费、抚育费、扶养费、因工损害赔偿费等实行减免诉讼费和律师费。1996年制定新的《刑事诉讼法》和《律师法》最终明确了"法律援助制度"。

国家设立法律援助的根本目的在于消除因经济能力或个人条件不平等而产生的法定权利实际不平等的现象,为全体社会成员提供平等的司法保障。

在我国,法律援助有着现实和历史的意义。

法律援助制度体现了国家对法律赋予公民的基本权利的切实保障,有利于实现法律面前人人平等的宪法原则。我国《宪法》和法律规定公民享有平等的权利,但由于有的当事人因经济困难付不起诉讼费或律师费用,从而不能诉诸法院以保障自己的权利,建立法律援助制度,消除事实上存在的不平等现象,就能保障实现法律面前人人平等原则。

法律援助制度有助于切实保障人权,实现司法公正。法律援助制度的产生,从一开始就是与人权密切联系在一起的,它不仅是保护人权的手段,而且是人权的基本内容。在诉讼案件中,特别是刑事诉讼案件中,被告人处于特殊地位,如果无经济能力,请不起律师,就不可能切实保障自己的合法权益。建立法律援助制度,为诉讼当事人提供平等的司法保障,就有利于确保司法公正原则的实现,促进社会主义和谐社会的早日到来。

二、法律援助的对象和范围

法律援助的对象是指具备法定条件可以获得法律援助的人。

从各国有关法律援助的立法和实践来看,关于法律援助的对象,多数国家限定为自然人,而且是本国公民,即社会成员中那些经济贫困者和生理残疾、精神障碍或智力低下的特殊群体。外国人享受法律援助,必须具备特殊条件,限制在一定范围内。

根据我国《民事诉讼法》、《刑事诉讼法》和《律师法》的规定,法律援助的对象是我国公民和符合一定条件的外国公民,即经济困难和特殊的当事人。法律援助的一般条件是指确因经济困难(按当地政府规定的最低生活标准),无能力或无完全能力支付法律服务费用,并有充分理由为保障合法权益而确需帮助的我国公民。法律援助的特殊条件主要是指刑事案件被控方具有特殊情况,如:聋、哑、盲和未成年人为刑事被告人或犯罪嫌疑人,以及其他残疾人、老年人为刑事被告人或犯罪嫌疑人因经济困难而无力聘请辩护律师的;刑事被告人可能被判处死刑而没有委托辩护律师的;外籍刑事被告人没有委托辩护人而由法院指定律师辩护的。

外国人可以有条件地成为我国法律援助对象。在外国人作为刑事诉讼的被告人、被害人时,由于涉及联合国刑事司法标准和国际通行规则,涉及我国刑事司法的公正性和人权保障,因此应当按照联合国有关标准和借鉴各国通行做法,把外国人纳入刑事法律援助的范围。

法律援助的范围是指法律援助的事项,主要有:

1. 刑事案件。具体说来,就是《刑事诉讼法》第 34 条规定的三类案件,即公诉人出庭公诉的案件,被告人因经济困难或者其他

原因没有委托辩护人的;被告人是盲、聋、哑或者未成年人而没有委托辩护人的;被告人可能被判处死刑而没有委托辩护人的;

2. 请求给付赡养费、抚育费、扶养费的事项;

3. 除责任事故外,因公受伤请求赔偿的事项;

4. 盲、聋、哑等残疾人、未成年人、老年人追索侵权赔偿的事项;

5. 请求国家赔偿的诉讼案件;

6. 请求发放抚恤金、救济金的事项;

7. 以法人为援助对象的经济案件;

8. 需要予以公证的与公民个人人身、财产以及其他确需法律援助而无能力委托律师的人。

三、法律援助的资金

法律援助是一种政府行为,国家对法律援助的责任主要体现在提供财政保障上。

具体说来,我国法律援助的经费主要应由以下三个部分构成:一是政府财政拨款;二是律师、公证员、基层法律服务人员的义务参与,既体现在从律师协会、公证员协会会费中提取相当比例用于法律援助,也体现在律师、公证员每年无偿提供一定数量的法律援助;三是社会捐赠。

四、法律援助的程序

1. 提出申请

需要法律援助的当事人,应向其户籍所在地的县(市)区司法行政机关所属的法律援助机构提出申请,说明请求法律援助的目的和主要事实,并提交相关材料。

2. 审查批准

法律援助机构收到当事人的申请后,应认真审查当事人的申请,及时作出是否准予法律援助的决定。

3. 签订法律援助协议

获准法律援助的当事人,应持准予法律援助通知书到指定的律师事务所办理签订协议、填写委托书等手续。

4. 提供法律援助服务

承担法律援助义务或被指定提供法律援助的律师应进行相应的业务活动,为当事人提供法律援助。

第四节　仲裁制度

根据《中华人民共和国仲裁法》(以下简称《仲裁法》)的规定,我国仲裁是指平等主体的双方当事人依法白愿达成协议,将合同纠纷和其他财产权益纠纷提交给仲裁机构进行裁决并予以执行,从而解决纠纷的一种法律制度。

仲裁制度主要内容有:

协议仲裁制度是指仲裁机构必须根据双方当事人之间达成的仲裁协议受理仲裁案件,仲裁协议是仲裁活动的惟一前提条件。

协议仲裁制度是仲裁管辖得以产生的基础,它是一项基本的仲裁管辖制度。仲裁机构依法受理双方当事人在有效仲裁协议中约定的仲裁事项。根据仲裁协议制度,有效仲裁协议可以确定仲裁机构为惟一管辖机构,进而会完全排斥法院管辖权。《仲裁法》第5条规定:"当事人达成仲裁协议,一方向人民法院起诉,人民法院不予受理,但仲裁协议无效的除外。"仲裁制度作为我国法律体系的一个组成部分,赋予经济纠纷当事人更多的选择权。

　　仲裁实行一裁终局制度是指仲裁机构一旦对仲裁事项作出仲裁裁决,立即发生终局的法律效力,结束争议,解决纠纷。当事人不得就同一争议再向其他仲裁机构申请仲裁,也不得向人民法院提起诉讼。

　　仲裁制度历史久远。仲裁无论在时间上还是在程序上都更加及时和简便,具有优越性。这一制度的实施给经济纠纷当事人带来了更大的方便,有利于经济秩序的稳定和发展。

第五节　公证制度

　　公证制度是关于公证机关的性质、公证业务范围、公证效力、公证程序以及公证管理体制等方面制度的总称。公证制度是我国司法制度的重要组成部分。

　　在我国,公证是指国家公证机关根据当事人的申请,按照法定程序证明法律行为、有法律意义的文书和事实的真实性、合法性的一种非诉讼活动。

　　公证制度具有以下法律特征:

　　公证的主体是国家公证机关和申请公证的当事人。他们的行为对公证的发生、发展和终止具有决定性影响,他们在公证活动中既享有法定的权利,又承担法定的义务。

　　公证证明的对象是指公证机关依法证明的法律行为、有法律意义的文书和事实。

　　公证的内容是证明公证对象的真实性、合法性。

　　公证是国家机关依照法定程序进行证明的一种非诉讼活动。公证机关在行使国家证明权进行公证活动时,必须严格遵守公证法律规定的程序。

公证机关违法公证或违反法定程序的证明活动不具有公证证明的法律效力。

第六节　人民调解制度

人民调解制度是指农村和社区的调解组织作为第三人,根据法律规定和社会公德,以说服教育的方式,协助当事人自愿达成协议,从而解决民商事纠纷和一般赔偿案件的法律制度。

需从以下几个方面理解人民调解制度:(1)调解制度必须由第三人主持;(2)必须双方当事人自愿;(3)必须以说服教育的方式解决纠纷;(4)经过调解所达成的协议内容必须符合法律规定和社会公德,不得损害国家、集体或第三人的合法利益;(5)调解的目的是解决民商事纠纷和一般赔偿案件。

我国依法建立了一套完整的调解体系,按照调解组织的不同,调解制度可以分为:人民调解、仲裁调解、行政调解、律师调解、消费者协会调解和法院调解几个种类。调解主要存在于非诉讼的法律活动中,同时也存在于诉讼制度中。仲裁机构和法院所作出的调解协议书,与仲裁裁决书和判决书有同等的法律效力,是法定执行根据。其他种类的调解协议,不具有法律效力。

我国调解体系是有机联系的统一整体,是我国司法制度不可缺少的组成部分。随着我国法律的健全和发展,调解制度一定会更加完善,在我国法律建设和人民生活中发挥更大的作用。

第七节　司法体制改革

自20世纪80年代以来,在我国经济发展、社会进步,各项事业改革取得巨大成绩的背景下,开始了司法改革。党中央对此极为重视,对司法改革作出了全面部署和明确要求。2004 年 12 月,中共中央转发了《中央司法体制改革领导小组关于司法体制和工作机制改革的初步意见》;2005 年 5 月,中共中央转发了《中共全国人大常委会党组关于进一步发挥全国人大代表作用,加强全国人大常委会制度建设的若干意见》,集中地展示了当今司法体制改革的成就和发展方向。

司法为民、建设和谐社会,是我国人民民主专政的司法本质体现。坚持民主与法制,坚持人民当家作主,在"三个代表"重要思想的指导下,以民为本,建设社会主义法治国家,构建和谐社会,我国司法体制改革的一切方面都以此为中心内容。

司法公正与效率,是我国司法根本目标。我国司法体制改革在价值取向方面取得重大的突破性进展。

合理有效地配置司法资源,在国家司法权的设置、使用上依照科学规律办事,深化国家司法权力结构改革,已经成为理论界和司法实践的共识。

在公安、检察院、人民法院和司法行政各个部门深化内部管理改革,机构设置、职能调整、司法人员廉政建设和业务素质提高等各个方面都取得了举世瞩目的成绩。

在司法理念、司法文化上不断探索,总结侦查、检察、审判和司法行政管理精神文明建设的优秀成果。

一、司法为民,建设社会主义和谐社会

我国司法的本质是人民民主专政,近几年的司法改革成果证明,司法体制改革应以坚持四项基本原则为全部内容和基本方向。

中国共产党在革命、建设、改革的各个历史时期,代表中国社

会先进生产力的发展要求，代表中国社会先进文化的前进方向，代表中国最广大人民的根本利益。以胡锦涛总书记为核心的党中央，坚持两个务必的优良传统，坚持司法为民，建设社会主义和谐社会，提高党的执政能力，加强民主与法制，建设法治国家和基层民主建设。近几年，在宪法政治的基本框架内，尊重人权，取消了公安系统的收容审查制度，讨论修改治安处罚法，强化信访制度建设，提高人民调解的法律地位，进行民法典立法讨论、全民征求物权法立法意见、调研人民法院设置原则、调研证据法立法等活动，无不体现了司法为民，建设社会主义法治国家和构建和谐社会的根本要求及发展方向。

2005 年 5 月，中共中央转发了《中共全国人大常委会党组关于进一步发挥全国人大代表作用，加强全国人大常委会制度建设的若干意见》，在人民代表大会的根本制度下，人民当家作主，一切为了人民利益，端正司法体制改革方向，强化权力机关和人民代表对司法机关及其工作人员的监督，强化对司法权及其行使的专门法律监督、党员领导干部监督、社会监督和舆论监督。

司法本质要求，我国司法改革的实践必须符合我国国情，必须维护广大人民群众的根本利益，在中国共产党的领导下进行，所谓司法改革的理论创新和制度创新，必须要有国家的政策依据和法律依据①。

二、以司法公正和效率为改革目标

提出"司法公正与效率"，是近年来中国司法改革与建设成就

---

① 谭世贵主编：《中国司法改革理论与制度创新》，法律出版社 2003 年版，第 78—86 页。

的高度概括和总结,具有重要的理论创新意义和实践指导意义。

"司法公正与效率"在内涵上主要从三个方面理解:实体公正、程序公正和司法效率。

第一,实体公正就是要忠实于《宪法》和法律,依法认定事实和正确适用实体法律,确保对诉讼当事人的实体权利和义务关系所作出裁决的公平和公正。

第二,程序公正是诉讼过程的公正。它要求诉讼活动的过程应充分满足和体现独立、公开、平等、中立、民主、权威、统一、及时和严明等多方面的要求。程序公正或程序正义,既是实体公正的保证,又是现代社会追求诉讼正义和民主的重要内容。

无论实体公正还是程序公正,都具有历史相对性,这是司法公正发展的必然规律。需要法官作出既符合法律的基本原则又符合广大人民群众对正义的评价标准、同时也符合社会历史发展阶段客观规律的裁决,使办案的法律效果与社会效果有机地统一起来,这样的裁决价值观及其表现形式,有可能被将来的立法所确认。

第三,司法效率具有独立性,也具有依附性。它是司法公正的内在要求和应有之义,也是实现司法公正的重要保障。迟到的公正也是不公正,有效率的司法公正才具有完整的价值内容。司法效率反对诉讼的过分迟延和司法资源的浪费,它要求在优化司法资源配置的同时实现诉讼过程的优化,加快办案进度,节约司法资源,实现最大程度的司法公正。

当今我国的司法改革在强调司法的人民民主专政的阶级性,强调其"秩序"的价值的同时,又把"司法公正与效率"作为司法工作的指导思想、改革目标和基本价值,从而使我国的司法改革取得了前所未有的历史性成就。

三、司法权力资源合理配置

2004 年 12 月,中共中央转发了《中央司法体制改革领导小组关于司法体制和工作机制改革的初步意见》(以下简称《改革的初步意见》)对我国公安机关、人民检察院、人民法院、司法行政部门的司法权力资源作出了初步结论,基本维持了 1982 年《宪法》和各种组织法所规定的分工负责和权力制约的格局。

值得提及的是,《改革的初步意见》把属于中介组织应做的工作例如司法鉴定等,还其本来面目,从国家司法权力机关剥离出去。能做到这一点,从国家司法机关和公民社会的关系、国家司法权力和市场经济的关系上讲,《改革的初步意见》对中国司法体制改革具有里程碑的意义。

如何进一步调整公安部门、人民检察院、人民法院、司法行政管理部门的关系,界定其司法权力,深入改革司法体制和工作机制,学术界仍有不同观点。

我们认为,司法权力资源的优化合理配置,关键是按照不同国家司法机关的司法权力的性质规范其职能,做到司法专业化。这里,用三点予以说明。

(一)关于轻微犯罪的劳动教养制度应该及时调整

学界对此呼声很高。我们的初步设计是,轻微犯罪的定性应由人民法院判决裁定,公安机关对该项犯罪应向人民法院提起公诉,并由人民法院适用简易程序判决裁定,交司法执行部门执行。

(二)司法执行制度混乱,需及时调整

现在,刑事判决和裁定的执行是由司法行政管理机关执行,民事执行现在仍然由人民法院自己执行,在一定程度上,执行难是人民法院造成的。因为,第一,《宪法》赋予人民法院的权力是审判

权,其基本业务范围是审判业务,执行能力包括执行人员数量素质和专业技能不力。第二,《民事诉讼法》赋予人民法院可以审查自己的判决和裁定,执行依据的法律权威性不高。

综上,亟须制定统一的强制执行法,将刑事执行、民事执行、行政执行、劳动教养执行统一划归到司法行政机关执行。

(三)人民检察院强化法律监督权

1. 人民检察院不行使公安部门侦查案件的公诉权。

对于法律规定由人民检察院直接受理、侦查的案件向人民法院提起公诉是应当的。但是,对于公安机关侦查的案件提起公诉则背离了人民检察院行使法律监督权的司法机关的性质。依据现行法律,公安机关侦查的案件结束后,一般会有三种结果:一是可以由公安机关作出并执行的行政处罚的治安案件;二是属于轻微犯罪的劳动教养案件;三是具有犯罪嫌疑,可以进行刑事处罚的案件。所有这些案件都是由公安机关侦查终结的,公安机关必须对自己的行为负责任,由公安机关起诉较为妥当。也就是说,公安机关侦查的案件处理结果一般有三种状态:一是行政处理;二是轻罪处罚;三是刑事处罚。公安机关完全可以自己独立作出并承担起法律责任。依据《国家赔偿法》,由于检察院提起公诉,一旦出现错案,检察院和公安部门承担连带责任,因为在"公诉"司法上,检察院和公安机关并列了。

实际上,人民检察院对于公安机关侦查的案件,以决定是否逮捕、起诉或者免于起诉的形式进行了法律监督,检察院对刑事审判亦有监督,检察院并没有失职。

2. 人民检察院应加大"法律监督"力度。

应当承认,人民检察院对于国家公务人员的廉政监督正在加强;对人民公安机关的监督无论在制度上还是在机构设置和实践中,都是基本到位的。但是,对于人民法院的法律监督上,还是自觉感到矮一头,这当然与当事人的法律意识有关,更重要的是还涉及人民检察机关人员的"三个代表"重要思想落实到实处的问题,即是否真正以人民的根本利益为出发点,还有则是制度和机构设置上的问题,主办抗诉监督的专业人员明显不足。此外,对《人民检察院组织法》第5条第5款关于刑事处罚执行的法律监督不到位,往往仅仅是设立检察室而已,这是远远不够的。如果刑事、行政、民事的法律执行应当交给国家司法机构统一执行,对于减刑、缓刑、强制执行等的法律监督,就不是人民法院的职权范围,而是人民检察院的"法律监督"的业务范围。

四、司法机关体制和工作机制改革

我国司法改革涉及国体政体,涉及历史和现实的矛盾,层次多、难度大,必须认真清理其范围,认识其内容,然后才能制定出一个好的改革方案①。

近几年来,司法机关内部的机构设置和工作机制改革取得世人瞩目的成绩。

人民法院、人民检察院所进行的司法改革主要是在最高人民法院、最高人民检察院的领导或指导下进行,其中有些改革是按照最高人民法院、最高人民检察院的整体部署或制定的改革方案、规划实施的,有些改革则是由各地方人民法院、人民检察院自己创新进行的。

公安管理部门刑侦、预审工作制度逐渐规范,废除收容制度深

---

① 谭世贵主编:《中国司法改革理论与制度创新》,法律出版社2003年版,第194页。

得人心。司法行政管理部门在狱政管理、律师管理、公证体制改革等方面也取得斐然成绩。

（一）人民法院改革

在司法改革的热潮中，法院改革既是其重点，也是热点。有人将人民法院形象地概括为：司法地方化、法院行政化、法官大众化。我们的改革就是要克服这些弊端，改掉过去的陋习。

人民法院主要进行了以下方面的改革：

1. 以公开审判为中心，强化庭审功能，强化当事人举证责任，强化合议庭职责，重视民事调解，及时化解民事纠纷，根据民事、行政、实行审判的不同特点，深化审判方式的改革，重视裁判文书的制作、意义和作用。

2. 实行独任法官和审判长选任制度，提高审判质量，实行错案追究制度，正确认识审判委员会的作用。

3. 实现立审、审执、审监的"三个分立"。

4. 调整、构建"大民事审判格局"，完善我国民事、刑事、行政审判的体系。

5. 充实加强司法强制执行力量，进行执行工作体制改革。

6. 将海事法院纳入统一的人民法院体制管理。

7. 实行新修订的《法官法》，将是否通过"国家统一司法考试"作为能否获得法官任命的先决条件。

8. 法院改革还包括陪审制度改革、证据制度改革等多方面。

（二）人民检察院

为贯彻十五大提出的"推进司法改革"任务，最高人民检察院先后在 1999 年 2 月制定了《检察工作五年发展规划》和 2000 年 2 月 15 日《检察改革三年实施意见》，现已取得检察院改革的阶段性成就。具体表现为：

1. 改革检察官办案机制,建立主诉、主办检察官办案责任制,提高了检察官的责任心、积极性和办案质量。

2. 加强反贪力度,并加强与环境反贪机构的合作,即主要与香港廉政公署交流情报,协同行动,效果良好。

3. 推行检务公开,拓宽检务公开的范围、方式和途径,建立举报反馈制度、办案回访制度、检察长定期接待制度以及刑事申诉案件的公开审查程序等等。

4. 改革检察干部人事制度,调整人员结构,实行检察官、书记官、司法警察、行政人员的分类管理。

5. 探索对民事案件、行政案件的监督问题以及对检察理论研究等等。

当前,无论从理论上还是检察实务上,对人民检察院的定位仍持有疑问。我国《宪法》把人民检察院定性为国家的"法律监督机关",依法独立行使"检察权"。但是,面对人民检察院的林林总总的法律事务,有人不免犹豫起来,认为我国检察机关并非纯司法机关,亦并非纯行政机关,而是半司法半行政机关的性质。这样的认识妨碍了对人民检察院是法律监督机关的本质的认识。[1]

关于检察制度的改革问题,我们不仅应从宪法角度、从国家权力分配角度来考虑改革,而且还应当从借鉴外国有益经验、尊重司法规律、适应社会发展、适应市场经济体制、适应 WTO 规则、适应有效保护人权等诸方面来考虑改革,从而建立健全适用我国国情和人民代表大会制度的检察司法体制。

---

① 熊先觉:《司法制度与司法改革》,中国法制出版社 2003 年版,第 125—126 页。

（三）公安机关和国家安全机关

公安机关和国家安全部门依《宪法》和法律规定,行使刑事犯罪的侦查、拘留、预审和执行逮捕的职权。

近几年来,随着国际国内的形势发展变化以及科学技术的发展,针对犯罪分子利用高新科学技术进行犯罪活动,面对黑社会性质组织和邪教等犯罪行为给社会安定和人民的生命财产造成重大危害,面对社会发展带来的人权保护等,向公安机关和国家安全部门提出了更高更严的要求。公安机关和国家安全部门在制度建设和人员素质提高等方面取得了很大的成绩。

（四）司法行政机关

我国司法行政机关锐意改革,近些年来,在监狱制度、律师制度、人民调解制度、仲裁制度、公证制度等方面都有所创新。

监狱制度改革以建设现代化的文明监狱为目标。以往由于传统的管理机制与布局不合理,严重制约着监狱工作的发展。近几年来,在司法部领导下推进监狱制度改革,除司法部直属燕城监狱外,各省、市、自治区加大了改革力度,主要是改革监狱的布局和体制问题。

监狱体制改革的思路是:按照公正司法、严格执法、权责明确、有效制约、运行高效的要求,采取监狱执行刑罚管理和监狱生产经营管理分开、监狱执法经费支出和监狱生产收入分开的运行机制,逐步实现"全额保障、监企分开、收支分开、规范运行"的监狱体制改革目标,以建立一套公正、廉洁、文明、高效的新型监狱体制,从体制和工作制度上保证监狱执行刑罚功能的充分发挥。监狱开支经费纳入国家司法预算。

随着改革的不断深入,律师制度改革和发展进入了新的历史阶段。1993 年 12 月,国务院批准转发了司法部《关于进一步深化律师改革的方案》,推动了律师工作的改革和发展,取得了显著成效。其主要表现在:一是对律师的认识有了突破,不再使用行政机关的模式界定律师机构的性质。二是律师所的组织形式有了突破,形成了国资所、合作所、合伙所等多种形式并存的格局。三是律师管理体制有了突破,改变了以往单一的行政管理模式,初步形成了司法行政机关行政管理和律师行业管理相结合的律师管理体制。四是律师队伍有了较大的发展,素质不断提高。五是律师的社会影响日益扩大。六是律师工作的对外交流与合作日益扩大,出访和来访与日俱增,律师出境学习和境外律师来华实习也日益增多。司法部已批准近百家外国和境外地区的律师事务所在华设立办事处。我国也有许多家律师事务所被获准在美国、新加坡和俄罗斯等国设立了分支机构。

五、司法文化建设

这里的司法文化建设是指每一个具体的司法单位的社会主义精神文明建设。

每一个司法单位的社会主义精神文明建设,都可以凝练为一个文化特征,以锻炼队伍、凝聚人心、鼓舞干劲、发展事业。这个文化特征可以是一句格言,也可以是一种理念,也可以是一个形象。

在这一方面,人民法院、人民检察院、公安机关、国家安全部门、司法行政部门针对各自的司法领域,都有自己的司法文化特色。它们在具体的基层司法单位树典型、找亮点。"学习型法院"、"服务型公安"的例子不胜枚举;"任长霞"式的公安局长和"宋鱼水"式的优秀法官的形象光照大江南北;而青岛市即墨市人民检察院两年内两次召开全国规模的"检察文化"讨论会,也是一个例子。

主要参考文献

一、古籍与史料

1.《尚书》,上海商务印书馆(影印本)1922 年版。

2.《诗经》(据高亨:《诗经今注》),上海古籍出版社 1980 年版。

3.《左传》,上海古籍出版社 1990 年版。

4.《周礼》,上海商务印书馆(影印本)1922 年版。

5.《礼记》,上海古籍出版社 1990 年版。

6.《管子》,文渊阁四库全书电子版,上海人民出版社等 1999 年制作。

7.《商子》,上海商务印书馆(影印本)1922 年版。

8.《慎子》,文渊阁四库全书电子版,上海人民出版社等 1999 年制作。

9.《韩非子》,上海商务印书馆(影印本)1922 年版。

10.《史记》,文渊阁四库全书电子版,上海人民出版社等 1999 年制作。

11.《汉书·刑法志》,文渊阁四库全书电子版,上海人民出版社等 1999 年制作。

12.《春秋繁露》,上海中华书局排印本 1936 年版。

13.《晋书·刑法志》,文渊阁四库全书电子版,上海人民出版社等 1999 年制作。

14.《陈书·沈洙传》,文渊阁四库全书电子版,上海人民出版社等 1999 年制作。

15.《隋书·刑法志》,文渊阁四库全书电子版,上海人民出版社等 1999 年制作。

16.《新唐书·刑法志》,文渊阁四库全书电子版,上海人民出版社等 1999 年制作。

17.《新唐书·百官三》,文渊阁四库全书电子版,上海人民出版社等 1999 年制作。

18.《唐六典》,文渊阁四库全书电子版,上海人民出版社等 1999 年制作。

19.《唐律疏议》,文渊阁四库全书电子版,上海人民出版社等 1999 年制作。

20.《旧唐书·刑法志》,文渊阁四库全书电子版,上海人民出版社等 1999 年制作。

21.《贞观政要》,上海商务印书馆(影印本)1932 年版。

22.《资治通鉴》,上海商务印书馆(影印本)1922 年版。

23.《宋史·刑法志》,文渊阁四库全书电子版,上海人民出版社等 1999 年制作。

24.《文献通考》,文渊阁四库全书电子版,上海人民出版社等 1999 年制作。

25.《元史·刑法志一》,文渊阁四库全书电子版,上海人民出版社等 1999 年制作。

26.《新元史·刑法志》,文渊阁四库全书电子版,上海人民出版社等 1999 年制作。

27.《元史·刑法志》,文渊阁四库全书电子版,上海人民出版社等 1999 年制作。

28.《明会典》,文渊阁四库全书电子版,上海人民出版社等1999年制作。

29.《明史·职官志》,文渊阁四库全书电子版,上海人民出版社等1999年制作。

30.《明史·刑法志》,文渊阁四库全书电子版,上海人民出版社等1999年制作。

31.《大明会典》,江苏广陵古籍刻印社1989年版。

32.《太平御览》,上海商务印书馆(影印本)1922年版。

33.《册府元龟》,文渊阁四库全书电子版,上海人民出版社等1999年制作。

34.《大清律例》,文渊阁四库全书电子版,上海人民出版社等1999年制作。

35.《光绪朝东华录》,中华书局1958年版。

36.《折狱龟鉴》,文渊阁四库全书电子版,上海人民出版社等1999年制作。

37. 郑观应:《盛世危言》,上海古香阁排印本1895年版。

38. 康有为:《康有为文集》,上海国华书局1914年版。

39. 严复:《严复集》,中华书局1986年版。

40.《清末筹备立宪档案史料》上、下册,故宫博物院明清档案部1979年。

41. 杨幼炯:《近代中国立法史·法院编制法》,商务印书馆1936年版。

42.《孙中山全集》,中华书局1981—1986年版。

43. 陈旭麓、郝盛潮主编:《孙中山集外集》,上海人民出版社1990年版。

44. 谢振民:《中华民国立法史》,中国政法大学出版社2000年版。

45. 孔庆泰:《国民党政府政治制度档案史料选编》,安徽教育出版社 1994 年版。

46. 缪全吉:《中国制宪史资料汇编》,台湾"国史馆"1991 年版。

47. 徐百齐:《中华民国现行法规大全》,商务印书馆 1934 年版。

48.《中华民国法规大全》,商务印书馆 1937 年版。

49. 韩延龙、常兆儒:《中国新民主主义革命时期根据地法制文献选编》第 2 卷,中国社会科学出版社 1981 年版。

50. 江西档案馆、江西省委党校党史教研室:《中央革命根据地史料选编》,江西人民出版社 1982 年版。

二、现代研究著作

1. 弗里德里希·沃特金(Frederich Watkins):《西方政治传统——现代自由主义发展研究》,吉林大学出版社 2004 年版。

2. 汪太贤:《西方法治主义的源与流》,法律出版社 2001 年版。

4. 布鲁诺·莱奥尼著,秋风译:《自由与法律》,吉林大学出版社 2004 年版。

5. 贺照田主编:《后发展国家的现代性问题》,吉林大学出版社 2004 年版。

6. 胡夏冰:《司法权:性质与构成的分析》,人民法院出版社 2003 年版。

7. 詹宁斯:《法与宪法》,生活·读书·新知三联书店 1997 年版。

8. 朱福惠:《宪法学新编》,法律出版社 1998 年版。

9. 约阿希姆·赫尔曼:《德国刑事诉讼法典》(中文本引言),中国政法大学出版社 1995 年版。

10. 程荣斌:《检察制度的理论与实践》,中国人民大学出版社 1990 年版。

11. 埃尔曼:《比较法律文化》,生活·读书·新知三联书店 1990
    年版。

12. 毕玉谦:《民事证据原理与实务研究》,人民法院出版社 2003
    年版。

13. 江伟主编:《证据法学》,法律出版社 1999 年版。

14. 王亚新:《社会变革中的民事诉讼》,中国法制出版社 2001
    年版。

15. 文池主编:《北大访谈录》,中国社会科学出版社 2001 年版。

16. 梁慧星:《民法解释学》,中国政法大学出版社 1995 年版。

17. 陈金钊:《法治与法律方法》,山东人民出版社 2003 年版。

18. 卡多佐著,苏力译:《司法过程的性质》,商务印书馆 2000 年版。

19. 胡绳武、金冲及著:《辛亥革命史稿》,上海人民出版社 1991
    年版。

20. 张希坡、韩延龙主编:《中国革命法制史》上册,中国社会科学
    出版社 1987 年版。

21. 赵秉志主编:《香港法律制度》,中国人民公安大学出版社 1997
    年版。

22. 侯外庐:《中国思想通史》,人民出版社 1957 年版。

23. 冯友兰:《中国哲学史新编》,人民出版社 1982 年版。

24. 刘泽华:《中国政治思想史》,浙江人民出版社 1996 年版。

25. 张晋藩:《中国法制通史》,法律出版社 1999 年版。

26. 白刚:《中国政治制度通史》,人民出版社 1996 年版。

27. 张晋藩:《中国司法制度史》,人民法院出版社 2004 年版。

28. 张晋藩:《中国百年法制大事纵览》,法律出版社 2001 年版。

29. 王永祥:《戊戌以来的中国政治制度》,南开大学出版社 1991
    年版。

30. 中国史学会:中国近代史资料丛刊:《辛亥革命》,上海人民出版社 1957 年版。

31. 钱端升等:《民国政制史》,商务印书馆 1944 年增订版。

32. 全国政协文史资料委员会:《辛亥革命亲历记》,中国文史出版社 2001 年版。

33. 钱实甫:《北洋政府时期的政治制度》,中华书局 1984 年版。

34. 陈之迈:《中国政府》,商务印书馆 1946 年版。

35. 政治通讯月刊社:《县政问题》,政治通讯月刊社 1935 年版。

36. 徐矛:《中华民国政治制度史》,上海人民出版社 1992 年版。

37. 茅彭年、李必达主编:《中国律师制度研究》,法律出版社 1992 年版。

38. 张希坡、韩延龙:《中国革命法制史》上册,中国社会科学出版社 1987 年版。

39. 赵秉志:《香港法律制度》,中国人民公安大学出版社 1997 年版。

40. 王兆刚:《国民党训政体制研究》,中国社会科学出版社 2004 年版。

后　记

　　《中国司法制度研究》一书,是我们长期进行教学与科研的成果,我们付出了辛勤的劳作,尤其在统稿过程中,称得上是反复推敲,其结果是数易其稿。

　　参加本书部分章节初稿的写作、资料的收集以及对某些原著材料进行核对、校正等,如下注明:第一编第一章司法本质——陈雪、王正、陈栋;第二章司法制度——劳谦、刘鹏、黄猛;第三章司法官员——戴晶、周冬冬、许姗;第四章司法道德——杨晓颖、张肖琳、严文霞;第五章司法方法——吴丽、夏莺歌;第三编近代司法制度——王兆刚;第四编现代司法制度——姜瑞雪,其中第十三章具有中国特色的社会主义司法理论——朱维栋、胡顺嵩、杨鹏。

　　人民出版社哲学编辑室方国根编审就本书的选题、出版给予了热心的指导与大力的支持;我国著名学者张晋藩教授作序鼓励。谨表示衷心的感谢。青岛大学指定本书为大学研究生教材,其副主编为姜振家、王兆刚、姜瑞雪。

　　《中国司法制度研究》一书,是在不断研究中产生,也必将在不断研究中完善,我们期待着方家的批评指正。让我们共同把中国司法制度的研究引向深入,我想这是我们共同的目标。

作　者

2005 年 10 月于青岛

责任编辑:方国根

装帧设计:鼎盛怡园

版式设计:顾杰珍

责任校对:阎　宓

图书在版编目(CIP)数据

中国司法制度研究/王圣诵　王成儒著.

-北京:人民出版社,2006.5

ISBN 7 - 01 - 005428 - 2

Ⅰ.中…　Ⅱ.①王…②王…　Ⅲ.司法制度-研究-中国

Ⅳ.D926

中国版本图书馆 CIP D926 数据核字(2006)第 013783 号

中国司法制度研究

ZHONGGUO SIFA ZHIDU YANJIU

王圣诵　王成儒　著

人民出版社 出版发行

(100706　北京朝阳门内大街 166 号)

北京新魏印刷厂印刷　新华书店经销

2006 年 5 月第 1 版　2006 年 5 月北京第 1 次印刷

开本:880 毫米×1230 毫米 1/32　印张:15.75

字数:355 千字　印数:0,001 - 4,000 册

ISBN 7 - 01 - 005428 - 2　定价:29.00 元

邮购地址 100706　北京朝阳门内大街 166 号

人民东方图书销售中心　电话 (010)65250042　65289539